传感器、仪表与发电厂监测技术

主　编　陈德新　于纪幸
副主编　张利平　王铁生　殷　豪

黄河水利出版社

内 容 提 要

本书主要介绍了电厂测试技术、传感技术与测量仪表、计算机数据采集与处理、水力机组现场测试技术、火力发电机组现场测试技术、火电厂安全监控系统、水轮机效率试验与汽轮机组的热力试验等内容，可作为电力自动化专业本科生、研究生的教学用书，同时也可作为从事电力工作的工程师及相关科技人员的参考书。

图书在版编目(CIP)数据

传感器、仪表与发电厂监测技术/陈德新，于纪幸主编.
郑州：黄河水利出版社，2004.9
ISBN 7-80621-826-2

Ⅰ.传… Ⅱ.①陈…②于… Ⅲ.电厂检测 Ⅳ.TM62

中国版本图书馆 CIP 数据核字(2004)第 090256 号

出 版 社：黄河水利出版社

地址：河南省郑州市顺河路黄委会综合楼 14 层　　邮政编码：450003

发行单位：黄河水利出版社

发行部电话：0371-66026940、66020550、66028024、66022620(传真)

E-mail：hhslcbs@126.com

承印单位：河南省地质彩色印刷厂

开本：787mm×1 092 mm　1/16

印张：10

字数：231 千字　　印数：1—3 000

版次：2004 年 9 月第 1 版　　印次：2004 年 9 月第 1 次印刷

书号：ISBN 7-80621-826-2/TM·9　　定价：20.00 元

前 言

随着发电厂机组容量的增加和自动化水平的不断提高，新的测量方法和新的监测控制仪表不断出现。为了反映当今电厂测量和控制仪表的现状，帮助从事电力自动化专业人员了解最新开发的仪表，而编写了本书。该书首先阐述了各种物理参数常用测量仪表的工作原理和基本结构，对于近年来生产中采用的新的测量方法及仪表，尽量予以介绍；然后对水力发电厂和火力发电厂中主要监测和保护装置的结构、工作原理及动作的全过程分别加以论述；最后对水轮机的效率试验和汽轮机的热力试验分别给予详细的介绍。

全书由陈德新、于纪幸主编，张利平、王铁生、殷豪为副主编。其内容共分八章：第1章由殷豪编写；第2章由王铁生编写；第3章、第4章由于纪幸编写；第5章由张利平编写；第6章由陈德新编写；第7章由楚清河编写；第8章由刘清欣编写。全书由陈德新统稿。

由于时间仓促，编者水平有限，书中难免有不当之处，诚恳地希望广大读者批评指正。

编 者

2004年9月

目　录

第 1 章　电厂测试技术概述

了解电厂测试的内容、特点，以及现代测试技术所需要的基本知识，掌握电厂需要监测的电量与非电量对象。

1.1　水电厂测量的特点与对象

水电厂测量技术是对水电厂原型水轮发电机组的水力、电气、机械及水工建筑等有关参数检测的方法与技术的研究，它可以为水电厂的水力机组、电气设备、辅助设备及有关水工建筑物的安全、经济运行提供可靠的数据。通过对测量数据的分析，对水电厂中各种设备的性能、状态进行评价、监督，进而对设备的运行状态进行跟踪，对设备的安全状态进行诊断，以便及时地对设备进行必要的维护。此外，设备各种状态参数的测量，也是对设备进行自动控制与保护的基础。

水电厂有其自身的特点，它是一个集水力、机械、电气、控制设备四方面于一体的生产过程。因此，其测量技术也必然包括水、机、电、控等方面。水电厂主、辅机测量的项目很多。水力方面包括力、流量、流速、水位等；机械方面包括力、力矩、位移、振动、机械损伤、转速、轴功率等；电气方面包括电压、电流、功率、频率、相位等；控制设备方面包括控制系统的工作状态、故障、开关或阀门的位置，主备用设备切换等。

通常把水电厂的测量分为电量测量与非电量测量两部分。电量测量包括发电机、母线、线路的电压、电流、功率、频率等因素；非电量测量包括水位、流量、水头、流速等水力参数以及力、力矩、振动、位移、转速等机械因素。此外，还有发电机与辅助设备(例如空压机)的温度、冷却水、润滑油、绝缘油、压缩空气的温度等。电量与非电量的测量，具体包括下面几部分。

1.1.1　电量测量——模拟量测量

电量模拟量测量参数主要包括以下几个方面。

(1)发电机定子电压、电流、功率、频率。

(2)变压器的电压、电流、功率、频率。

(3)高、低压母线的电压、电流、功率、频率。

(4)励磁电压、电流。

(5)厂用电电压、电流、功率、频率。

(6)直流系统电流、电压。

(7)发电机出口，各用户线路出口的电量。

上述参数一般作为模拟量方式进行测量。

1.1.2 非电量测量——模拟量测量

非电量模拟量测量参数主要包括以下几个方面。

(1)液(水)位:水库水位,下游尾水位;各种液位(油罐、集油槽、漏油箱的油位,集水井、排水廊道、供水池的水位,水轮机顶盖漏水水位等)。

(2)压力:引水管、尾水管、顶盖下方、冷却水管、压力油管、压缩空气管、油压装置、压缩空气罐、供排水泵进出口、空气压缩机出口等处的压力。

(3)温度:发电机定子线圈、冷却水、轴承润滑油、轴瓦的温度,以及油罐、油箱、气罐、空气压缩机各段温度,发电机空冷器进、出口风温等。

(4)流量:水轮机过流量、各冷却水流量等。

(5)位移:水轮机接力器行程、导水叶开度、转桨式水轮机桨叶开度、闸门或阀门开度等。

(6)振动:水轮发电机组大轴摆度、水轮机顶盖、发电机机架的水平、重直振动等。

以上各量一般以模拟量方式进行测量。

1.1.3 位置量测量——开关量测量

位置量测量即开关量测量,主要包括以下几个方面。

(1)闸门、阀门的位置(开、关)。

(2)各种电气开关的位置(分、合)。

(3)各种继电器接点位置(开、闭)。

(4)控制,执行机构位置(投、切)。

(5)冷却水(通、断)。

(6)制动闸位置(上、下)。

(7)集水井水位(上限、下限)。

以上各位置信号通常以开关量方式进行测量。

1.1.4 设备状态监视

水电厂的各种主、辅机设备运行状况,健康状态监视,当设备处于正常、异常、故障或事故状态时发生相应信号。

随着现代科学技术的发展,尤其是计算机技术的发展,使水电厂的测量技术也日益向着现代化、高科技发展,大量的智能传感器、智能仪表与计算机监控系统的应用,使水电厂的自动化程度越来越高。我国已有许多水电厂实现了少人值守与无人值班。这些都是与水电厂的现代测量技术分不开的。

1.2 火力发电厂监测技术的特点与对象

火力发电厂是将燃料(煤或油)的化学能转变为热能和电能的工厂,主要有热力设备和电气等设备。热力设备主要是锅炉和汽机,两者均配有相应的辅机设备,构成了许多系统,如输煤、煤粉、燃油、风烟、除尘、除渣、除灰、蒸汽(主蒸汽、再热蒸汽、旁路、加热器等)

真空、补给水、化学水处理、除氧水、给水、凝结水、循环水、减温减压、发电机冷却、汽轮机油系统等,其上均装设有大量的热工测量和控制仪表。电气设备,如发电机、电动机、变压器等,也装设了热工测量和控制仪表,或与热力设备进行联动。

火力发电厂检测技术是对火力发电厂中的锅炉、汽轮机、发电机、控制等有关参数的监测方法与技术的研究。它可以为火电厂的锅炉及辅助设备、汽轮机及辅助设备、电气设备及有关的辅助设备的安全经济运行提供可靠的数据,通过对测量数据的分析,对火力发电厂中的各种设备的性能、状态进行评价、监督,进而对设备的运行状态进行跟踪,以便及时地对设备进行必要的保护。同时,对有关设备各种状态参数的测量,是对设备实现自动控制和保护的基础。

图 1-1 表示了火力发电厂机炉系统中主要热工测点的布置。由图 1-1 可以看出,在火力发电厂系统中,被测量的项目很多,测点则更多。锅炉方面主要是主蒸汽和再热蒸汽压力、温度,给水压力、温度、流量,汽包水位,炉膛压力,烟气含氧量,排烟温度,一、二次风温、风压,燃料量,以及反映汽水系统各受热段工质状况的压力、温度等参数。汽轮机方面主要有蒸汽压力、温度、真空度,凝汽器水位,高、低压加热器水位,除氧气水位,润滑和调速油压,转速,振动,转子轴向位移,转子与汽缸的相对膨胀(胀差),主轴偏心度,轴承温度,润滑油温度,推力瓦温度等。电气方面有功率、电压、电流、周波、相位等。控制设备方面有控制系统的工作状态、故障、开关或阀门的位置,主备用设备的切换,还包括机组各主要辅机和各辅助系统几乎所有可控制操作设备的工作状态。

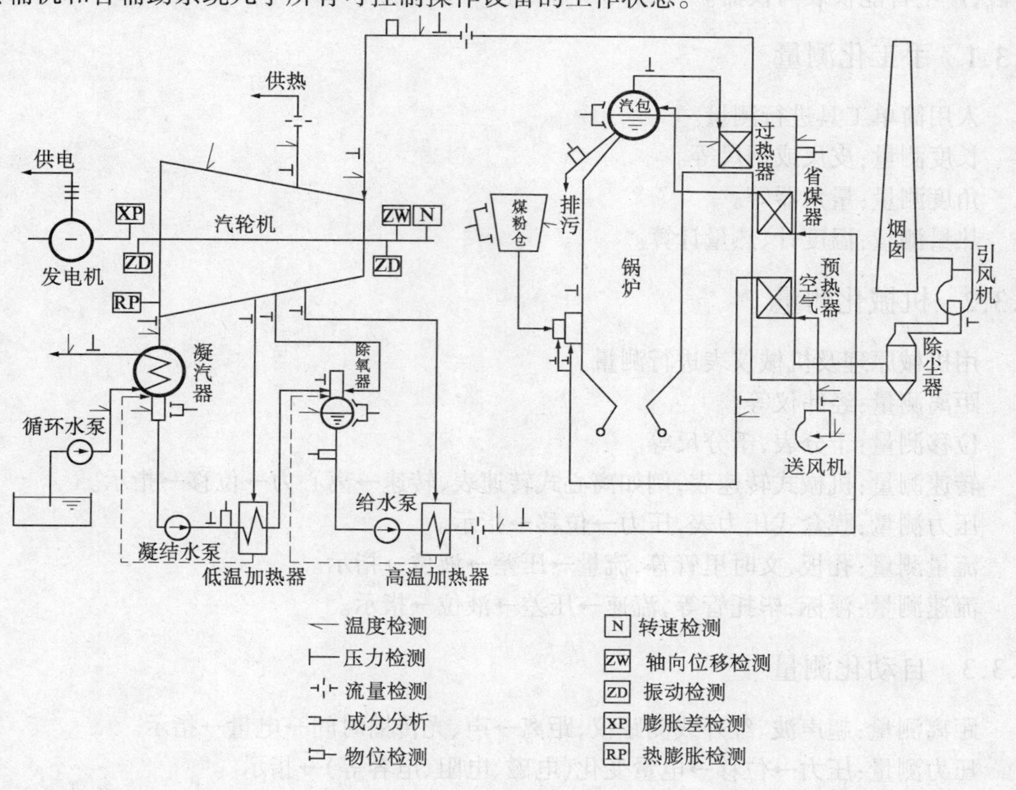

图 1-1 火力发电厂记录系统测点示意图

当机组在启、停或运行过程中发生危及设备和人身安全的工况时,为防止事故发生和避免事故扩大,热工监控设备必须自动采取保护措施。现代化的大型火力发电厂,热工保护可大致分为锅炉热工保护、汽机热工保护和机炉电大连锁保护三部分。锅炉保护的主要内容是锅炉主蒸汽压力保护,汽包锅炉水位保护,直流锅炉断水保护,再热器保护,炉膛安全监视主燃料跳闸保护等;汽轮机热工保护主要包括汽轮机轴向位移保护,汽缸胀差保护、超速保护、振动保护、主轴绕度保护和给水加热器保护等。机、炉、电大连锁保护是指锅炉、汽轮机、发电机三大主机之间及给水泵、送风机、引风机等主要辅机之间的连锁保护。

1.3 测量技术的发展

测量技术是伴随着工、农业的发展而不断发展的,经历了手工化测量→机械化测量→自动化(电气化)测量→信息化测量的发展过程。古希腊人为了测量土地,发明了几何学,用一些较简单的仪器测量长度、角度,随着生产力的发展与社会的进步,又发明了一些其他测量仪器。进入近代社会之后,尤其是工业的发展,人们发明了各种机械式的仪器测量几何、物理的参数。当进入电子时代后,人们又发明了一些自动测量仪表来进行各种电量与其他物理量的测量。当电子技术与计算机技术高度发展后,测量技术开始进入信息化阶段,产生智能仪表与仪器。

1.3.1 手工化测量

人用简单工具进行测量。
长度测量:皮尺或钢尺等。
角度测量:量角器等。
热量测量:温度计、热量计算。

1.3.2 机械化测量

用机械原理及机械仪表进行测量。
距离测量:经纬仪等。
位移测量:千分表,千分尺等。
转速测量:机械式转速表,例如离心式转速表,转速→离心力→位移→指示。
压力测量:膜盒式压力表,压力→位移→指示。
流量测量:孔板,文时里管等,流量→压差→液位→指示。
流速测量:浮标,毕托管等,流速→压差→液位→指示。

1.3.3 自动化测量

距离测量:超声波、红外线测距仪,距离→声、光传播时间→电量→指示。
压力测量:压力→位移→电量变化(电磁、电阻、电容等)→指示。
水位测量:液位→位移→电量变化→指示。

流量测量:流量变化→电量变化→指示,例如电磁流量计。

自动化测量由敏感元件、变换电路、运算放大电路、显示(指示)部件组成。

1.3.4 信息化测量

利用传感技术、计算机技术相结合,进行自动测量,例如智能仪表、网络仪表等。其结构如图1-2所示。

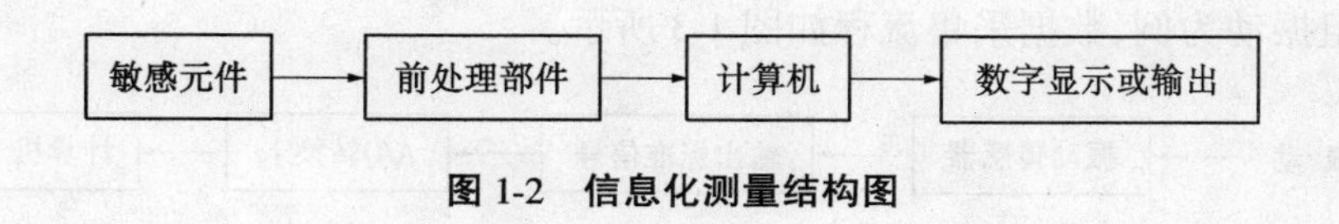

图1-2 信息化测量结构图

1.4 现代测量技术的基本技术构成

现代测量技术由传感技术、自动显示技术、数据采集与处理技术所构成。

1.4.1 传感技术

传感技术是利用机械、物理、化学、生物学的基本原理感知被测量的变化,并将这些变化转换为电量进行输出的技术。由传感技术所制成的测量仪器称为传感器。传感器常利用电磁感应、热电效应、光电效应、压电效应等物理学原理乃至化学、生物学原理,将一些机械变化或其他物理量(非电量)转变为电阻、电感、电容等变化,进而,通过一些放大或转换电路将它们再转化为电流、电压的变化,供仪表显示和计算机数据采集。传感技术是现代测量技术的基础,也是现代测量技术的核心。

1.4.2 自动显示技术

由传感器感知的被测量,最终要以电量输出,并且用模拟式仪表、数字式仪表或计算机屏幕显示出来,才能便于人们观察。显示技术也经历了机械显示(指示)、电气显示和信息化(计算机)显示三个阶段。例如,压力显示,早期的机械式压力表利用弹簧管在压力作用下发生变形,带动指针指示压力变化;而电气显示的压力表将压力变化转换为电量变化,用电压表或电流表指示压力变化;第三代压力表用计算机(单片机)自动显示技术进行数字显示的智能压力表。

自动显示技术是测量技术的一个重要环节,现代测量技术中,显示技术使测量更加便于观察与记录,也同时有更高的精度,由于电子技术与计算机技术的应用,集传感技术与显示技术为一体的一体化仪表以及独立的通用显示仪表取得了很大发展和广泛应用。

1.4.3 数据采集与处理技术

数据采集与处理技术是现代测量技术的另一个重要方面。上面所说的自动显示技术中,也包含了数据采集与处理技术。在智能仪表中,数据采集与处理是其中重要的一部分。在目前的计算机监控系统中,数据采集与处理是一个重要的基础。在控制系统中,各种设备的参数通过数据采集装置获得各种数据,这些数据是水电厂监视、控制的重要依据。数据采集与处理系统包括数据采集与数据分析、数据传输几部分内容。

一般控制系统中数据采集包括以下3种数据类型。

(1)模拟量:通过A/D转换装置输入计算机。

(2)开关量:通过开关量输入装置输入计算机。

(3)数字量:通过计算机(串、并口)通讯方式输入计算机。

以机组振动为例,数据采集流程如图1-3所示。

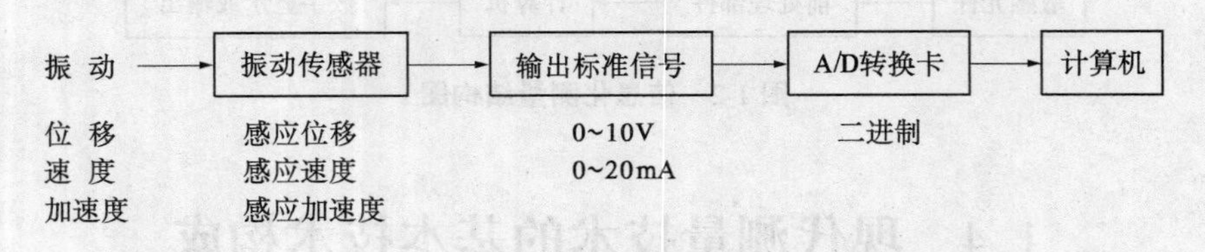

图1-3 数据采集流程图

数据采集与处理的另一部分重要内容是数据分析。通过数据分析,进一步掌握各种参数之间相互关系、相互影响以及某种设备所处的状态。数据分析包括下述基本内容:

(1)波形检测。

(2)波形的振幅大小。

(3)相关分析。

(4)频谱分析与相位分析。

数据分析也是设备故障分析、预报与诊断的重要基础。

习 题

1-1 电厂测量的项目一般有哪几种类型?

1-2 电厂的非电量测量一般包括哪些量?

1-3 测量技术经历了哪几个发展阶段?

1-4 现代测量技术由哪几部分技术所构成?

1-5 计算机数据采集所输入的量包括哪几种类型?

第2章　传感技术与测量仪表

如第1章所述,传感技术与测量仪表是测量技术的基础,它们决定测量的质量与精度,传感技术与测量仪表涉及到物理、化学、机械、电子、生物学的基本原理,也涉及到现代加工制造技术,尤其是与计算机技术有密切关系。因此,本章的学习是应用这些基础,掌握各类传感器的基本工作原理及水电厂技术测量中常用的传感器。

2.1　传感器的种类

2.1.1　传感器的概念

把被测量的信息(物理量、化学量、生物量等)按一定规律转换成可用信号(电压、电流等)输出的器件或装置称为传感器。传感器通常由敏感元件和转换元件所组成。

敏感元件:非常敏感地直接感受或响应被测量的元件。

转换元件:将敏感元件测到的量转换为适合于传输或显示的信号的部件。

在工程上,又提出了变送器的概念,二者在本质上是相同的,但变送器输出的信号一般为标准电压(0~10V,0~±5V)或标准电流(0~20mA,4~20mA),这样变送器输出的信号更适合于计算机数据采集。而一般的传感器所输出的电气信号较弱,需通过专用的放大电路才便于显示(或指示)。因此,二者相比,变送器是在一般传感器的基础上又增加了处理放大电路部分。

2.1.2　传感器的分类

传感器一般是根据物理、化学、生物学的基本原理而制作的。因此,传感器一般也可分为物理型、化学型、生物型三大类型,其中物理型的传感器在工程中应用最为广泛。

常用的物理型传感器有下面几种。

2.1.2.1　**电学传感器**

电学传感器是利用电阻型、电容型、电感型、电势型、电荷型、半导体型等变化测量机械物理量变化的传感器。

电阻型:被测量变化→电阻值改变→电流、电压变化。常用电位器、应变片、电桥构成测量电路。

电容型:被测量变化→电容值改变→电流、电压变化。常用电容、电感、电阻等组成基本测量电路。

电感型:被测量变化→感抗值变化→电流、电压变化。常用电感线圈、电阻电容构成基本测量电路。这类传感器又分为变磁阻式传感器与磁电式传感器两类。变磁阻式传感器是一种利用磁路磁阻变化引起传感器线圈的电感变化来检测被测机械性变化的装置，常用衔铁、带铁心线圈作为敏感元件；而磁电式传感器则是利用电磁感应原理，将被测量的速度变化转换为感应电势的变化而输出的装置。变磁阻式传感器与磁电式传感器在工作原理上是基本相同的，只不过被测对象不同，磁电式更适合测量动态运动的物理量。变磁阻式传感器有位移传感器、压力传感器等，而磁电式则有振动传感器（速度型与加速度型）。

电势型：被测量变化→电势变化→电流变化。例如热电偶传感器，当温度变化时，不同金属测温元件的两端产生电势差，由此电势差可以反应温度的高低。另外，霍尔型传感器也是一种电势型传感器，它利用霍尔效应实现磁电转换的一种传感器。

电荷型：被测量变化→电荷变化。例如各种压电式传感器，当压电元件感受压力变化时，会产生电压效应，在两极上聚集正、负电荷，形成一定的电势，此电势或电荷量大小反应被测量的大小。

半导体型：利用半导体的特性而制成的传感器。例如半导体光敏、热敏、气敏等传感器。

以上都是电学原理传感器。

2.1.2.2 声学传感器

声学传感器是利用声学原理制成的传感器。

超声波传感器：利用超声波在不同介质或不同流速的同等介质中传播速度的差别而制成的传感器，常用来测量距离（液位）、流速（流量）等。

声压传感器：将声音的能量转换为电信号的传感器，常用的声级计就是根据这种原理来测定不同频率、不同声强的噪声。

2.1.2.3 光学传感器

光学传感器是利用光学原理或光电效应制成的传感器。

光电型传感器：利用光电管的伏定特性、光照特性（光通量）、光谱特性（频率）、温度特性等制成的传感器。常用的光电转速仪就是其中一个应用实例。

光敏型传感器：利用光照下光敏元件的电导性或产生电动势的内光电效应制成的光电器件。根据不同的光敏特性，有光电阻、光电池、光敏二极管等。常用的图像传感器（摄像镜头）CCD（电荷耦合器件）即为其中的一个应用例子。

2.1.2.4 生物传感器

生物传感器是利用生物体活性物质选择的测定化学、生物变化的传感器。生物传感器可利用酶、抗原、激素等作为敏感元，检测生物的组织、病菌、对某物质的敏感性等。目前，已开发应用的生物芯片也用于癌症的诊断，当生物发生癌变时，生物体内某种酶或其他物质发生变化，由此，由生物芯片可以检测到这种变化。

传感器还有其他一些类型，随着科学技术的发展，传感技术也会随之发展，会有更多的新型传感器问世。

2.2 水电厂测量中常用的传感器

在第 1 章中简介了水电厂测量的基本内容，由此可知，水电厂中测量的种类与参数是庞大的，要用到众多种类的传感器与变送器。一个中型水电厂要用到几十种传感器，本节仅介绍其中最主要的几种传感器及其工作原理。

2.2.1 水位(液位)测量传感器

水位的测量可用多种方法，通过距离测量、压力测量等方法测量液位。

2.2.1.1 浮子式水位计

在水面(液面)上装设一浮子，当液位变化时，浮子随之变化，由此可测量液位的变化(如图 2-1(a)所示)。

可以用浮子、标尺直接测出液位的变化，也可以在浮子测量系统的基础上配备远传装置与显示装置，进行水位的遥测与自动显示(如图 2-1(b)所示)。

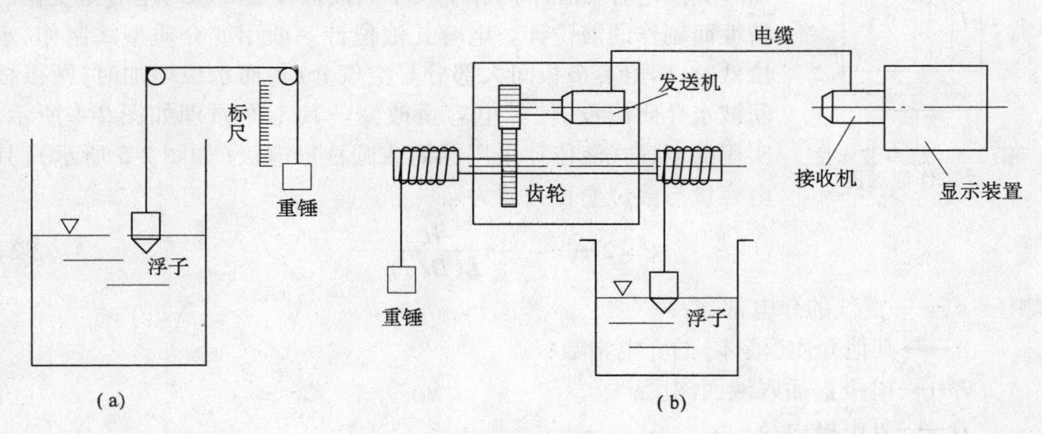

图 2-1　浮子式水位计原理与结构

2.2.1.2 压力式水位计(投入式水位计)

通过测量液体中压力的变化测量水位的液位传感器，一般由压力传感器、信号电缆及显示仪表所组成，如图 2-2 所示。

2.2.1.3 超声波水位计

利用超声波在某介质中传递速度以及发射波、反射波的传播时间测量液位的传感器。如图 2-3 所示。

$$h = \frac{1}{2}vt \qquad (2\text{-}1)$$

式中　v——超声波在空气中的传播速度；

t——从超声波发射到返回的时间；

h——换能器发射面到液面距离。

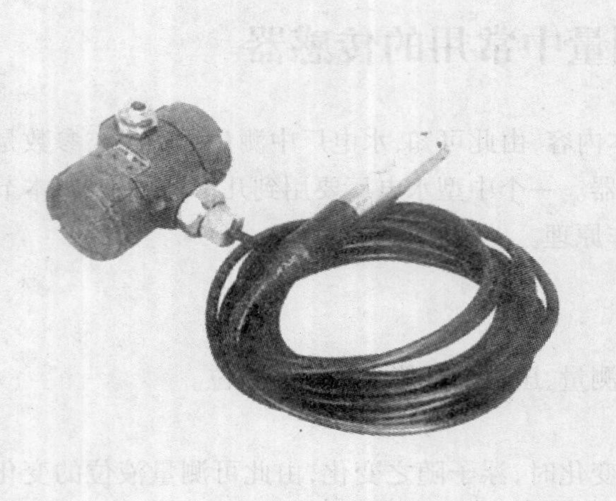

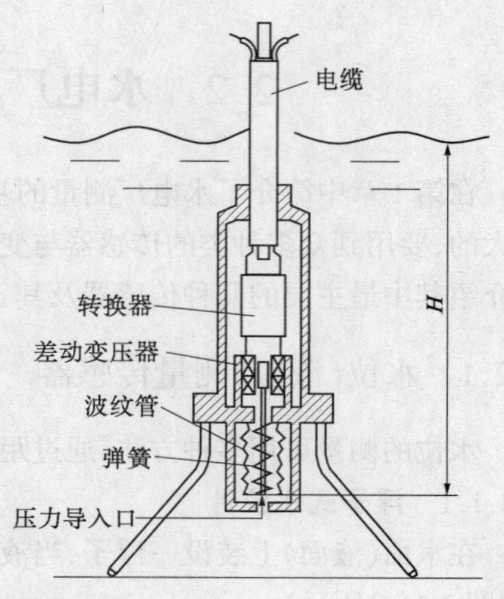

图 2-2　投入式水位计工作原理

图 2-3　超声波水位计工作原理图

2.2.1.4　电容式液位计

利用电容器在不同介质及不同极板覆盖面积时电容量变化的特性而制作的液位计。电容式液位计一般用变介质型式制作，水位低时，两电容极板间大部分是空气介质，而水位增加时，两极板间被水介质淹没，使其电容量改变。其工作原理如图 2-4 所示。实用的电容式液位计采用圆筒或圆柱形电极（如图 2-5 所示），其电容量与液位变化关系为

$$C = 2\pi(\varepsilon - \varepsilon_o)\frac{H}{L(D/d)} \tag{2-2}$$

式中　ε_o——空气的介电常数；

ε——其他介质（液体）的介电常数；

H——电极板插入液面深度；

D——外电极内径；

d——内电极外径；

L——电容极板总高度。

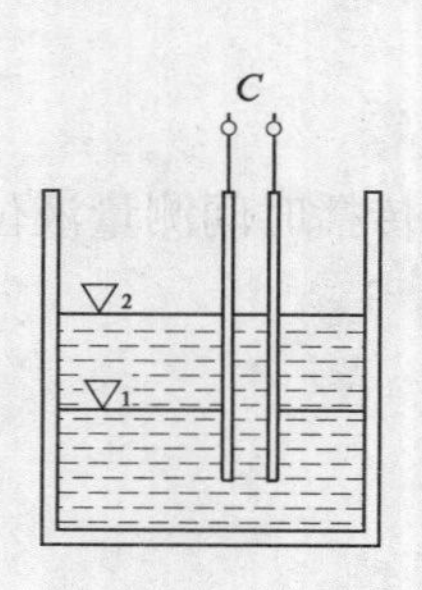

图 2-4　变介质电容式液位计工作原理

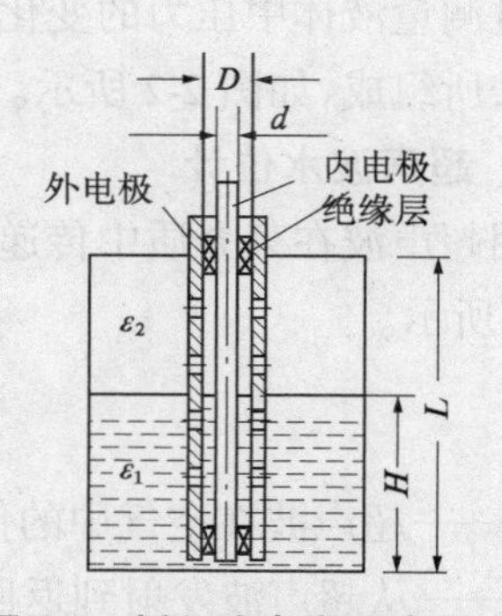

图 2-5　插入式电容型液位计

2.2.2　压力测量传感器

压力测量有多种情况，有高压、低压、微压之分；同时当测量的对象为流体时，有静压、动压之分。此外，有时需要测量具有腐蚀性的流体压力。针对不同的测量对象与测量环境，必须有能满足测量精度与其他技术要求的测量设备。为适应工程上的要求，科学工作者研制了各种不同类型的压力传感器（或变送器），这里介绍几种最常用的压力传感器及其工作原理。

2.2.2.1　应变式压力传感器

利用弹性体受到压力作用时产生变形的特性，在弹性体上贴应变片（电阻），由变形而产生阻值变化，再通过电桥电路将阻值变化转换为电流或电压变化，由此测得压力变化。电阻应变式传感器，常用于力、力矩及压力的测量，电阻应变式压力传感器的工作原理如图 2-6 所示。

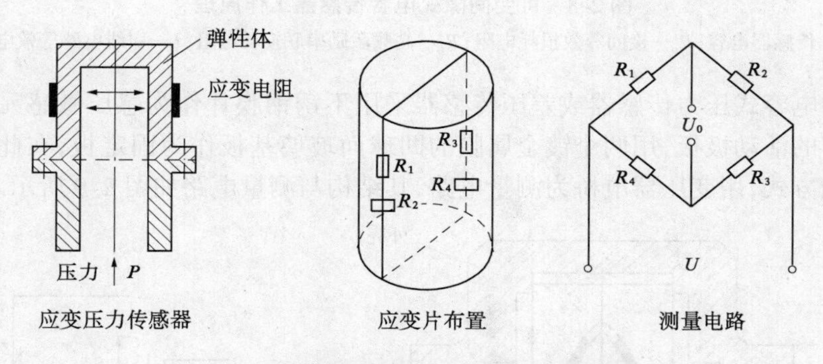

图 2-6　电阻应变式压力传感器工作原理

为了提高传感器的测量精度，应变式压力传感器在结构上采取了许多措施，例如，采用膜片与应变梁结构（图 2-7(a)），波纹管与应变梁结构（图 2-7(b)）等。在处理放大电路上采用了温度补偿，以减少因温度变化而形成的测量误差。带热敏补偿电阻的电路如图 2-7(c)所示。

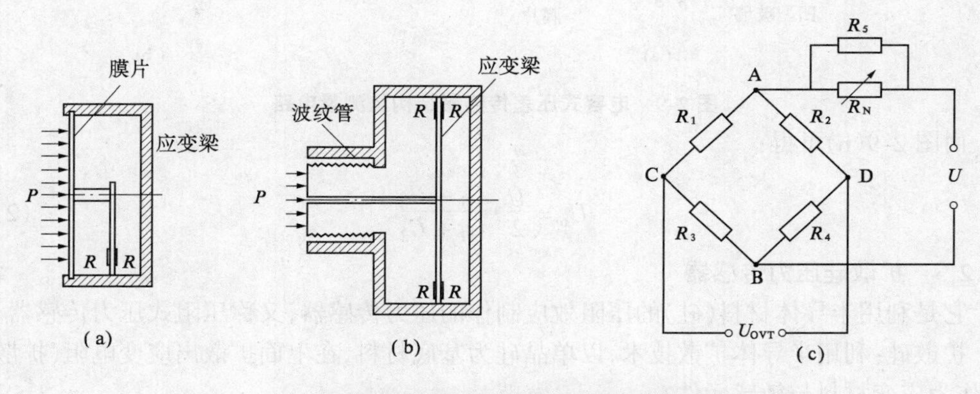

图 2-7　应变式压力传感器结构与测量电路

2.2.2.2　电容式压力传感器或差压传感器

利用电容两极板间距离改变而改变电容量的特性，将压力作用于电容的一个极板上，压力改变时，使弹性极板发生变形，这样改变两极板间的距离，于是电容量改变，再通过一定的电路，使电容值的改变转换为电压或电流值输出，这就是电容式压力传感器或差压传感器的基本工作原理。

电容式压力传感器一般采用固定介质可变间隙式，其原理图与等效电路如图 2-8 所示。

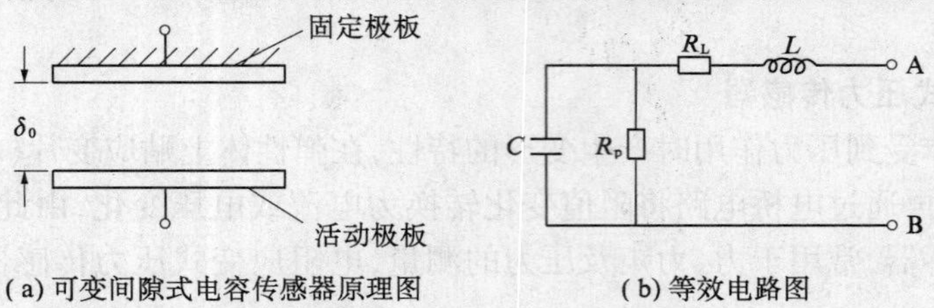

(a) 可变间隙式电容传感器原理图　　(b) 等效电路图

图 2-8　可变间隙式电容传感器工作原理

C—传感器电容；R_p—极间等效损耗电阻；R_L—高频激励串联损耗电阻；L—引线电感等效电路

实际的电容式压力传感器或差压传感器采用不锈钢膜片作为感压敏感元件，同时作为可变电容的活动极板，用两个镀金属膜的凹球面玻璃基板作为固定板，在此基础上，采用差动接线方式，用变压器电桥为测量电路，其结构与测量电路如图 2-9 所示。

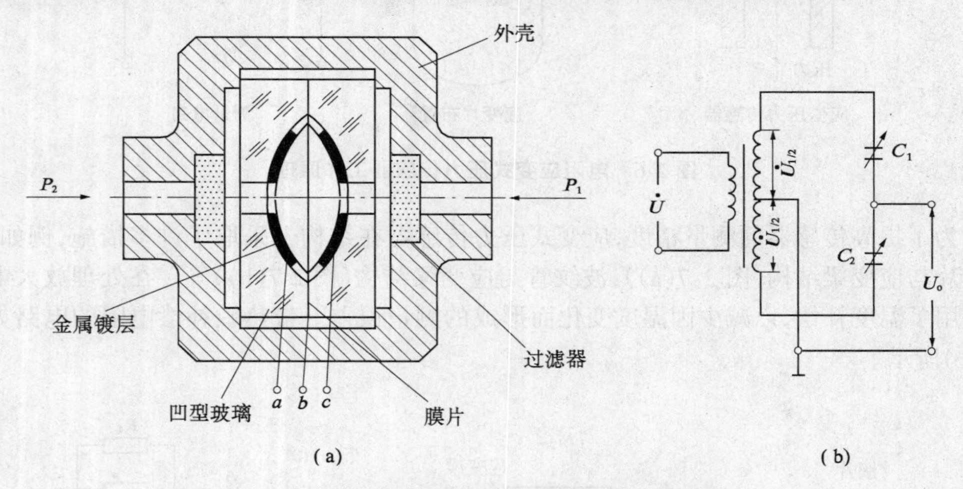

(a)　　(b)

图 2-9　电容式压差传感器结构及测量电路

由图 2-9(b)可得：

$$\dot{U}_o = \frac{\dot{U}}{2} \cdot \frac{C_1 - C_2}{C_1 + C_2} \tag{2-3}$$

2.2.2.3　扩散硅压力传感器

它是利用半导体材料（硅）的压阻效应制作的压力传感器，又称压阻式压力传感器。

扩散硅：利用半导体扩散技术，以单晶硅为基底材料，在上面扩散出应变电阻（扩散电阻）作为应变材料与敏感元件。

扩散硅压力传感器的结构与测量电路如图 2-10 所示。

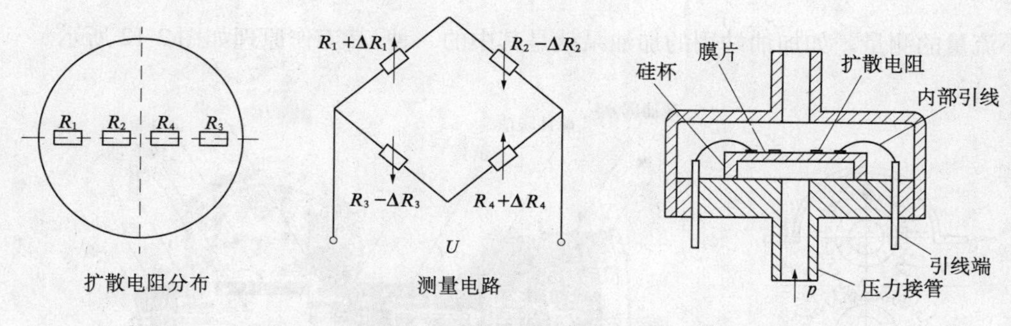

图 2-10 扩散硅压力传感器工作原理

2.2.2.4 压电陶瓷压力传感器

利用压电陶瓷的压电效应制作的压力传感器。压电介质有许多种,有石英、酒石酸、钾、钠、铌酸锂、压电陶瓷等。此外,还有许多压电半导体材料,如硫化锌、砷化镓等。压电陶瓷是一种经极化处理后的人工多晶铁电体,其特点是压电常数大,灵敏度高,成本低廉,制造工艺成熟,在力、热、光、声测量中有广泛应用。其工作原理如图 2-11 所示。

压电材料不同,传感器的性能也不同,目前常用的有压电晶体、压电半导体等材料,其中压电陶瓷,蓝宝石压电晶体在压力传感器上应用较多。

2.2.2.5 不同类型压力传感器的适用性

不同类型的压力传感器,其特性不同,适用对象也不尽相同。有的适合于测正压,有的适用于测正、负压,有的适用于测高频压力信号,有的只能测静压或低频压力信号。不同的应用环境,不同的测量对象,要选择不同类型的压力传感器,才能获得满足要求的测量结果。

测微压:差动电容式压力传感器。

测低压:扩散硅型、差动电容型压力传感器。

测高压:蓝宝石压电晶体压力传感器。

测负压:差动电容型,扩散硅型压力传感器。

测高温:蓝宝石型压力传感器。

测腐蚀性流体:陶瓷型压力传感器。

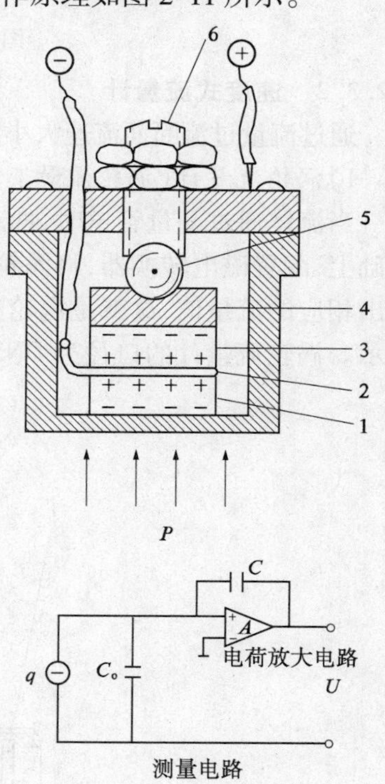

图 2-11 压电式压力传感器

1、3—压电体;2—电极;4—压板;5—钢球;6—调整螺钉

2.2.3 流量测量仪器与传感器

流体通过某流道断面时的流量可用流量传感器或流量变送器来测量。测不同尺寸流道,不同断面形状,不同介质的流量,要用不同的测量方法或不同的流量计,从流量方法考虑,有容积测量法、流速测量法与压差测量法等许多方法。本章介绍容积法与流速法测流量常用的传感器。

2.2.3.1 容积式流量计

通过单位时间内排出的液体的容积体积测量流量的仪器称为容积式流量计,一般用于小流量的测量。如加油站用的加油泵就是其中的一种,其工作原理如图 2-12 所示。

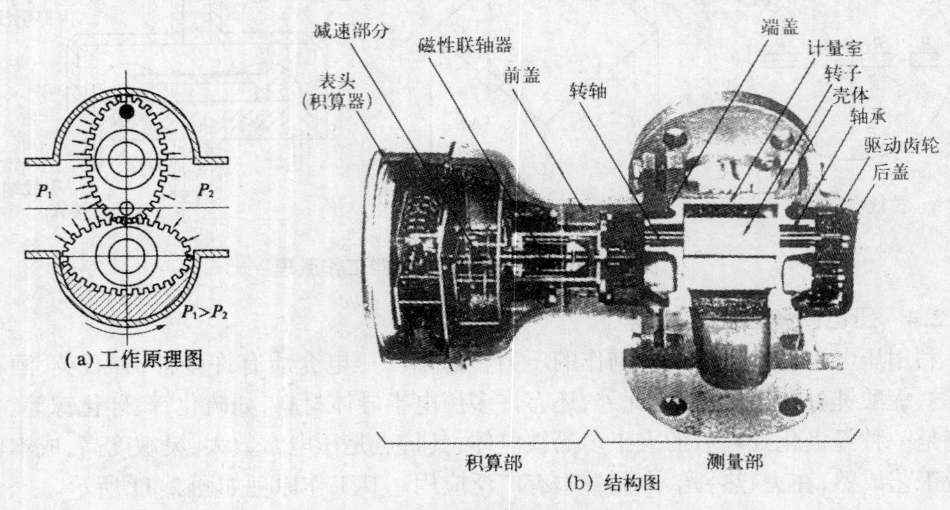

图 2-12　容积式流量计工作原理

2.2.3.2　速度式流量计

通过流量过流断面流速大小测量流量的仪器,常用的有涡轮流量计、超声波流量计等。

1)涡轮流量计(涡轮流量变送器)

当流体通过测量管道时,冲动管道中的水涡轮,水涡轮转速与流道流速成正比。在此基础上,配置磁电转换器,将涡轮的转动转换为一种电脉冲信号,经放大后送显示仪表显示出相应的流量值,这就是涡轮流量计的基本工作原理。涡轮流量送变器结构如图 2-13 所示。涡轮流量计的口径为 DN10 ~ DN600,因此适用于中小型圆管路的流量测量。

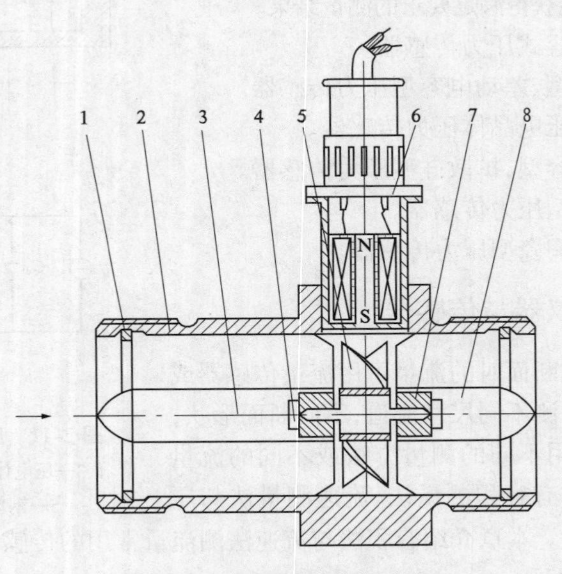

图 2-13　涡轮流量计工作原理

1—紧固件;2—壳体;3—导向件;4—止推片;5—叶轮;6—信号检测器;7—轴承;8—导向件

2)超声波流量计

利用超声波在不同流速的流体介质中传播速度的不同而制作的流速式流量计,其工作原理如图2-14所示。在管道的两个不同断面上各装一组超声波换能器P_1、P_2包括超声波发射与接收元件,当P_1发射时P_2接收,当P_2发射时P_1接收,若超声波在静止流体中的传播速度为C时,超声波从P_1到P_2的传播速度C_1为同向传播(与流动方向一致),而从P_2到P_1的传播C_2为逆向传播(与流动方向不一致),如图2-14所示,超声波传播速度与往返时间有下列关系存在。

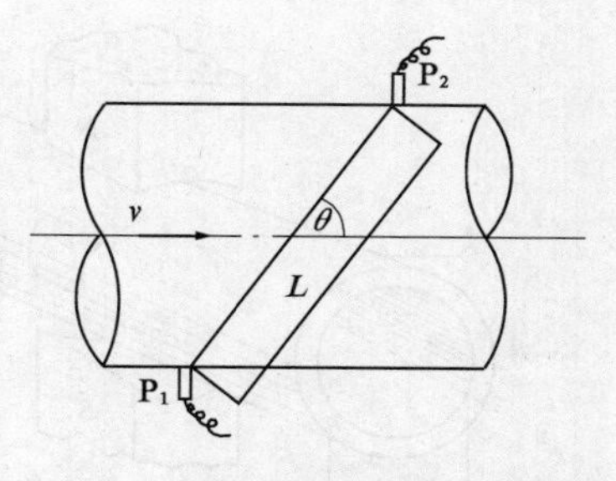

图2-14 超声波流量计工作原理

从P_1到P_2:
$$C_1 = C + v\cos\theta$$
$$T_1 = L/(C + v\cos\theta)$$

从P_2到P_1:
$$C_2 = C - v\cos\theta$$
$$T_2 = L/(C - v\cos\theta)$$

正逆向传播时间差:

$$\Delta T = T_2 - T_1 = \frac{L}{C - v\cos\theta} - \frac{L}{C + v\cos\theta}$$

求出流速:

$$v = \frac{L \cdot \Delta T}{2T_1 \cdot T_2\cos\theta}$$

流量:$Q = Sv$,S为过流断面面积。

超声波测流可以用于大尺寸过水断面的流量测量。目前,超声波流量计已在水电站中广泛应用,我国南京自动化研究院研制的UF超声流量计,可测圆管直径达9m的过流量。

2.2.3.3 感应式流量计

利用电磁感应原理制成的测量导电液体流量的流量计称为感应式流量计。最常用的有电磁流量计。根据法拉第电磁感应定律,当导电性液体在垂直于磁物的管道内流动时,切割磁力线,在与流动方向垂直的方向上产生与流量成正比的感应电动势,这样就可以把流量信号转换为电信号。电磁流量计的工作原理如图2-15所示。

流量计还有多种型式,例如,利用卡门涡街的发生频率与流速之间的关系,可以制成涡街式流量计,利用流体不同流速(流量)条件下改变测量管壁温度分布的原理制成的热分布式流量计。此外,利用流体力学原理采用节流元件(孔板,喷嘴)等制成的压差式流量计在流量测量中都有广泛应用。

2.2.4 位移测量与位移传感器

在水电厂的测量中,很多地方要用到位移测量,例如测导水机构接力器的行程、闸门的开度等要用到线位移,而测导叶开度、桨叶开度要用到角位移。位移传感器就是将这些线位移或角位移转换为电量(电流或电压)的变化,供仪表显示。

位移传感器可根据不同的原理制成,因此有许多类型与种类。从工作原理上分类,有电阻式、电感式与电容式等测量大位移的传感器,有电涡流式测量小位移与动态位移的传感器。

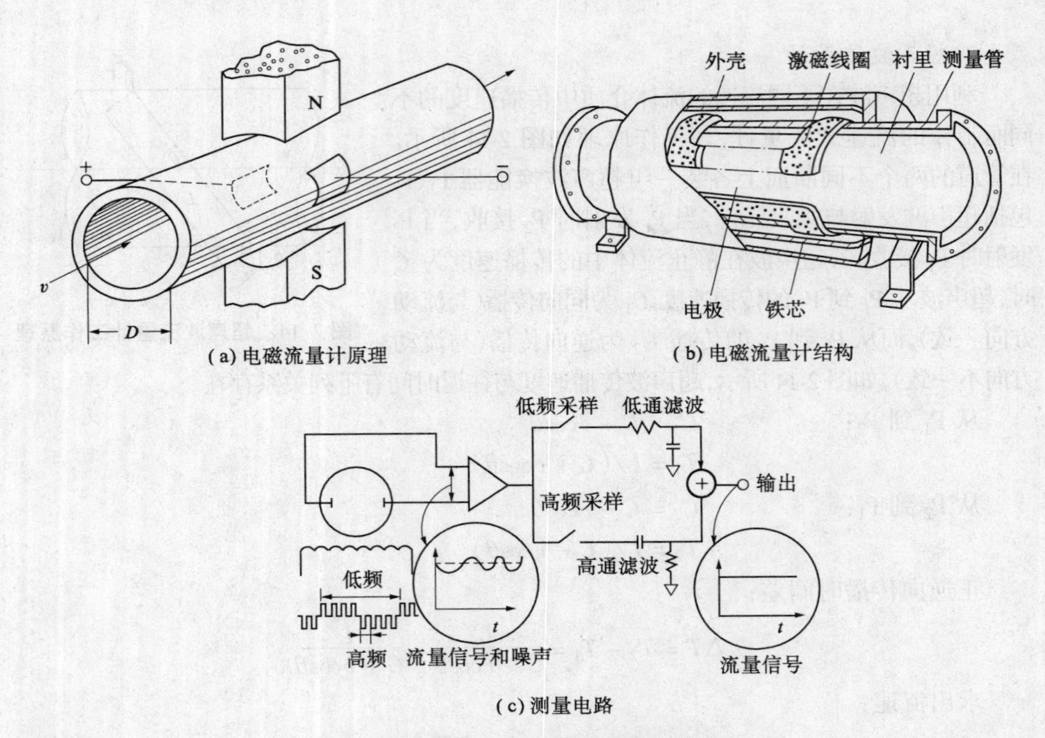

(a) 电磁流量计原理

(b) 电磁流量计结构

(c) 测量电路

图 2-15 电磁流量计工作原理及其测量电路

2.2.4.1 电阻式位移传感器

电阻式位移传感器由绕线电阻丝、滑动触头、测量杆等组成。当物体发生位移时，通过测杆带动滑动触头在电阻丝上滑动，改变电路中的电阻值，从而输出电压(或电流)的变化。电阻位移传感器的工作原理如图 2-16 所示。

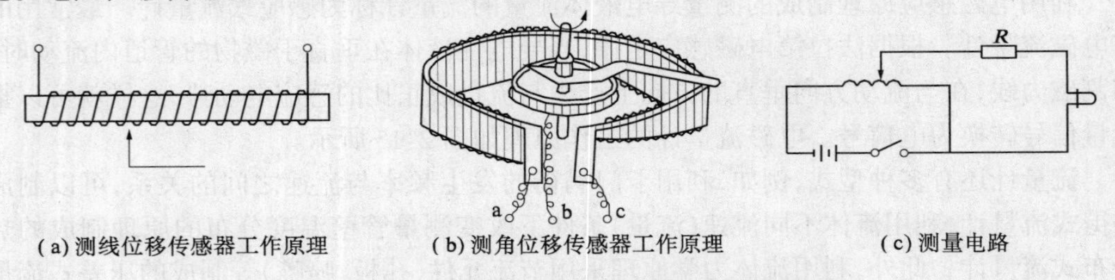

(a) 测线位移传感器工作原理

(b) 测角位移传感器工作原理

(c) 测量电路

图 2-16 电阻位移传感器工作原理及其测量电路

实用的电阻式位移传感器由测杆、滑线电阻、滑动触头、导轨、壳体组成，并采用桥式电路进行测量，其结构与测量电路如图 2-17 所示。

2.2.4.2 电感式位移传感器

利用电感线圈在电磁场中电感(自感或互感)的变化将机械位移转变为电量的传感器称为电感式位移传感器，电感式位移传感器由铁芯、线圈与衔铁所组成，电感式位移传感器实际上是一种变磁阻式传感器，当衔铁相对于电感线圈的位置改变时，磁路的磁阻发生变化，使电感线圈中的电势发生变化，利用此原理，将机械位移量转换为电量输出。

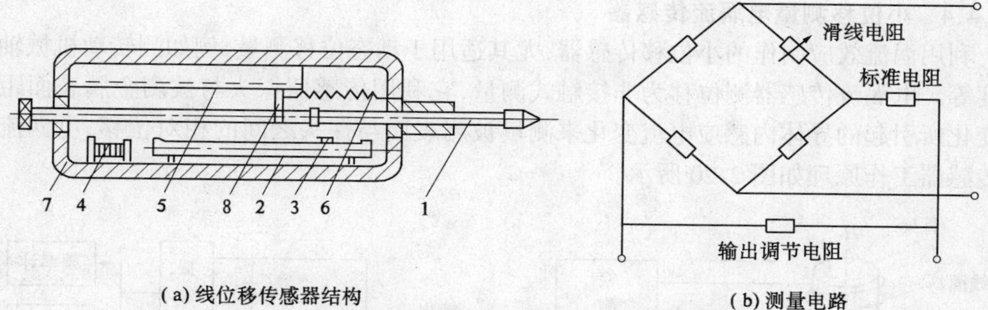

(a) 线位移传感器结构　　(b) 测量电路

图 2-17　电阻式线位移传感器结构及其测量电路

1—测量杆;2—滑线电阻;3—电刷;4—精密无感电阻;5—导轨;6—弹簧;7—壳体;8—滑块

电感式传感器有自感式与互感式两类。自感式传感器的实质是一个带气隙的铁芯线圈,而互感式传感器则由初、次级线圈所组成,靠两个线圈的互感作用组成电路。此外,作为电感式位移传感器的测量电路有桥式电路、谐振电路、调频电路等不同型式。图 2-18 是一种电感调频式位移传感器。

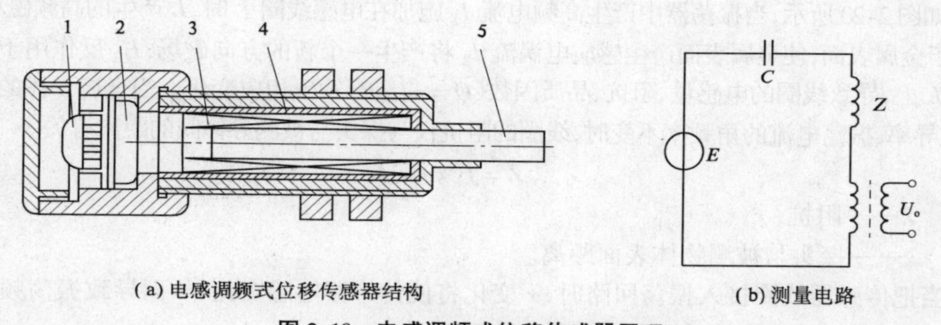

(a) 电感调频式位移传感器结构　　(b) 测量电路

图 2-18　电感调频式位移传感器原理

1—谐振电容;2—调频振荡器;3—电感线圈;4—磁性套筒;5—导杆(衔铁)

当衔铁的位置发生变化时,电感线圈的电感发生变化,调频振荡器的输出频率相应变化,衔铁的位移变化与输出频率的频差变化呈线性关系,由于输出的信号为频率信号,电路的抗干扰能力很强,适合于有干扰的现场测量。

2.2.4.3　电容式位移传感器

利用电容极板间覆盖面积变化时其电容量变化的原理制成的位移传感器称为电容式位移传感器。电容的活动极板呈直线位移时为线位移传感器,活动极板呈角位移时为角位移传感器。电容式位移传感器采用差动式结构,其工作原理如图 2-19 所示。

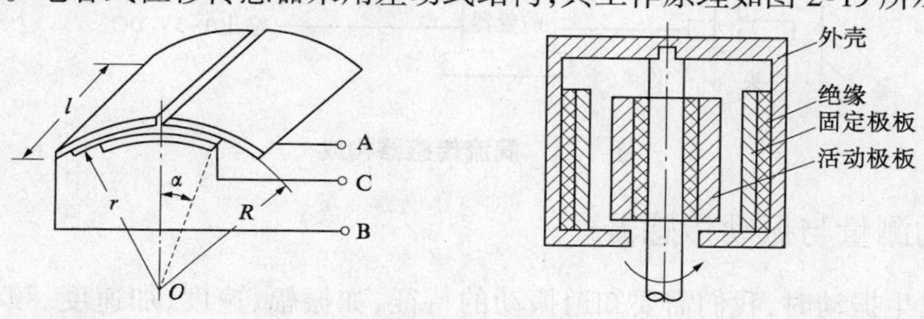

图 2-19　电容式角位移传感器原理

2.2.4.4 小位移测量电涡流传感器

利用涡流效应制作的小位移传感器，尤其适用于动态位移测量，例如测转动机械轴的摆度等。电涡流传感器测位移为非接触式测量，它利用传感器探头与被测金属表面距离的变化所引起的导体内感应电流变化来测量被测表面与探头之间的相对位移，电涡流位移传感器工作原理如图 2-20 所示。

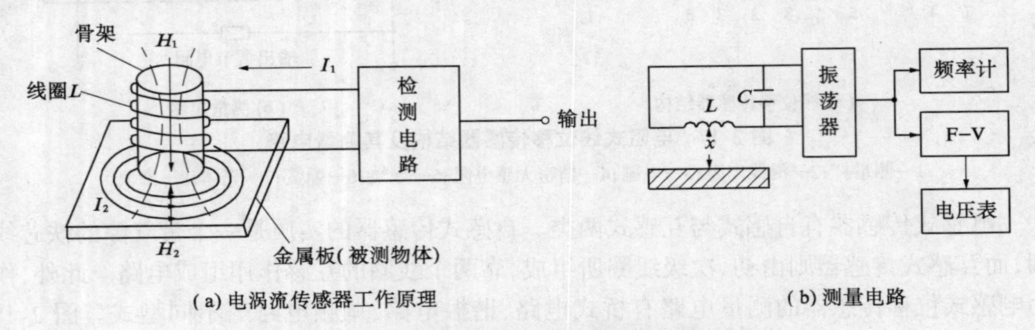

(a) 电涡流传感器工作原理　　(b) 测量电路

图 2-20　电涡流传感器工作原理与测量电路

如图 2-20 所示，当振荡器中产生高频电流 I_1 施加在电感线圈 L 时，L 产生的高频磁场 H_1 作用于金属表面，使金属表面产生感应电涡流 I_2 将产生一个新的方向磁场，H_2 反作用于电感线圈 L 上，导致线圈的电感量、阻抗、品质因数（$Q=\omega L/R$）发生相应变化。当金属导体的电阻率、磁导率、振荡电流的角频率不变时，线圈的阻抗仅与探头与被测导体间的距离有关。

$$Z=f(x) \tag{2-4}$$

式中　Z——阻抗；

x——探头与被测物体表面距离。

当把传感器线圈接入振荡回路时，x 变化将使传感器电感变化，从而导致振荡频率变化，形成频率与位移的关系。

$$f=F(x) \tag{2-5}$$

式中　f——振荡器频率。

用频率计或通过 F－V 转换后用电压表测出测量回路输出的频率或电压，即可反应传感器探头与被测金属物体表面距离的大小，测量电路如图 2-20(b)所示。实用的电涡带传感器由电源、前置器与探头所组成。如图 2-21 所示。

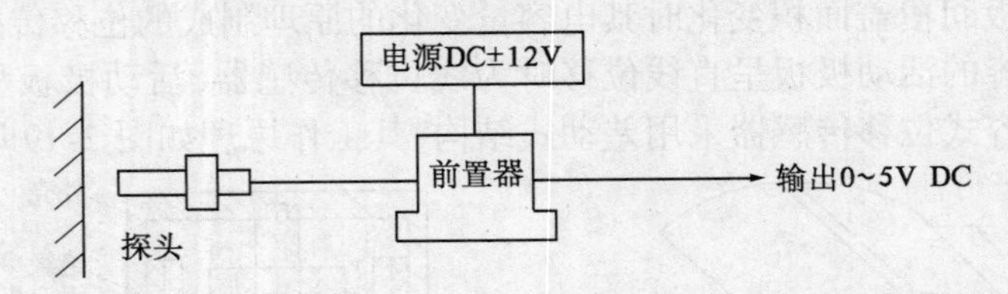

图 2-21　涡流传感器构成

2.2.5 振动测量与振动传感器

当物体发生振动时，我们需要知道振动的特征，如振幅、速度、加速度、频率、波形等，因此振动的测量需要直接或间接地测出这些量。测量物体机械振动的传感器即振动传感器,按测量参数可分为位移型、速度型与加速度型。

振动传感器可以用不同的原理制成,因此按工作原理分类,有电阻式、电容式、电感式、压电式、磁电式速度传感器、、压电式、磁电式(霍尔式)等不同型式。这里主要介绍磁电式速度传感器、压电式加速度传感器和电容式加速度传感器的工作原理。

2.2.5.1　磁电式速度传感器

根据振动物体速度的变化,利用电磁感应原理制作的传感器。传感器由永久磁铁、感应线圈、弹簧以及相应的测量电路所组成。其工作原理如图 2-22 所示。

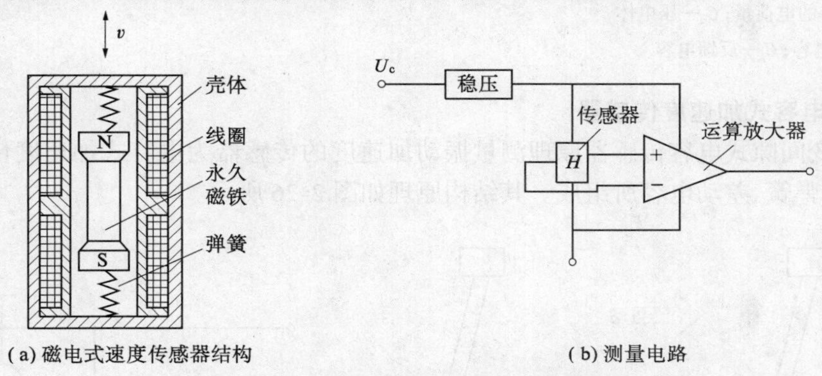

图 2-22　磁电式速度传感器结构与测量电路

如图 2-22(a)所示,当传感器壳体与振动物体紧固在一起时,壳体随物体一起振动,于是壳体连同线圈与永久磁铁发生相对位移,线圈切割磁力线产生正比于振动速度的电动势,此电动势经图 2-22(b)所示的电路放大处理输出相应的电压或电流。速度式传感器适用于测量频率较低(10 ~ 1 000Hz)、振幅较小(1mm 以下)的机械振动。

2.2.5.2　压电式加速度传感器

利用振动物体的加速度与压电原理制成的振动传感器。传感器由质量块、压电元件(图 2-23)及相应的测量电路(图 2-24)所组成。

振动体位移:x;

振动体速度:$x' = v$;

振动体加速度:$x'' = a$;

振动质量块受力:$F = ma$。

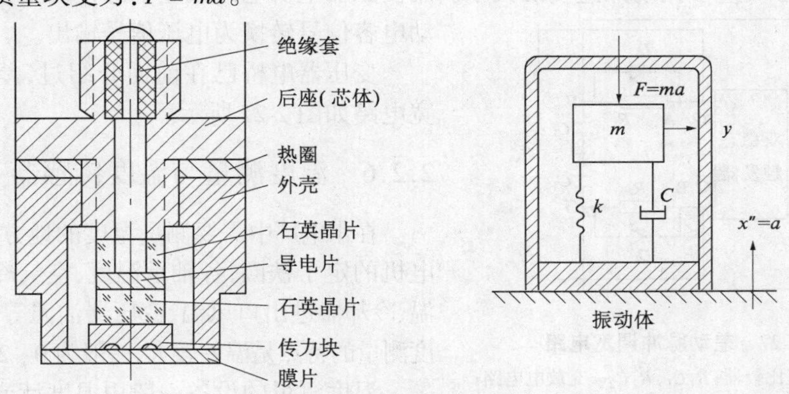

图 2-23　压电式加速度传感器

压电式位移(振动)传感器的测量原理可形象描述成图 2-25。

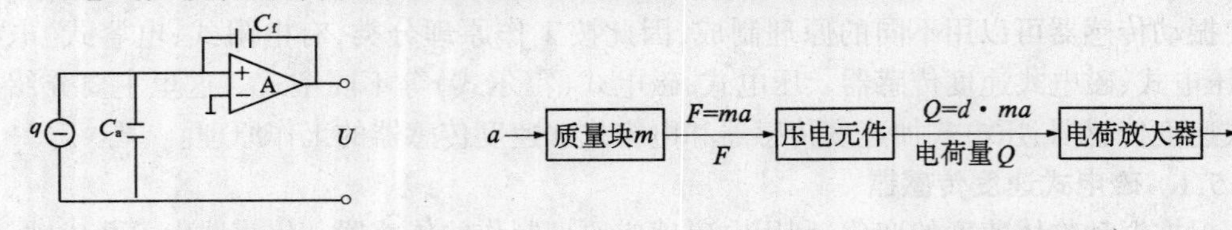

图 2-24　压电式加速度传感器测量电路

q—压电体的电荷量；C_a—压电体内部电容；C_f—反馈电容

图 2-25　压电式位移传感器的测量原理

2.2.5.3　电容式加速度传感器

利用变间隙式电容传感器原理测量振动加速度的传感器为电容式加速度传感器，它由质量块、弹簧、差动电容所组成。其结构原理如图 2-26 所示。

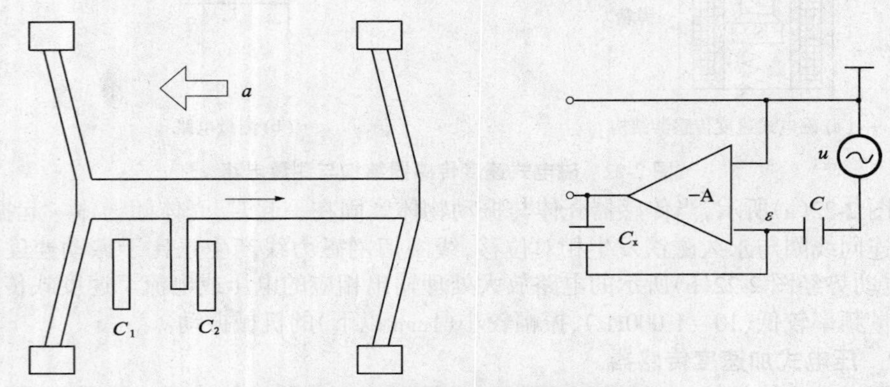

图 2-26　电容式加速度传感器结构原理

如图 2-26 所示，当传感器处于静止状态时，动极板位于两固定极板 C 中间位置，形成的电容 $C_1 = C_2$。当传感器质量块受到加速度作用时，动极板与质量块在弹簧支持下以加速度 a 发生运动，动极板相对于固定极板位置发生变化 $C_1 \neq C_2$，由此形成的差动电容连同其相位信号反应了振动加速度的大小。用变压器电桥电路或差动脉冲调宽电路可将差动电容信号转换为电压信号输出。

变压器电桥已在前面介绍过，差动脉冲调宽电路如图 2-27 所示。

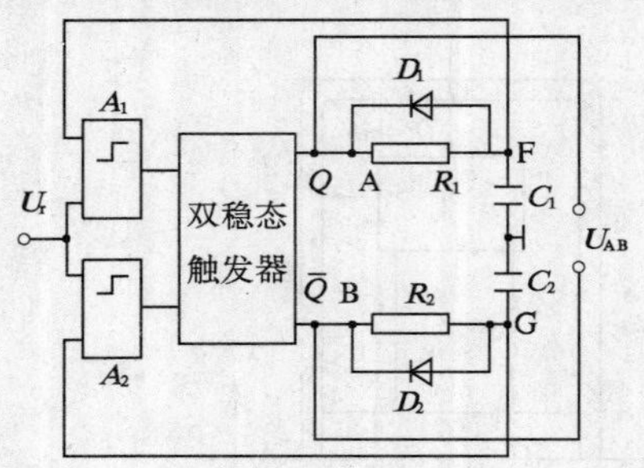

图 2-27　差动脉冲调宽电路

A_1、A_2—电压比较器；R_1C_1，R_2C_2—充放电电路；U_r—参考直流电压

2.2.6　温度测量与温度传感器

在水电厂中需要测量温度的地方很多，如发电机的定子铁圈、各轴承温度、空气冷却器的水温、冷却器进出口风温、变压器油温等，水电厂温度测量的特点是温差较大，一般为 0～200℃。

温度测量的设备一般用温度计或温度传感器，温度测量有直接测量方式与电气测量方式。

直接测量使用的温度计有大家熟知的液体膨胀式温度计,如水银玻璃管温度计,利用液体受热体积膨胀使液柱上升的原理直接显示温度;还有压力表指式液体温度计,利用固定容积弹性管(空心弹簧管)在温度上升时压力上升的原理,用压力表指示温度变化。为适应现代测量技术的要求,当需要自动测温或将温度测量纳入自动化监控系统时,更多地应用电气测温方式。

电气测温有多种型号的温度计与热温度传感器,最常用的有热电偶温度计与热电阻温度计,本节重点介绍这两类温度计或温度传感器。

2.2.6.1 热电偶温度计

利用热电偶原理制作的温度计,一般由热电偶、电测仪表与连接导线所组成。热电偶的热电效应包括两方面,其一是温差电势,它是同一根均质导体在两端温度不同时,由于高温端的电子能量大于低温端,使高温端的电子大量跑到低温端,结果高温端失去电子而带正电荷,而低温端得到电子而带负电荷,从而在高、低温端形成一个静电场,产生温差电势;其二是接触电势,当两种不同材料的导体 A 和 B 接触时,由于两者有不同的电子密度,电子密度大的一端向电子密度小的一端扩散电子,结果使一端失去电子带正电荷,另一端获得电子而带负电荷,由此在 A,B 两导体接触面上形成接触电势。由上述两种热电效应分析可见,同一种材料在不同温度下形成的闭合回路上,是不会有电流通过的。只有在两种不同的材料形成的闭合回路上,当有温差存在时(冷热端),在闭合回路中才会有电流流动,此电流形成的原因是两种不同材料在接触面上形成的接触电势,因此热电偶必须是两种不同材料的导体(或半导体)所组成。其原理如图 2-28 所示。

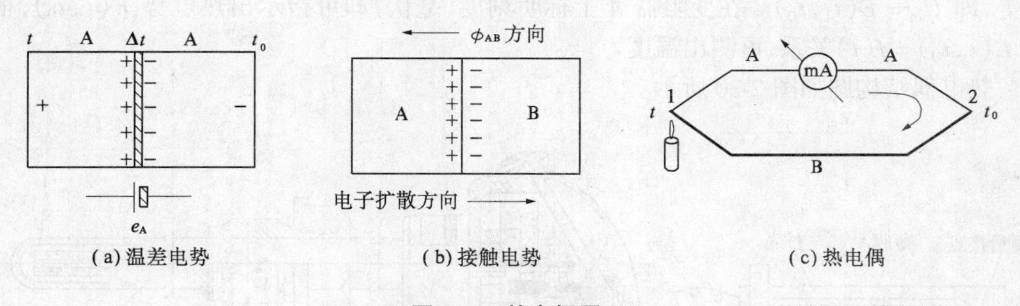

图 2-28 热电偶原理

常用的热电偶材料:

(1)铂铑-铂热电偶(Pt90%Rh10%-Pt100%),贵金属,使用温度<1 300~1 600℃,100℃时电势 0.643mV,适用于测高温。

(2)镍铬-镍硅、热电偶(Ni90%Cr9%~10%Si0.4%-Ni97%Si2.5%~3%Co0.6%),廉价金属,使用温度<900~1 200℃,100℃时电势 4.1mV。

(3)镍铬-考铜(Ni90%Cr9%~10%Si0.4%-Cu56%~57%Ni43%~44%),廉价金属,使用温度<600~800℃,100℃时电势 6.95mV。

(4)铜-康铜(Cu100%-Cu55%Ni45%),廉价金属,使用温度<200~300℃,100℃时电势 4.26mV。

如上所述,热电偶输出的电压很低,一般属毫伏级。因此,其测量仪表一般用毫伏计或电位差计。近年来,随着智能显示仪表与测试系统的发展,能够接热电偶与热电阻的通用指示仪表与数据采集器已广泛应用,不仅提高了测量精度,也可以进行多通道的同时测量,毫伏计与电位差原理如图 2-29 所示。

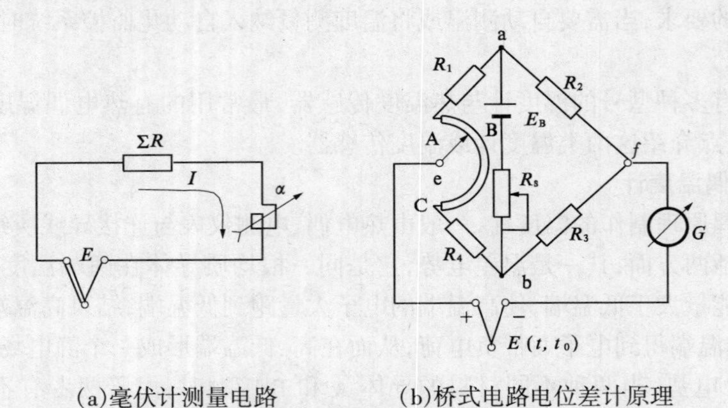

(a)毫伏计测量电路　　(b)桥式电路电位差计原理

图 2-29　热电偶测量电路

图 2-29(a)为毫伏计测量电路,$\sum R$ 为测量回路的电阻,$\sum R$ 为定值,而通过毫伏表电圈的电流 I 与电热 E 成正比,α 为指针的偏转角。图 2-29(b)为桥式电位差计的测量电路,电路由 R_1、R_2、R_3、R_4 组成桥式电路,直流电源 B 的电热为 E_B,a、b 两端的电压为 U_{ab},通过调整滑动触点位置使 G(检流计)指零时,ef 两端的输出电压与热电势 $E(t,t_0)$ 相等,即 $U_{ef}=E(t_1,t_0)$。在变阻器 A 上标明刻度(毫伏)即可指示出热电势 $E(t,t_0)$,根据 $E(t,t_0)=f(t)$关系,可测出温度。

热电偶结构图如图 2-30 所示。

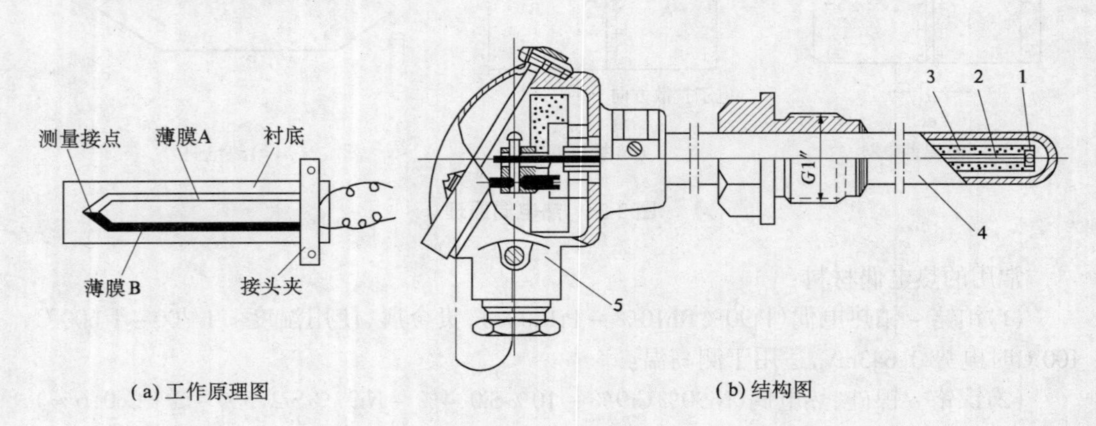

(a) 工作原理图　　(b) 结构图

图 2-30　热电偶结构

1—热电偶的测量端;2—热电极;3—绝缘管;4—保护管;5—接线盒

2.2.6.2　热电阻温度计

热电阻温度计利用金属的电阻值随温度变化而变化的原理制成的温度计与温度传感器。热电阻分金属热电阻和半导体热电阻两大类,分别称为热电阻和热敏电阻。作为热电阻的材料必须具有高温度系数、高电阻率、化学物理性能稳定,并且要有良好的工艺性。

适宜制作热电阻的材料有铂、铜、镍、铁等。其中铂、铜应用最广泛,因为这两种材料容易提纯。

热电阻的温度系数是热电阻的一个重要参数,其定义是:温度变化1℃时电阻值的相对变化,用 α 表示:

$$\alpha = \frac{1}{R}\frac{\mathrm{d}R}{\mathrm{d}T} \quad (1/℃)$$

几种常用热电阻的特性见表 2-1。

表 2-1　**几种常用热电阻的特性**

材料	α_0^{100}(1/℃)	电阻率 ρ ($\Omega\cdot mm^2/m$)	测温范围 (℃)	特性
铂	$(3.8\sim3.9)\times10^{-3}$	0.098 1	−200 ~ +500	近似线性
铜	$(4.3\sim4.4)\times10^{-3}$	0.017	−50 ~ +150	线性
铁	$(6.5\sim6.6)\times10^{-3}$	0.10	−50 ~ +150	非线性
镍	$(6.3\sim6.7)\times10^{-3}$	0.12	−50 ~ +100	非线性

为了测量与配套仪表的便利使用,我国对热电阻进行了统一设计,统一后的热电阻主要有 $Pt_{50}(R_0=50.0\Omega)$、$Pt_{100}(R_0=100.0\Omega)$、$Cu_{50}(R_0=50\Omega)$、$Cu_{100}(R_0=100\Omega)$,$R_0$ 为零度时的阻值(Ω)。

热电阻的实际结构由线圈骨架(或套管),感温电阻丝、引出线等构成,例如铂电阻、半导体热敏电阻的结构如图 2-31(a)、图 2-31(b)、图 2-31(c)所示。由于热电阻感温后的变化为电阻值,所以其测量电路一般用电桥电路或电位差计,在水电厂监控系统中也常用温度巡测仪测量。这里仅介绍不平衡电桥电路,如图 2-31(d)所示。该电路中,R_1、R_2、R_3 为3个固定桥臂,R_t 为热电阻,电毫伏计测量毫伏计的电流 I_m,当施加在a、b间的电压 U_{ab} 不变时,I_m 为 R_t 的函数,而 R_t 大小反应温度的高低。

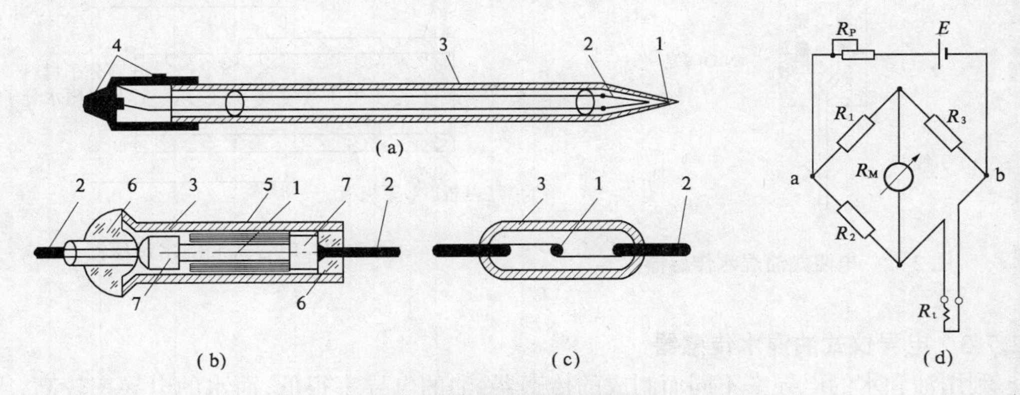

图 2-31　热电阻及测量电路

(a)带玻璃保护管;(b)柱形;(c)带密封玻璃柱;(d)测量电路

1—电阻体;2—引出线;3—玻璃保护管;4—引出极;5—锡箔;6—密封材料;7—导体

2.2.7 油的品质测量——油混水传感器

油的品质对水电厂的运行有重要意义,如果润滑油发生了劣化,就会降低其润滑性能与传热性能;如果绝缘油发生劣化,就会使变压器或开关发生短路。油劣化的原因中,混入水是其中一个主要原因,冷却水管道的破裂、漏水、环境潮湿都有可能造成油混水的发生,测量油混水的传感器为油混水传感器。

油混水传感器有电阻式、电容式等。当油中水分增加时,会使传感器探头的电阻或电容值改变,也可以通过测油的电导率来判断油的品质,因此可用电导率传感器进行油混水的测量。

2.2.7.1 电阻式油混水传感器

利用油中水增加时,使传感器的吸附元件因吸附水分子而改变其电阻值的原理制成电阻式油混水传感器。

电阻式油混水传感器采用 NiO 陶瓷作为吸附材料与电阻材料,当它吸附水分子后,其电阻值改变,配合电桥等测量电路测出阻值后,可测出油中混水的多少,其基本结构如图 2-32 所示。

2.2.7.2 电容式油混水传感器

利用变介质电容传感器原理在电容器的两极板间置入高分子吸附材料作介质,该介质吸附水分子后改变其介电常数,使其电容量改变,配合前面介绍过的测量电路,就制成电容式油混水传感器,其基本结构如图 2-33 所示。

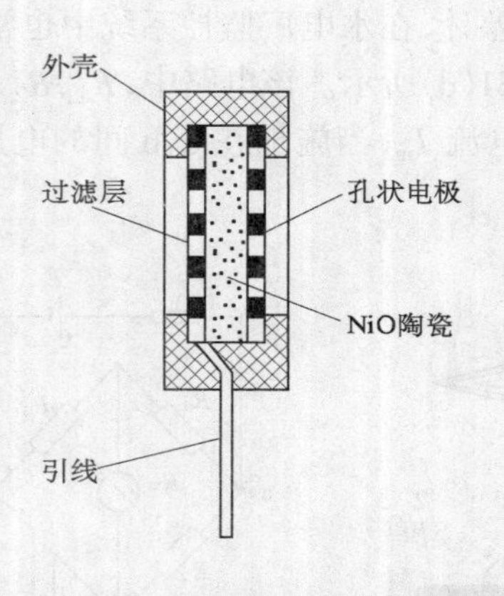

图 2-32 电阻式油混水传感器

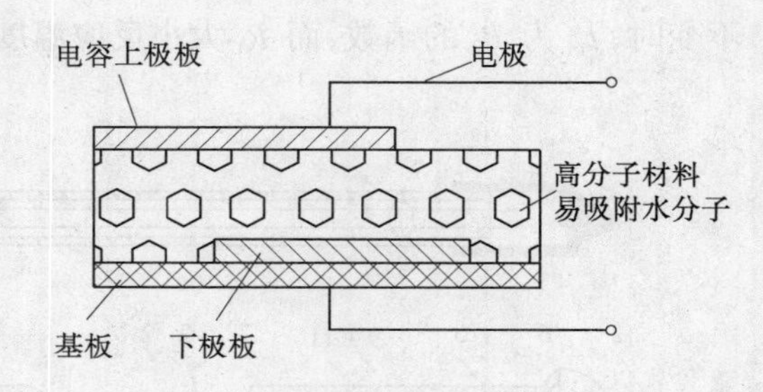

图 2-33 电容式油混水传感器

2.2.7.3 电导仪式油混水传感器

利用油和水的电导率不同而制成的传感器,油的电导率很低,而水的电导率较高,当油中混入水时,水的比重大于油的比重,水沉下去覆盖电导率传感器的两个电极,由此产生的电流变化经运算放大输出,显示油与水的比例。其结构原理如图 2-34 所示。

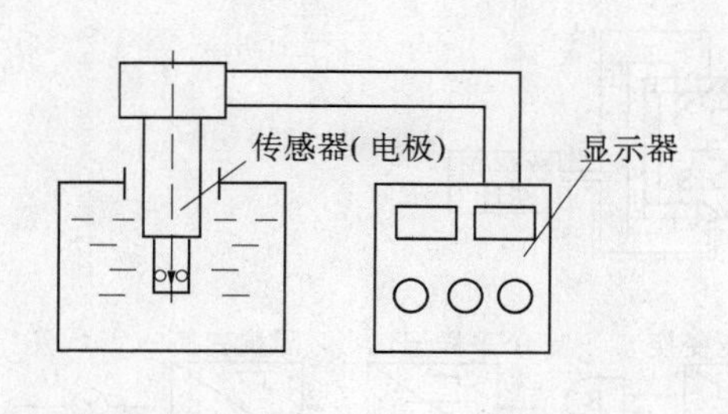

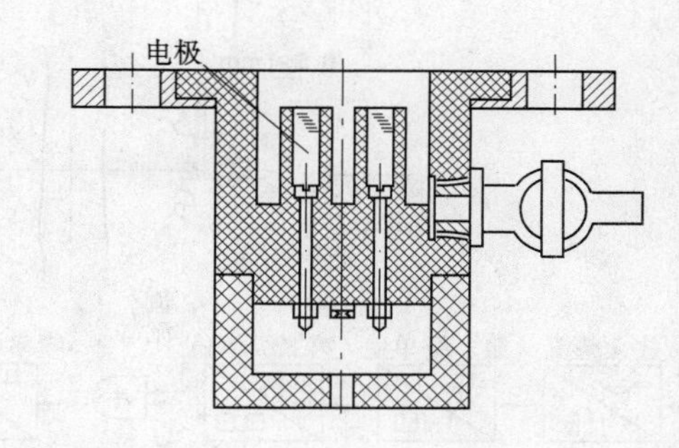

图 2-34　电导仪式油混水传感器

2.2.8　转速测量与转速传感器

转速测量有许多方法,最简单的转速测量装置是机械转速表。机械转速表利用离心摆原理,将转速变化转换为离心力作用,离心力使飞摆外张,带动指针移动,以指示转速的高低。目前机械转速表仍在应用,但随着科学技术的发展,各种电测转速表广泛使用,尤其是计算机技术的发展,使以微机芯片(单片机)为核心的转速测量装置广泛应用在现代测量系统中。

电测转速表有多种型式,它们分别用光电原理、电磁原理或光学原理所制成。

2.2.8.1　光电转速传感器

光电式转速计将转速的变化变换成光通量的变化,再通过光电转换元件将光通量变化转换为电量变化。光电式转速传感器一般由光源、光电管、透镜(或反射镜)及相应的测量电路所构成。其结构如图 2-35 所示。

图 2-35　光电转速传感器原理

1—光源;2、3、4—透镜;

5—半透明膜片;6—光电管;7—被测轴

光电传感器的工作原理是:

电源光①→透镜②→平行光→反射膜→透镜③→花环(明暗相间)→明暗光脉冲→反射膜(半透膜)→透镜④→光电管→电脉冲→脉冲计数器→转速显示装置。

用光电测水轮机转速时,需在水轮机大轴上贴上一圈明显相间的花环,根据显示的脉冲数目计算出水轮机转速 n。

2.2.8.2　电磁脉冲式转速传感器(齿盘式)

电磁脉冲式转速计是利用旋转的齿盘与磁极之间气隙磁阻的变化引起磁通的变化,在绕组中感应出脉冲电势的原理制成的,在此基础上用频率计或脉冲采样装置可换算为相应的转速,用数字显示仪表显示出转速。采用电磁脉冲式转速传感器时,需在机组的顶端装上齿盘,让齿盘与机组同步旋转,电磁脉冲式转速传感器原理如图 2-36 所示。

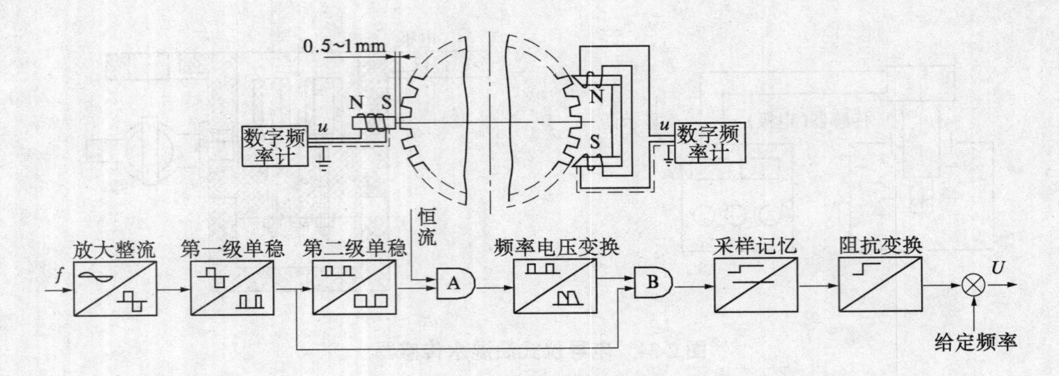

图 2-36　电磁脉冲式转速传感器原理图

2.2.8.3　闪光测速仪

闪光测速是一种同步式测速方法，用一种已知频率的闪光光源照旋转物体的表面，在旋转物体表面贴上一种反光性强的标志，当闪光频率与旋转体的旋转频率同步时，旋转物体上的标志呈静止状态，这样由闪光频率可知旋转频率，并由此算出转速。闪光测速分为手动跟踪式与自动跟踪式。手动跟踪式用人工调整闪光频率，逐渐使闪光频率与旋转频率一致，而自动跟踪式由旋转物体驱动一同步触发器，由此控制闪光频率，闪光测速仪原理如图 2-37 所示。

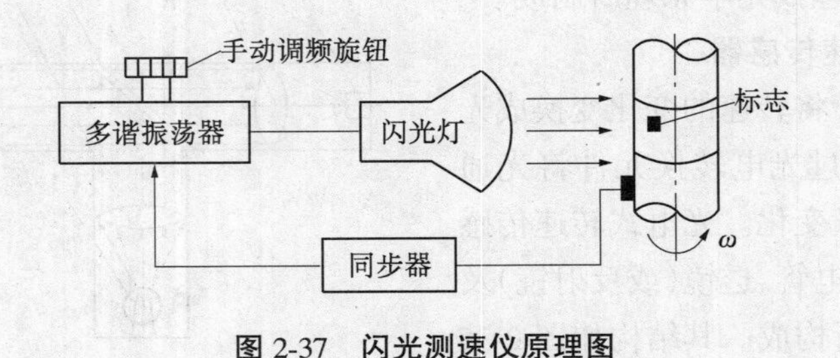

图 2-37　闪光测速仪原理图

2.2.8.4　其他转速测量方法与装置

1)用电涡流传感器测转速

在旋转物体表面附一凸起的金属材料，电涡流传感器可测出通过凸起物时的电流变化，根据数据采集系统记录的波形与时间，可以计算出机组转速。其原理如图 2-38 所示。

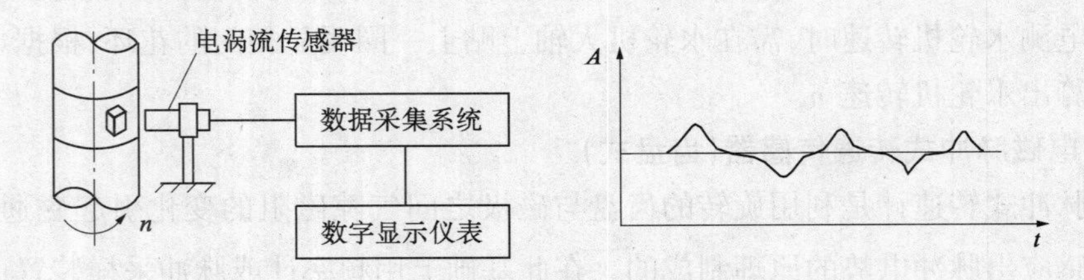

图 2-38　电涡流测速原理

2)微机转速测量装置

适用于水电厂测速的微机转速信号装置有很多种，其基本原理大同小异。一般将电压互感器输出信号经二价滤波后，进行 f/v 转换，再将电压信号经过运算放大器放大处理后，接入数字显示仪表直接显示出机组转速，一般微机转速测量装置还同时具有控制保护功能，当机组转速达到某额定值或超限时，可以报警，还可以作为过速保护装置使用。

2.3 智能传感器与智能仪表

在使用传感器进行测量过程中，会遇到各种各样复杂的情况，对测量的结果造成影响。例如，环境温度对电阻类传感器的影响，电磁场对磁电类传感器形成的噪声干挠，导线、物体的电容对电容类传感器的附加电容干挠、寄生电容干挠，还有温度也会对超声波类传感器、半导体类传感器形成一系列影响。在常规的传感器测量电路中，尽管对各种影响进行补偿与校正，但很难保证不同测量状态下同一精度。此外，由于量程的不同，往往要选用不同量程的传感器，配用不同的二次仪表，这些都为测量带来许多不便，也常使测量电路、测量系统复杂化，设备多、接线复杂，可靠性差。解决这些问题的一种有效方法是使用智能传感器。

2.3.1 智能传感器的特点

智能传感器是以计算机技术为基础的传感器，以其性能优良、体积小、适应性强为特征，从测量的角度看，智能传感器具有以下主要特点：

(1)测量范围大，功能强，可实现复合参数的测量和不同要求的测量。

(2)灵敏度和测量精度高，可进行较微弱信号的测量，并能进行各种校正和补偿，使传感器高性能化。

(3)稳定性和可靠性好，可排除外界干扰，测量数据可以存储。

(4)具有自诊断功能，提高测量系统的安全性。

(5)具有多种输出形式，可输出模拟量、开关量，也可输出数字量，具有数字通讯接口。

(6)可将测量、报警、保护、控制集于一身。

(7)体积小、接线方便，可集敏感元件、处理电路、数字显示于一体。

2.3.2 智能传感器的类型

智能传感器有不同的分类方法。从基本概念上看，凡是具有自动处理测量信号、自动切换量程、自动补偿和校正功能的传感器均可称为智能传感器。习惯上按传感器的信号输出形式进行分类，分为模拟信号输出传感器与数字信号输出传感器，按此方式分类，有如下一些种类的传感器：

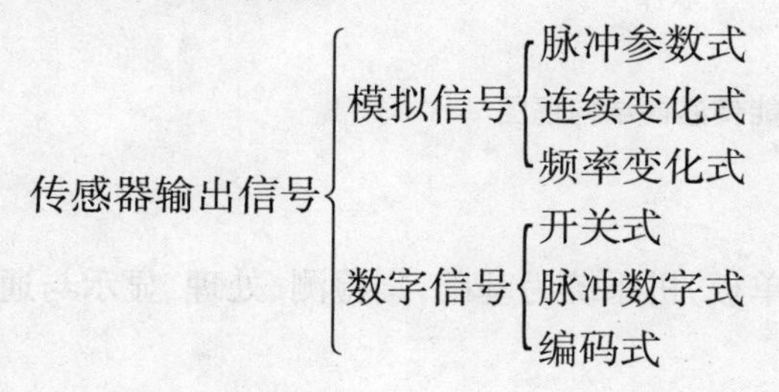

真正的智能传感器应是全数字式的。从信号的采集到信号的处理，显示通信都是数字式的，但目前这样的智能传感器还较少，应用较多的是混合式智能传感器。因此，从数字化的层次上分类，分为混合式智能传感器与全数字式智能传感器两种。

混合式：检测器输出信号为模拟信号，经 A/D 转换后变为数字信号，供微处理器采集与处理，信号输出时再把数字信号经 D/A 转换输出（如图 2-39(a)所示）。

全数字式：传感器检测线路、转换电路、输出电路全为数字式，输出的信号也为数字信号（如图 2-39(b)所示）。

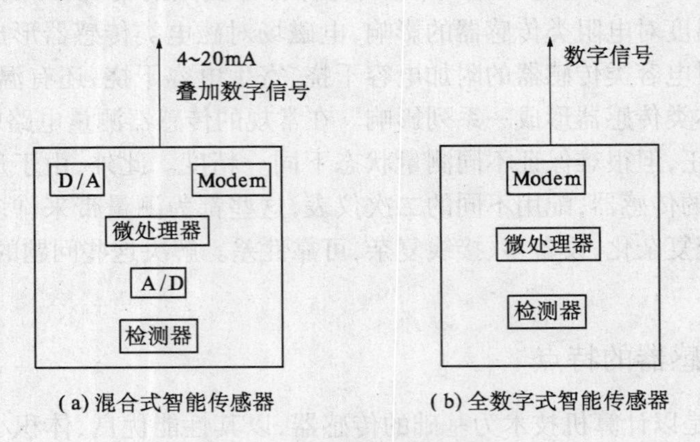

图 2-39 智能传感器比较

2.3.3 智能传感器（变送器）的构成

智能传感器（变送器）又可称为智能仪表，因为它常常集检测、信号处理、显示与输出接口于一身，同时具有控制机能，因此又称变送控制仪表。例如智能压力变送器，它有压力检测部分，又具有 D/A、A/D 转换部分、显示部分，同时具有数对控制接点，用于报警与控制，其输出部分具有 0~20mA 输出、0~10V 输出，又具有 RS232、RS485 通讯接口。其结构框图如图 2-40 所示。

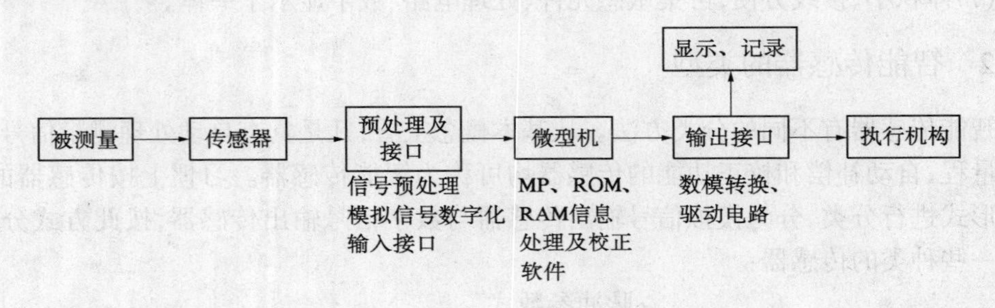

图 2-40 智能传感器结构框图

2.3.4 智能仪表（Smart Instrument）

智能仪表是采用半导体线路或单片（单板）机系统为基础，集检测、处理、显示与通讯、控制功能为一体的仪表。

2.3.4.1 智能仪表的类型

智能仪表可分为下面 3 种基本类型。

(1)通用显示仪表:独立于传感部分,具有通用的输入接口,能接受不同类型传感器信号,可进行智能显示的仪表。目前这类仪表很多,目前市场销售的显示仪表可以输入标准电流(0～20mA)、电压(0～10V,±5V),具有标度设定,数字显示功能,可以与压力、温度、液位等不同的传感器相连接,使用很方便,通常作为各种传感器的配套产品。

(2)一体化仪表:将传感器、处理部分与显示、控制接点,通讯接口集于一身的仪表。例如压力变送控制器,本身包括压力传感器、处理电路、显示表头、控制接点、通讯接口(RS232 或 RS485)。这类仪表已在实践中广泛采用,使用方便,体积小,可与计算机网络连接(通过数据采集或通讯模块)。

(3)总线仪表(Fielbus Based Instrument):又称网络仪表,它包括采样部分(交流或直流),处理部分(滤波、运算、标度变换)数字显示、网络通讯接口(Communication Adapt)所构成。这是一种新型仪表,可省去传感器,可以直接与计算机网络连接,各部分均采用计算机技术,因此又称为全数字仪表(Digital Instrument)。这类仪表已投入市场,是最有发展前景的仪表,目前应用最多的是网络电力仪表。

2.3.4.2 智能仪表的构成

不同类型的智能仪表具有不同的结构,以一体化仪表(Smart Instrument)为例,一般由信号采集、A/D 转换、运算放大与处理、显示与通讯四大部分所组成(如图 2-41 所示)。

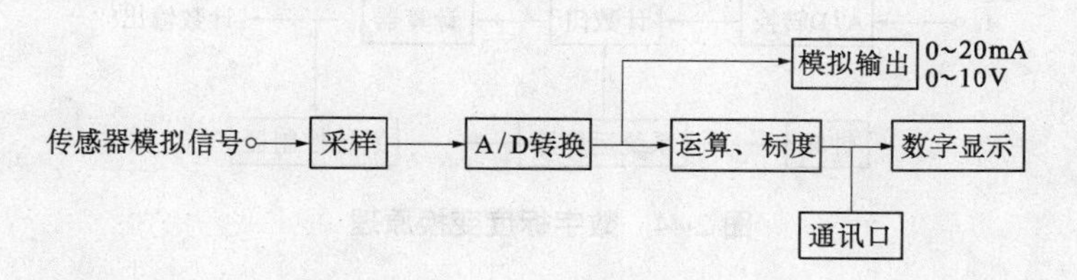

图 2-41　智能仪表的结构

1)信号采集

将传感器输出的模拟信号离散化,供仪表采集(如图 2-42 所示)。

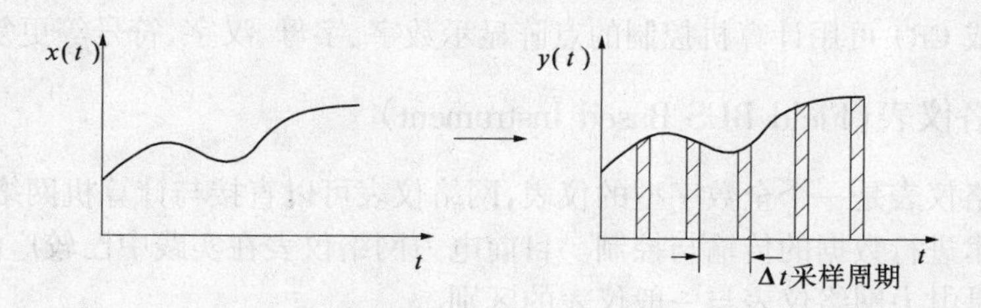

图 2-42　信号离散与采集

2)模—数转换(A/D)

将采集到的信号数字化,供运算与显示用。一般的 A/D 转换器可将某一模拟信号转换为 4 位、8 位、12 位或 16 位的数字量。进行模—数转换的元件称为 A/D 转换器或 A/D

卡,市场销售的 A/D 装置可插在计算机总线插槽中或通过串、并通讯口与计算机连接。

3)标度变换

经传感器输出而采集到的信号与实际测量值形成一定比例或某一种函数关系,用于直接显示还有一定困难。例如,某压力传感器输入的压力信号为 10kPa,但传感器输出的信号可能为 5mV,为了使数显表接到 5mV 的信号后显示 10kPa 的数值,中间要经过标度变换。

标度变换可用模拟方式,采用适当的运算放大或积分而实现,也可用数字标度变换法。在模拟仪表中一般采用模拟标度变换,而在数显仪表中多采用数字标度变换。

模拟标度变换,例电流信号→电压标准信号:测得压力传感器的输入参数为 P_1 = 0kPa, P_2 = 5kPa, P_3 = 10kPa;而传感器的输出电流信号为 I_1 = 0mA, I_2 = 10mA, I_3 = 20mA,而采用电压表显示测量压力时,用电流 - 电压变换电路,如图 2-43 所示。

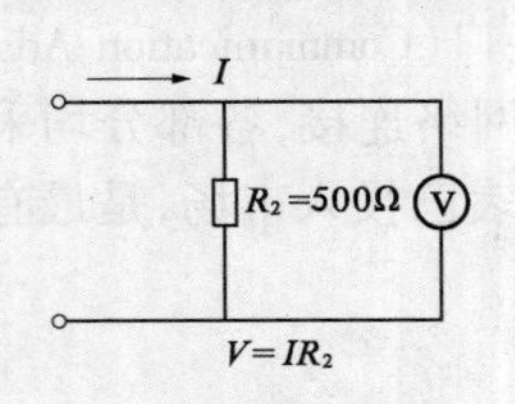

图 2-43 电流-电压变换原理

$I_1 = 0\text{mA}, V_1 = 0 \times 500 = 0(\text{V})$

$I_2 = 10\text{mA}, V_2 = 0.01 \times 500 = 5(\text{V})$

$I_3 = 20\text{mA}, V_3 = 0.02 \times 500 = 10(\text{V})$

数字标度变换:用数字电路实现标度变换或用计算机完成标度变换,以数字电路为例,其框图如图 2-44 所示。

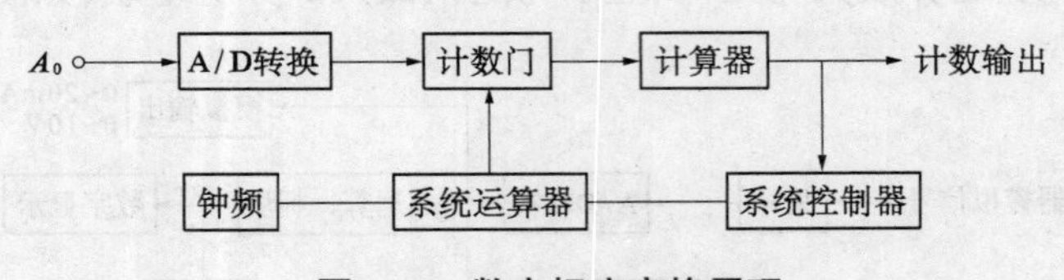

图 2-44 数字标度变换原理

4)数字显示

一般用数码管(LED)或液晶屏(LCD)或 CRT 显示被测结果。

LED 显示即采用发光二极管进行显示,通过 7 只发光二极管可显示阿拉伯数字或英文字母、符号。通过逻辑电路使 a,b,c,…g7 只二极管点、灭,可以显 0,1,2,3,4,…,9,A,B 等。

液晶屏或 CRT 可用计算机控制的点阵显示数字、字母、汉字、符号等更复杂信息。

2.3.5 网络仪表(Field BUS Based Instrument)

所谓网络仪表是一个全数字型的仪表,网络仪表可以直接与计算机网络连接,利用计算机网络技术进行数据的传输与控制。目前电力网络仪表在实践中已较广泛地应用。图 2-45 所示的是电力网络仪表与一般仪表的区别。

电力网络仪表具有如下特点:

(1)网络仪表集变送器、A/D 卡、PC 于一体,省去了单设的传感器与数据采集系统。

(2)网络仪表可直接上网,省去了中间的 IPC。

(3)网络仪表在同一网络线上设多个接点同时上网,与传统的传感器与网络之间一对一的连接方案比,使用电缆少。

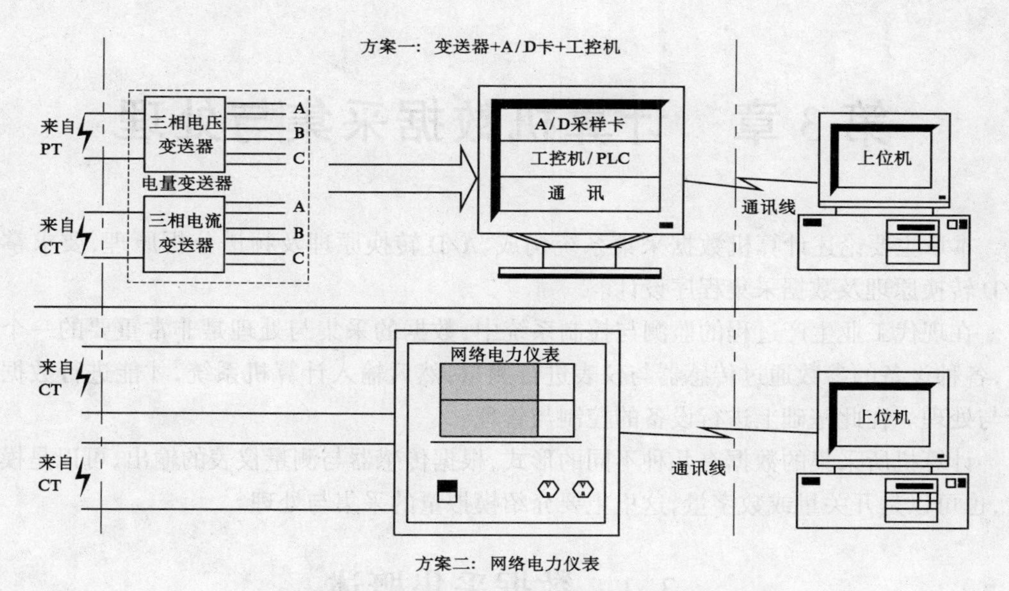

图 2-45　电力网络仪表与一般仪表的区别

(4)网络仪表便于管理。

(5)网络仪表一般带控制功能。

目前,美国产的 AAP 网络仪表、瑞士产的 DAE 网络仪表、德国产的 SEG 网络仪表已在我国电力系统推广与应用,其精度与可靠性均高于传统仪表。

习　题

2-1　什么是传感器？传感器由哪些主要元件构成？

2-2　传感器一般有几种类型？

2-3　水位(液位)的测量有哪几种形式？

2-4　压力传感器有哪几种类型？

2-5　测量不同性质的压力时,各适用什么样的压力传感器？

2-6　超声波测流的原理是什么？

2-7　从工作原理上考虑,位移传感器有哪几种类型？

2-8　小位移测量应选择什么样的传感器？

2-9　物体振动的测量一般测哪些物理量？

2-10　温度传感器有哪几种主要类型？

2-11　测量油的品质(油混水)可用哪些方法？

2-12　与一般仪表相比,智能仪表有哪些特点？

2-13　智能仪表有哪几种主要类型？

2-14　网络仪表有什么优越性？

第 3 章　计算机数据采集与处理

本章主要论述计算机数据采集系统构成、A/D 转换原理及频谱分析原理，要求掌握 A/D 转换原理及数据采集程序设计。

在现代工业生产过程的监测与控制系统中，数据的采集与处理是非常重要的一个环节，各种设备的参数通过传感器与仪表进行测量，然后输入计算机系统，才能进行数据分析与处理。在此基础上进行设备的控制与管理。

计算机所采集的数据有几种不同的形式，根据传感器与测量仪表的输出，可以是模拟量，也可以是开关量或数字量，这里主要介绍模拟量的采集与处理。

3.1　数据采集概述

数据采集与处理是一个系统工程，涉及到几个方面的关键技术，其中主要包括下面三个方面：

(1)模数转换(A/D 转换)技术。

(2)数据采集方法与程序设计。

(3)信号处理与分析。

目前，数据采集与处理都使用计算机系统，常规的计算数据采集系统构成如图 3-1 所示。

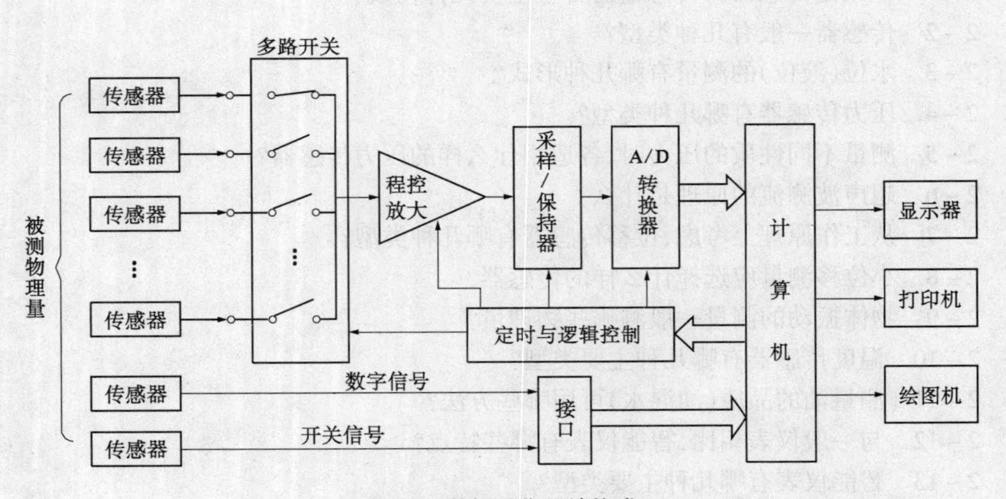

图 3-1　数据采集系统构成

此外，传感器与计算机系统的连接也常采取不同的方式，常用方式如图 3-2 所示。

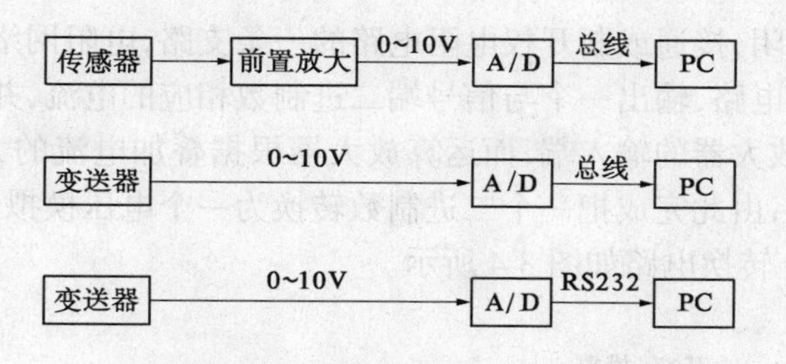

图 3-2 传感器与计算机的连接方式

3.2 A/D 转换原理

3.2.1 A/D 转换原理

模拟传感器输出的信号一般为连续的电压或电流信号,这种信号一般是时间的函数,在某一时域内,是一条连续的曲线。例如压力脉动、温度上升信号,如图 3-3 所示。

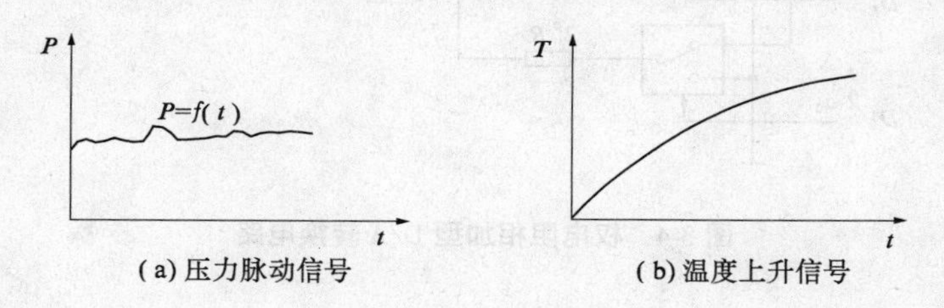

图 3-3 模拟信号

计算机处理信号时,只能处理离散的数字信号,因此传感器输出的信号必经过 A/D 转换,才能被计算机所采用。担负 A/D 转换的设备称为 A/D 转换器。

3.2.2 A/D 转换的基本原理

A/D 转换器有不同的类型,它通过不同型式的电子电路实现 A/D 转换,常用的 A/D 转换电路有逐次逼近式 A/D 转换与双积分电路 A/D 转换,其中,逐次逼近电路应用广泛,也比较容易理解,这里以逐次逼近式 A/D 转换电路为例说明 A/D 转换的基本原理。由于逐次逼近 A/D 转换电路中要用到 D/A 转换电路,因此必须首先介绍 D/A 转换电路的基本工作原理。

D/A 转换的目的是把一个数字量转换成相应的模拟量,D/A 转换器是用电子开关电路与运算放大电路作基础将二进制数字信号转换为电压信号(模拟信号)。电子开关电路有权电阻电路与梯形电阻电路等形式。

3.2.2.1 权电阻网络电流相加型 D/A 转换电路

权电阻网络电流相加型 D/A 转换电路由信号输入端、电子开关、权电阻网络电路、运算放大器几部分构成,信号输入端将一个二进制数的各位输入电路,控制电子开关的开、闭，电子开关通过开、闭，接通或断开权电阻电路的一条支路，电阻网络则把各电阻支路接通或断开于整个网络电路，输出一个与信号端二进制数相应的电流，并将这些电流叠加输出，该输出作为运算放大器的输入端，而运算放大器根据叠加电流的大小，输出一个相应于输入端的电压信号，由此完成把一个二进制数转换为一个电压模拟信号的转换，权电阻网络电流相加型 D/A 转换电路如图 3-4 所示。

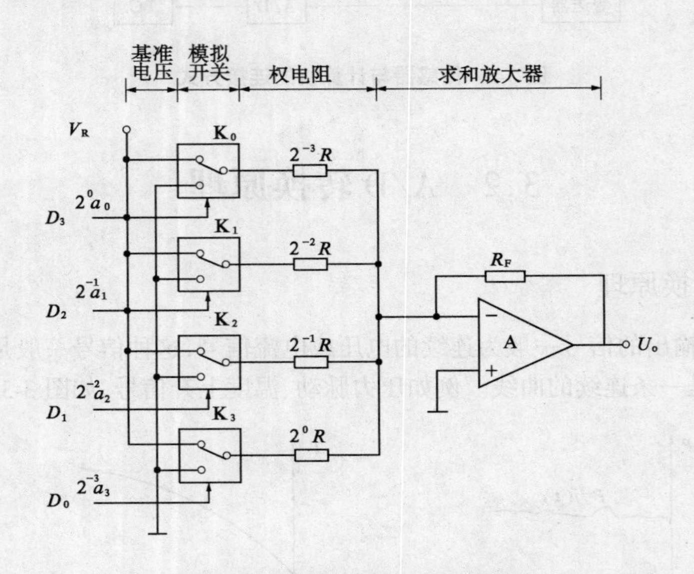

图 3-4　权电阻相加型 D/A 转换电路

权电阻 D/A 转换电路的工作过程可以描述如下：

图 3-4 所示是一个 4 位 D/A 转换电路，$D_0 \sim D_3$ 提供 4 位二进制表 D_0、D_1、D_2、D_3，高电平为 1，低电平为 0，$D_0 \sim D_3$ 分别控制 4 路电子开关 $K_0 \sim K_3$，当输入为高电平时，电子开关闭合，接通权电阻电路的某一支路，当输入端为低电平时，电子开关断开，同时断开相连的电阻支路。

权电阻网络的阻值按分母为 2^0、2^1、2^2、2^3 的规律设置，在基准电压 V_F 作用下，通过各电阻支路的电流与电阻值成反比，这样，对应 $D_0 \sim D_3$ 的二制进数，各支路电路按二进制数 D_0、D_1、D_2、D_3 的规律分布，叠加后输入运算放大器。

运算放大器把电阻网络电路输出的电流叠加，反相输入加法运算，运算放大器输出的电压 V_0 为：

$$V_0 = -\frac{R_F}{R}V_R(D_3 \cdot 2^3 + D_2 \cdot 2^2 + D_1 \cdot 2^1 + D_0 \cdot 2^0) = -\frac{R_F}{R}V_R(8D_3 + 4D_2 + 2D_1 + D_0) \tag{3-1}$$

式中　V_R——基准电压；

　　　R_F——反馈电阻。

例如：当 $R = R_F$，$V_R = -0.3V$，对应不同的 D_0、D_1、D_2、D_3 输入，其输出为：

$D_3D_2D_1D_0 = 1111$，$V_{0max} = 0.3 \times (8 \times 1 + 4 \times 1 + 2 \times 1 + 1 \times 1) = 4.5(V)$

$D_3D_2D_1D_0 = 0000, V_{0\min} = 0.3 \times (8 \times 0 + 4 \times 0 + 2 \times 0 + 1 \times 0) = 0(\text{V})$

$D_3D_2D_1D_0 = 1001, V = 0.3 \times (8 \times 1 + 4 \times 0 + 2 \times 0 + 1 \times 1) = 2.7(\text{V})$

由此可见，权电阻电路 D/A 转换器可将 4 位二进制数转换为相应的电压值输出，输出的电压值与输入的二进制数成比例关系。

D/A 转换器还有梯形电阻电路，其工作原理与权电阻网络电路类似。根据转换二进制数位数的多少，有 4 位、6 位、8 位、12 位、16 位 D/A 转换电路。

3.2.2.2　以 D/A 电路为基础的 A/D 逐次逼近转换电路

使用 D/A 转换器作为工具，由逐次比较寄存器，比较控制器，及时钟脉冲发生器等构成逐次比较式 A/D 转换电路。当有一个模拟电压信号输入控制器时，逐次逼近寄存器会自动置一个二进制数（由高位到低位依次置数），经 D/A 转换为相应的模拟信号（电压 V_f），与输入的被转换电压 V_x 相比较，看二者是否一致，若不一致，再置一个新的二进制数进行上述比较，直至二者一致为止。这时，置入的二进制数就是被转换模拟信号（电压 V_x）的数字表示。逐次比较逼近式 A/D 转换电路如图 3-5 所示。

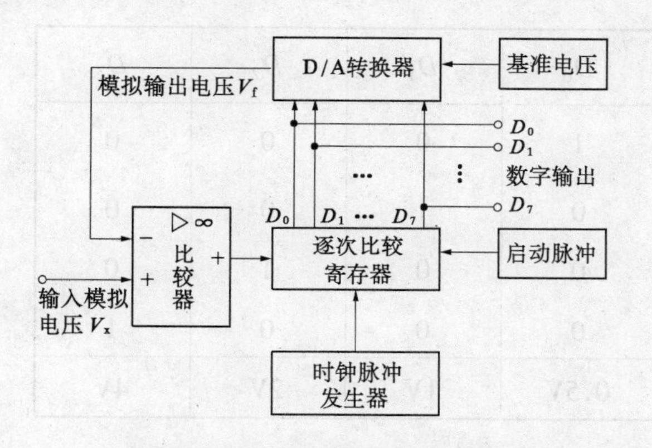

图 3-5　逐次比较逼近 A/D 电路

以图 3-5 所示的电路为基础，A/D 转换过程可用图 3-6 所示的框图表示。

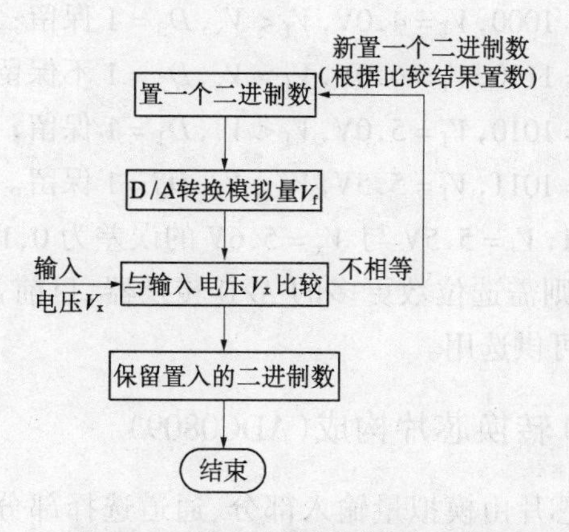

图 3-6　逐次比较逼近式 A/D 框图

3.2.3 转换过程描述(以8位A/D转换为例)

(1)计算机发出(A/D)转换脉冲,启动A/D转换(可用中断指令)。

(2)逐次比较寄存器最高位,D_7置1,其余位置0,8位寄存器中的寄数为1000000。

(3)寄存器数送D/A转换器,在基准电压作用下输出由数字转换的电压V_f。

(4)在比较控制器中,转换电压V_f与输入信号电压V_x比较,若$V_x > V_f$,则预置二进制数最高位1是合适的,比较控制器使D_7位保留1值;若$V_x < V_f$,则说明预置数D_7为1偏大了,使得转换电压值太高了,因此比较控制器使D_7置0位。

(5)从下一位D_6开始重复上述过程,直至D_0位。

(6)经上述过程,使逐次比较寄存器中的保留数字总和所转换的电压值与输入信号V_x相等或在一定误差范围内接近,此时,寄存器中最终保留的数字即输入信号V_x所对应的二进制数。

下面以4位D/A转换为例说明上述转换过程(4位D/A,$V_{max}=7.5V$,$V_x=5.6V$)。

D_0	D_1	D_2	D_3
1	0	0	0
0	1	0	0
0	0	1	0
0	0	0	1
0.5V	1V	2V	4V

以上表为例:当$D_0D_1D_2D_3=1111$时,$V_{max}=0.5+1+2+4=7.5(V)$,而$5.5V=0.5V+1.0V+0+4V$,对应$D_0D_1D_2D_3$应为1101,转换过程如下:

第1脉冲,$D_3D_2D_1D_0=1000$,$V_f=4.0V$,$V_f<V_x$,$D_3=1$保留;

第2脉冲,$D_3D_2D_1D_0=1100$,$V_f=6.0V$,$V_f>V_x$,$D_2=1$不保留,$D_2=0$;

第3脉冲,$D_3D_2D_1D_0=1010$,$V_f=5.0V$,$V_f<V_x$,$D_1=1$保留;

第4脉冲,$D_3D_2D_1D_0=1011$,$V_f=5.5V$,$V_f<V_x$,$D_0=1$保留。

所以,$D_3D_2D_1D_0=1011$,$V_f=5.5V$与$V_x=5.6V$的误差为0.1V。

若需要提高转换精度,则需选位数更多的A/D转换器,目前常用的有8位、12位、16位逐次比较式A/D转换器可供选用。

3.2.4 实际的8位A/D转换芯片构成(ADC0809)

实际的8位A/D转换芯片由模拟量输入部分、通道选择部分、D/A转换部分与A/D转换部分、输出部分所构成,其结构如图3-7所示。

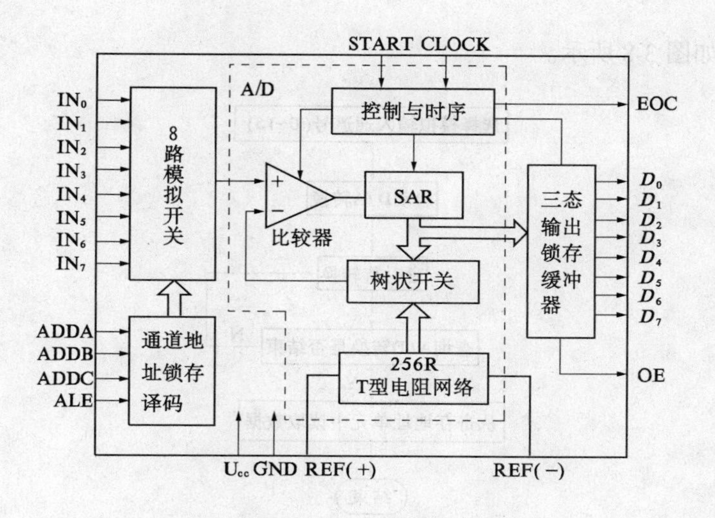

图 3-7　8 位 A/D 转换感片构成

工作原理：

(1)8 路模拟开关控制 8 路模拟信号的输入与选通，向比较控制器送入某路模拟电压 V_x，通道选择由通道地址锁存译码器的三条信号线 ADDA、ADDB、ADDC 通控制，ALE 为控制信号。控制表如下所示：

C	B	A	IN
0	0	0	0
0	0	1	1
0	1	0	2
⋮	⋮		⋮
1	1	1	7

(2)逐次逼近寄存器从高位到低位置二进制数，并将此数送到 D/A 转换部分。

(3)D/A 转换输出相应的电压 V_f，与输入信号电压 V_x 一起送比较控制器。

(4)V_f 与 V_x 在比较器中比较，决定逐次逼近寄存器中的置数留与否。

(5)经过逐次逼近，完成一个通道的 A/D 转换，其结果保存在三态输出锁存缓冲器中。

(6)输出部分由输出信号 OE 控制，将转换的结果(二进制数)输出。

3.2.5　A/D 转换程序的设计

A/D 转换通常是通过 A/D 转换器与计算机(包括单片机、单板机或 PC 机)连接，通过计算机程序进行控制与操作的。不同的 A/D 转换器有不同的连接方式与控制方式。这里以与 PC 机连接的 16 路(或 32 路)12 位 D/A 板为例说明程序设计的方法。

程序框图如图 3-8 所示。

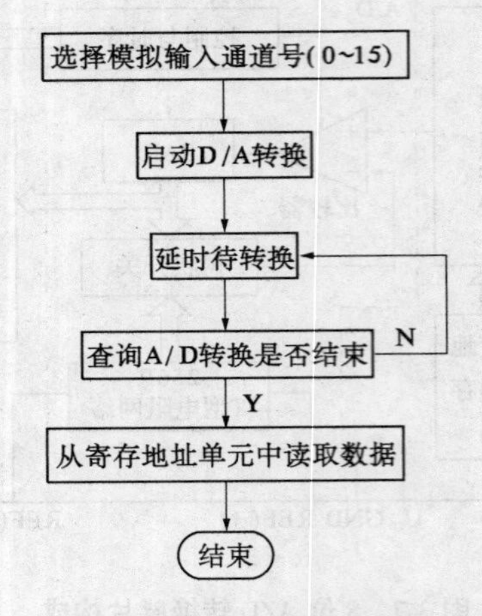

图 3-8　A/D 转换程序框图

程序示例(以 BASIC 语言为例,针对 MS－1214A－A/D 转换器):

10　CLS……清屏

20　INPUT"A/D 通道号";CH……(0～15)

30　INPUT"开始与否";Y $ ……(Y or N)

40　OUT&H310,CH;……将通道号送入地址 H310(A/D 规定地址号)

50　OUT&H311,0,……送控制字到 H311 地址,启动 A/D 转换

60　IF INP(&H312)>128 THEN 60……标志位中数据判断 A/D 换转是否完成

70　A1=INP(&H312):A2=INP(&H313)……取寄存器高 4 位数与低 8 位数

80　A=A1 * 256+A2－2048……高 4 位+低 8 位合成一个二进制数(12 位)

90　A=A * 10/4096……转换为实际输出电压值

100　PRIINT"A=";A(V)

换算:A/D 转换输出 －5V～＋5V　(10V)

对应 12 位数 －2048～0～＋2048　　$2^{12}=4096$

换算式:某转换后的 2 进数 A 对应的电压值 V 为

$$V=\frac{(+5V)-(-5V)}{+2048-(-2048)}\times A=A\times 10/4096$$

3.3　数据处理与分析

通过 A/D 转换器及计算机数据采集系统所获得的信号已成为离散的数字信号,这些信号很难直接说明问题,要想了解被测量的规律、特点及影响因素,必须进行信号的分析与处理。

数字信号的分析与处理有很多内容,其中主要有波形检测、峰—峰值计算、有效值计算、相关分析、频谱分析等。一般信号分析有时域分析与频域分析,分别分析信号的时域特点与频域特点。

3.3.1 波形分析

波形分析属于时域分析的范畴,它是对某信号波形随时间的变化特性进行分析,其内容主要有下面三个方面。

3.3.1.1 波形的时间分布

波形的时间分布(图 3-9)可以用来判断信号的类型、同期性、强度及变化性,它是信号处理的基础,对于简单的信号,可以直观地从波形的时间分布上找出其规律与特征。而对于复杂信号,则必须以此原始波形为基础进行分析,才能解剖波形的其他特性。

3.3.1.2 幅值分析

幅值分析的内容包括最大值、平均值、最小值、有效值的分析,如图 3-10 所示。

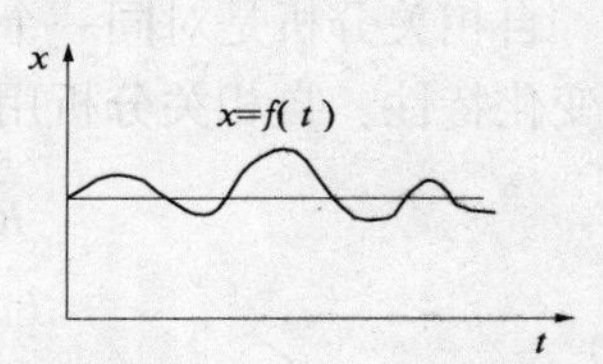

图 3-9 波形的时间分布

最大值:一般取波形在某一时段的峰—峰值。

峰—峰值:波形在某一时段内的最大值与最小值之差,它代表波动位移的最大强度,水轮机的振动、摆度常用波形的峰—峰值作为代表指标来进行机械稳定性的评价。

平均值:指波形某一时段内振幅的时间平均。在电厂的电流、功率测量中常用到平均值。

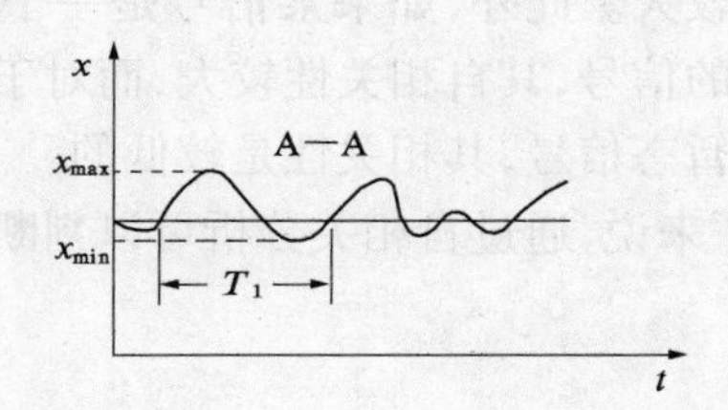

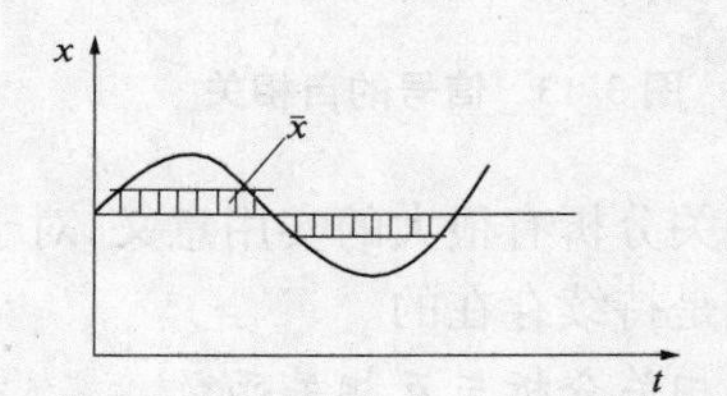

图 3-10 信号幅值分析

有效值:波形分析有时要用到有效值,有效值有时与平均值等值,有时另有定义,视具体情况而定。

3.3.1.3 振动的周期及周期变化

在波形信号中,许多信号是周期性变化,它是振动信号的一个重要特征,从其周期内的波形以及周期的时间变化方面可以获得振动的许多特征,如图 3-11 所示。

例如水轮机、发电机在空载、加励磁、并网后的振动波形可以看出(图 3-12),在空载运行中,机组振动较轻微,加励磁过程中振动加大,并网后振动又下降。

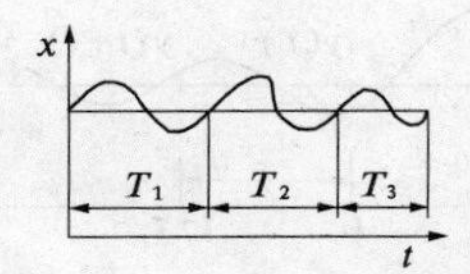

图 3-11 振动的周期变化

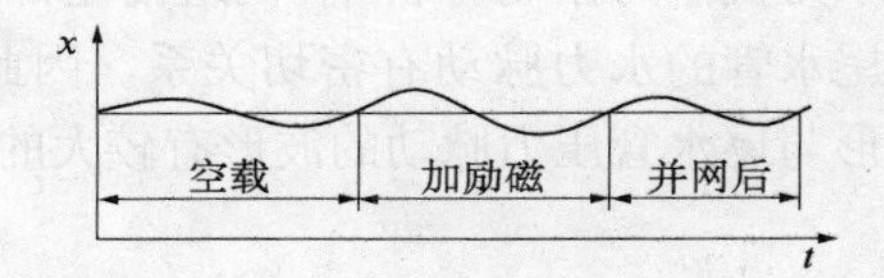

图 3-12 发电机加励磁过程的振动波形变化

3.3.2 频域分析

频域分析是对波形的频率特性进行的分析，通过分析波形的变化频率，各种频率在全部波形中所占的比重的计算，寻找振动(波动)的原因及各种振动之间的关系。频域分析常包括下述几部分内容。

3.3.2.1 相关分析

分析一个信号或两个信号的相关性，以判断信号的变化规律与相互关系。相关分析有自相关分析与互相关分析。

1)自相关分析与自相关函数

自相关分析是对同一个信号在不同时间内相关程度的分析，以判断该信号的持续性与变化特性。自相关分析用自相关函数进行计算，其计算式为：

$$R_{xx}(\tau)=\lim_{T\to\infty}\frac{1}{2T}\int_{-T}^{T}x(t)x(t+\tau)\mathrm{d}t \tag{3-2}$$

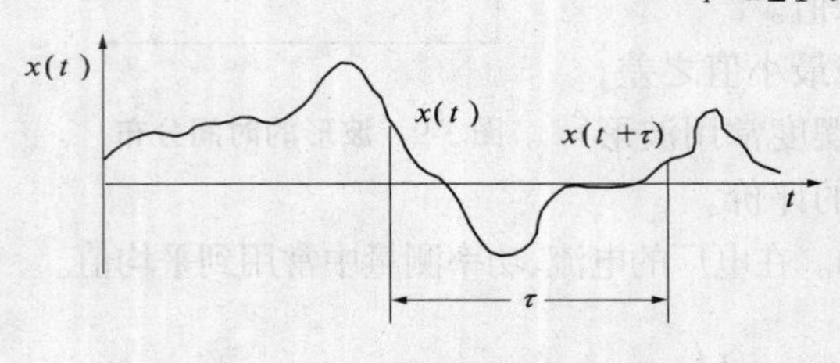

图 3-13 信号的自相关

如图 3-13 所示对于两时间间隔为 τ 的信号段，若自相关函数 $R_{xx}(\tau)$ 较大，说明该信号在不同时段内的相关性较大，否则，说明其相关性较小。对于周期信号，其相关性往往较大。此外，如果某信号是一个较持久稳定的信号，其自相关性较大，而对于一个突然的暂态信号，其相关性是较低的。

自相关分析有很大的实用意义，对于水电厂来说，通过自相关分析可以判断某事故是偶发的还是持续存在的。

2)互相关分析与互相关函数

互相关分析以两个信号的相关性进行分析，以判断两个信号之间的相互关系与相互影响。互相关分析用互相关函数进行计算。如图 3-14 所示，信号 $x(t)$ 与信号 $y(t)$ 是两个相互影响的信号波形，其互相关系数的计算式为：

$$R_{xy}(\tau)=\lim_{T\to\infty}\int_{0}^{T}x(t)y(t+\tau)\mathrm{d}t \tag{3-3}$$

式中 $x(t)$，$y(t+\tau)$——两个独立的信号振幅值；

τ——两信号的时间间隔。

当两个信号关系比较密切时，则互相关系数 R_{xy} 较大，反之较小。

在水力机组的振动分析中，机组固定部件的机械振动与尾水管的水力脉动有密切关系。因此，机组振动的波形与尾水管压力脉动的波形有较大的自相关系数。

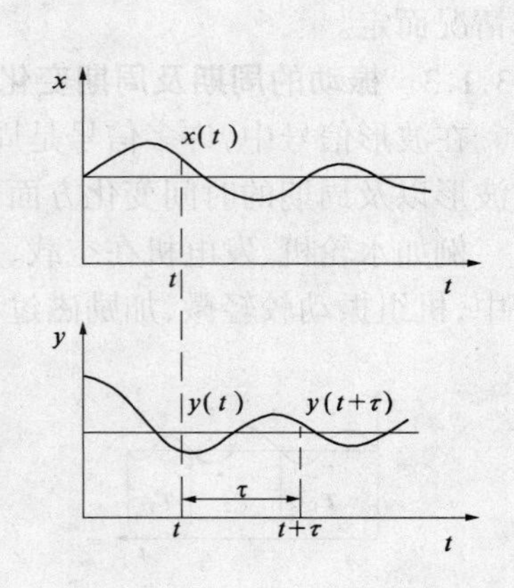

图 3-14 信号的互相关

3.3.2.2 频谱分析

对信号波形在频率领域的特性进行分析，获得各振动的特征频率及其对应的振动强度，称为信号的幅—频特性。频谱的构成可以反映振动的特征，一般用频谱函数或功率谱函数表示振动的频域特性。

1)频谱分析方法——傅里叶变换

对于一个角频率为 ω 的连续序列 $x(t)$，可用傅里叶级数表示：

$$x(\omega) = \frac{a_0}{2} + \sum_{k=0}^{\infty}(a_k \cos k\omega t + b_k \sin k\omega t) \tag{3-4}$$

式中 $a_0 = \frac{1}{\pi}\int_0^{2\pi} x(t)\mathrm{d}t$；

$a_k = \frac{1}{\pi}\int_0^{2\pi} x(t)\cos k\omega t \mathrm{d}t$；

$b_k = \frac{1}{\pi}\int_0^{2\pi} x(t)\sin k\omega t \mathrm{d}t$。

在式(3-4)的基础上，可以计算出波形的幅值 A_k 与相位 φ_k：

$$A_k = \sqrt{a_k^2 + b_k^2};\varphi_k = \arctan(\frac{a_k}{b_k}) \tag{3-5}$$

式中 A_k—— 频率 $k\omega$ 时的波形幅值；

φ_k—— 频率 $k\omega$ 时的相位(弧度)。

由此可见，傅里叶分析可以确定波形的幅 — 频特性与相位特性，因此常用于波形的频谱分析中。以上公式适用于周期性连续函数的傅里叶分析。

傅里叶变换常采用复数公式，可表示为：

$$X(\omega) = \int_{-\infty}^{\infty} x(t)\mathrm{e}^{-\mathrm{j}\omega t}\mathrm{d}t$$

对于计算机采集的离散点数据，可用离散傅里叶变换公式，即

$$X(k) = \sum_{n=0}^{N-1} x(n)\mathrm{e}^{-\mathrm{j}2\pi k}/N \quad (k = 0,1,2,\cdots,N-1) \tag{3-6}$$

式中 $x(n)$—— 离散点的幅值；

$X(k)$—— 频率为 k 的傅里叶变换值(复数)；

j——$\mathrm{j} = \sqrt{-1}$。

通过复数傅里叶变换，可以求波形的幅值、频率、相位特性

$$X(k) = X_R(k) + \mathrm{j}X_I(k)$$

式中 $X_R(k)$—— 复数傅里叶变换的实部；

$X_I(k)$—— 复数傅里叶变换的虚部。

$$A_k = \sqrt{X_R(k)^2 + X_I(k)^2}$$

$$\varphi_k = \tan^{-1}[\frac{X_I(k)}{X_R(k)}]$$

在实际的波形分析中，常用快速傅里叶分析(FFT)方法，甚至根据这种算法制成 FFT 分析计算机硬卡，与数据采集系统相配合，可以实时进行傅里叶分析。有关 FFT 的算法可参考有关书籍。

2)频谱分析方法二——功率谱分析

频谱分析中最关键的问题是找出波形的幅—频特性。除了傅里叶分析之外,也常用功率谱分析法确定波形的幅—频特性,所谓功率谱(Power Spectrum)分析,是指找出各频率在总能量中各自所占有的分量,以确定各种振动谱频率所具有的强度。功率谱分析以波形的自相关分析为基础,求出自相关函数的傅里叶变换。

功率谱分析在实际中应用广泛,以某电动机的噪声分析为例,通过功率谱分析,确定出噪声的声源与强度,如图 3-15 所示。

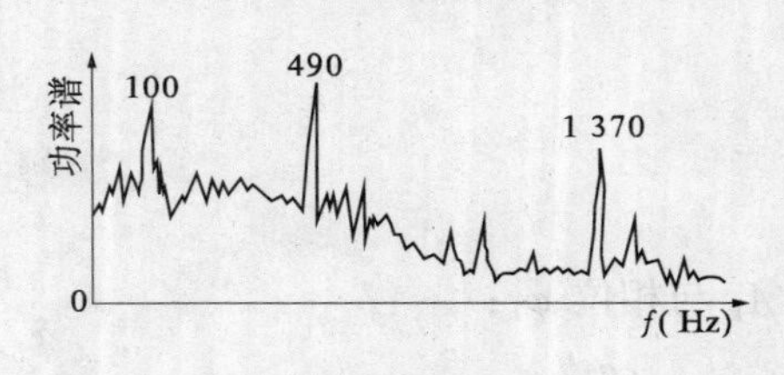

图 3-15　信号的功率谱分析

$f_1 = 100$Hz,电源频率的一倍;

$f_2 = 390$Hz,转速乘轴承滚球数目;

$f_3 = 1\,170$Hz,f_3 的谐频,$3f_2$。

由于功率谱函数是自相关函数的傅里叶变换,故有:

$$S_{xx}(f) = +2\int_{-\infty}^{\infty} R_{xx}(\tau)\mathrm{e}^{-\mathrm{j}2\pi f\tau}\mathrm{d}\tau \quad (3\text{-}7)$$

式中　$S_{xx}(f)$——频率为 f 时的功率谱密度值,$R_{xx}(\tau)$ 的傅里叶变换。

　　$R_{xx}(\tau)$——时间滞后 τ 时的自相关函数。

当波形的数据为离散点时,在限定采样区间$(0,T)$内的功率谱函数可表示为:

$$S_{xx}(f_n) = \frac{2\Delta t}{N}\left|\sum_{k=0}^{N-1} x(k)\exp\left[-\mathrm{j}\frac{2\pi nk}{N}\right]\right|^2 \quad \left(n = 0,1,2,\cdots,\frac{N}{2}\right) \quad (3\text{-}8)$$

给出不同的 n 值,可以求出相应的功率谱函数 $S_{xx}(f_n)$,其中功率谱对应的频率 $f_n = \left(\frac{2\pi}{N\Delta t}\cdot n\right)$,$\Delta t$ 为采样间隔,N 为观测点总点数。

为了计算方便,常用实函数形式表示功率谱函数,写成下面形式:

$$S_{xx}(f) = 2\Delta t\left[R_{xx}(0) + 2\sum_{r=1}^{m-1} R_{xx}(r\Delta t)\cos\frac{\pi kr}{m} + R_{xx}(m\Delta t)\cos k\pi\right] \quad (3\text{-}9)$$

$$R_{xx}(\tau) = R_{xx}(r\Delta t) = \frac{1}{N}\sum_{k=1}^{N-r} x(k)x(k+r) \quad (r = 0,1,2,\cdots,m) \quad (3\text{-}10)$$

式中　r——滞后数;

　　m——最大滞后数;

最大滞后时间 $\tau_{\mathrm{m}} = m\Delta t$。

按照上述计算公式,可按下述过程进行功率谱的计算:

(1)给定离散序列 $x(k)$(图 3-16),$n = 0,1,\cdots,N-1$;

(2)计算自相关函数 $R_{xx}(\tau) = R_{xx}(r\Delta t) = \frac{1}{N}\sum_{k=1}^{N-r} x(k)x(k+r)(r = 0,1,2,\cdots,m)$;

(3)给定不同 k 值,计算 $S_{xx}(f_{\mathrm{k}})$,可用实数公式;

(4)对应的功率谱频率值 $f_{\mathrm{k}} = \frac{k}{2\Delta tm}$。

例如,对某在正弦基础上叠加的高频正弦曲线,如图 3-17 所示,$X_1 = \sin t$,$X_2 = \sin(5t)$,$f_1 = 10$Hz,$H_2 = 50$Hz,经功率谱分析可得出如下结果,如图 3-18 所示:

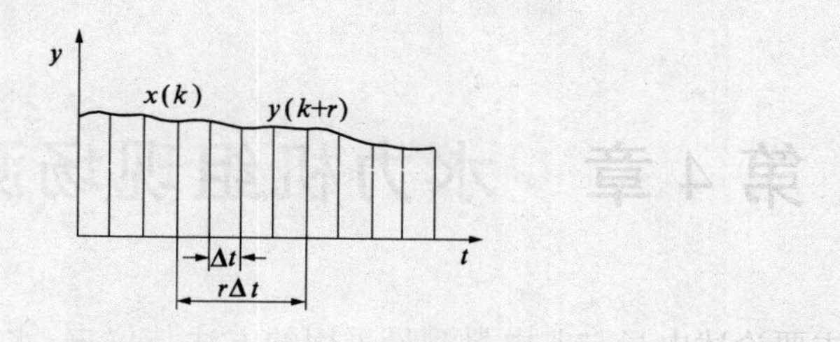

图 3-16　信号的离散序列

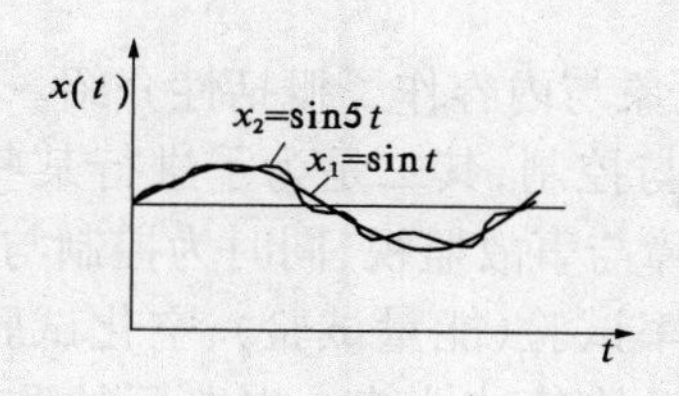

图 3-17　两正弦波叠加

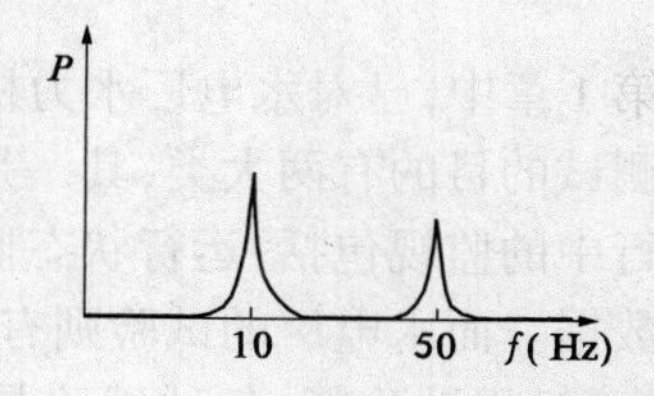

图 3-18　叠加信号的功率谱

习　题

3－1　计算机数据采集系统一般由哪几部分组成？

3－2　传感器输出的信号一般通过什么方式输入计算机？

3－3　A/D 转换的意义是什么？

3－4　逐次比较逼近式 A/D 转换电路的工作原理是什么？

3－5　A/D 转换程序的设计思路是什么？

3－6　一般波形分析包括哪些内容？

3－7　信号频谱分析有何意义？常用哪些方法？

3－8　信号相关分析有何意义？

第4章　水力机组现场测试技术

本章主要论述电量与非电量测量采用的方法与仪表;水力机组水位、流量、压力等主要参数监测方法与仪器;振动监测方法。同时,掌握不同测量对象对传感器的要求与传感器选择。

在第1章中,已对水电厂水力机组的测试目的、对象与内容作了概括性介绍。水力机组参数测试的目的有两大类,其一是为了正常的监督与控制,其二是为了进行某些试验。正常运行中的监视包括:运行状态监视、安全监视、故障与事故监视,同时为控制与设备保护提供数据。而水电厂的试验则有许多种类,例如效率试验(能量试验)、空化试验、振动试验、过渡过程试验等,各种试验是为了测试水力机组的各种性能。水电厂的监视与试验,水电厂的控制与保护都是以水力机组的现场测试技术为基础的。

水力机组现场测量的关键是使用正确的测量方法,选择适合的传感器与测量仪表,真实、高精度地采集测量数据与处理数据。本章简单介绍水电厂主要的测量项目与试验项目的关键技术措施。

4.1　电量测量

4.1.1　电量测量的目的

电量测量的目的是为了获得发电机、主变压器、厂用变压器、发电机母线、高压母线以及各条输电线路的运行参数,在此基础上,分析电气设备的运行状态,对电量进行计算,以及对同期、励磁系统进行自动化操作,对各种厂用电气设备进行保护。

4.1.2　电量测量仪表(电工仪表)

目前水电厂中常用的电量测量仪表有下面3种方式。

4.1.2.1　互感器加电工仪表测量方式

对发电机出口、低压母线、变压器高低压侧、高压母线或厂用电设备的电气测量,可采用电流、电压互感器、将高压大电流转换为100V、5A的低电压、小电流后,接上相应的电工仪表(电压表、电流表、功率表、频率表)等,直接测量出三相(或单相)的电压、电流、功率以及功率因数。这种测量方式是传统的、常规的测量方式,在一些老电站及目前兴建的一些小型电站中多采用这种测量方式,如图4-1所示。

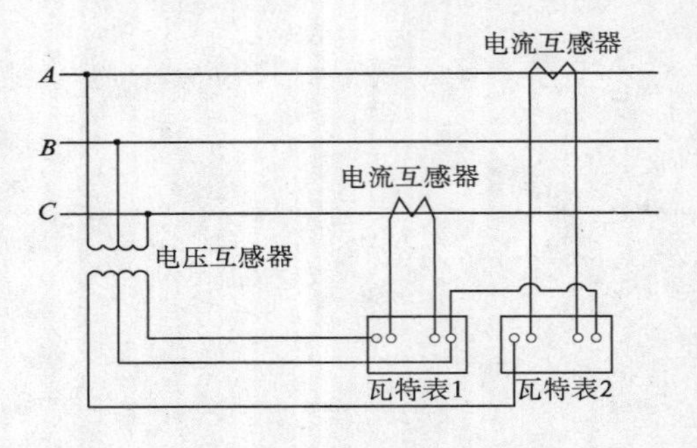

图4-1　互感器加电工仪表测量方式

4.1.2.2 互感器加传感器(变送器)加数显仪表测量方式

随着传感技术与数字仪表的发展,互感器加传感器(变送器)加数显仪表的电工测量方式被广泛用于水电厂,称之为第二代电工仪表。其中,传感器(变送器)以及显示仪表也有单相与三相两种型式。

电量的测量可用单功能仪表,也可用综合仪表,单功能仪表仅单独测量电流或电压等一项参数,而综合仪表可同时测几项参数。以电流电压测量为例,其测量接线原理如图 4-2 所示。

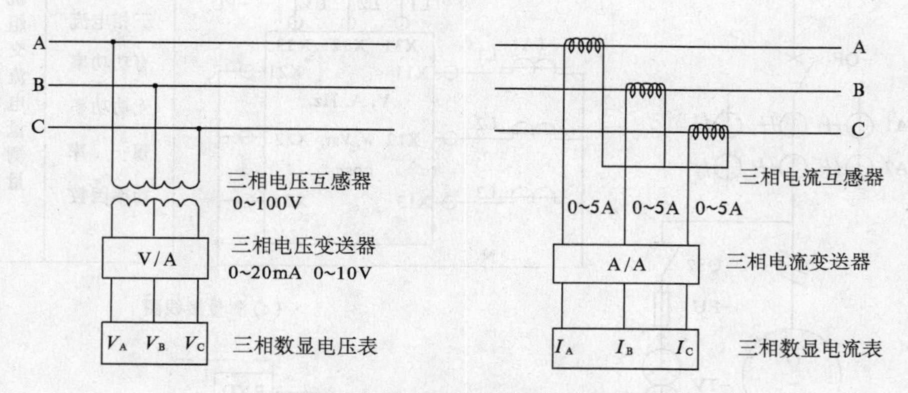

图 4-2 互感器加变送器加数显仪表测量方式

4.1.2.3 交流采样综合电工仪表与交流采样网络电工仪表

1)交流采样综合电工仪表

与上述的经传感器与变送器后再接数显仪表的方式不同,现代的部分电工仪表利用微电子技术采取交流采样方式,省略了传感器与变送器环节,使测量系统大大简化。同时数显表也为综合式智能仪表,可同时显示三相电压、三相电流、三相功率、三相频率等。此外,数显表还有相应的模拟量输出,供计算机数据采集用。这类仪表的测量系统结构与接线原理如图 4-3 所示。

2)交流采样网络电工仪表(网络电工仪表)

交流采样综合仪表已使测量大大简化,但它们与计算机系统的连接要通过数据采集系统,使计算机系统较为复杂。而交流采样网络电工仪表是新一代适合于计算机监控系统的仪表。它除了具有交流采样综合仪表的优点外,还使测量仪表与计算机监控系统的连接更为方便。目前应用的网络电工仪表测量系统结构如图 4-4 所示。

目前我国采用的网络电力仪表多由国外进口,常用的有美国 AAP 公司生产的 DMP420、DPM430 电力仪表,瑞士 DAE 公司生产的 EPM420、EPM450、PSM330、PSM340、PTU610 电力网络仪表,德国 SEG 以及 VALME7 生产的配电网自动化 FTU 等产品。

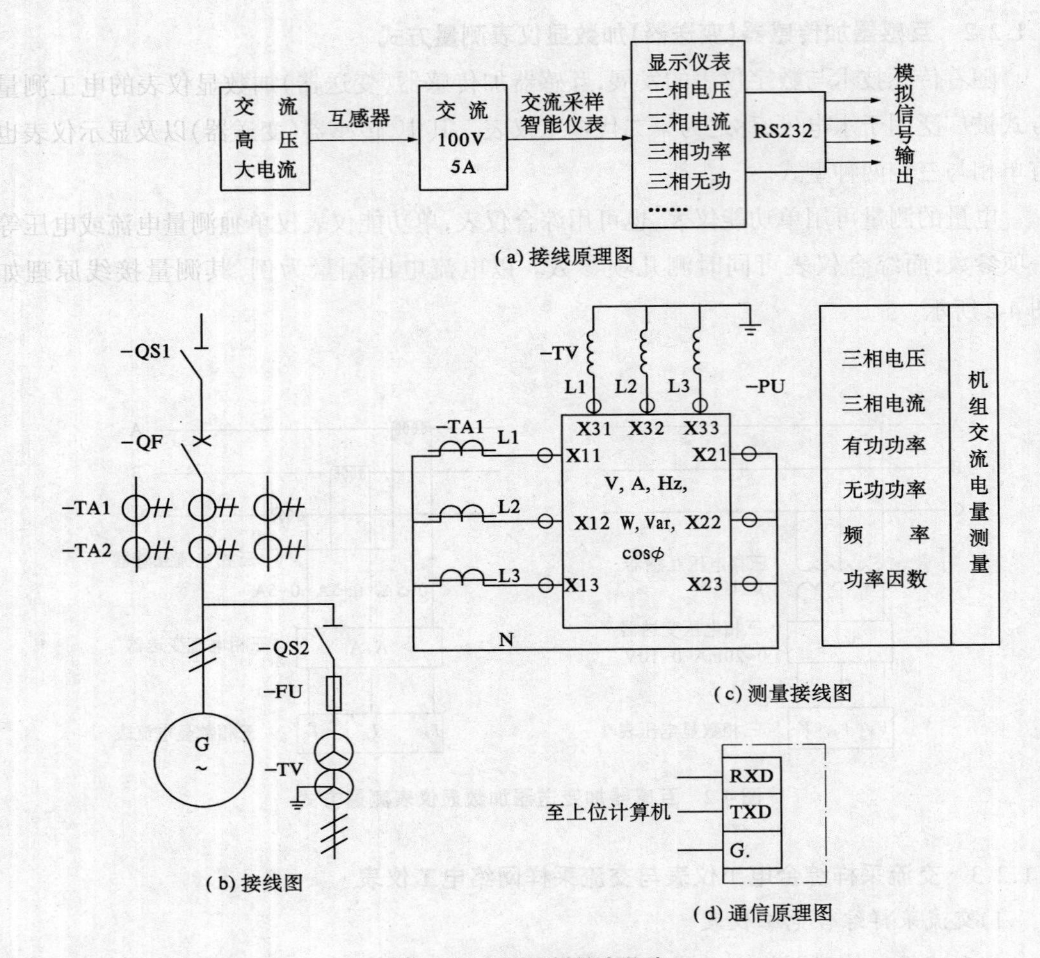

图 4-3 交流采样综合仪表

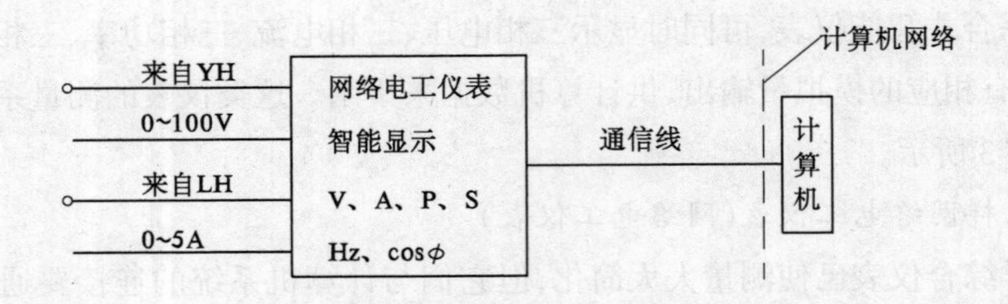

图 4-4 交流采样网络电工仪表

4.2 机组水力参数的监测

机组的水力参数主要有水位、压力、流量、压力脉动等内容。这里主要介绍水位(水轮机水头),流量与尾水管压力脉动的监测。

4.2.1 水位的测量

4.2.1.1 **测量的目的**

了解水库上下游水位,为防洪、水库调度、水电厂经济运行提供数据;了解各种水箱、水池的水位,为供排水装置的运行、水泵的控制提供数据。这里仅介绍水电厂上、下游水位的测量。

4.2.1.2 **水位测量的要求**

水电厂水位测量的要求有以下几方面:

(1)在自由水面处测量,水面坡降较小或无坡降。

(2)水流平稳,流速尽可能小,无漩涡或翻腾。

(3)测点距上、下游进、出水口较近。

(4)尽量设专门测井,以减少水面波动。

4.2.1.3 **常用测量方法及水位测量仪表**

1)浮子式水位计

浮子式水位计最基本的结构如图 4-5 所示,由测井,浮子,滑轮组,重锤,标尺所组成。在此基础上,带自动测量与远传装置的浮子式水位计广泛应用于水电厂的水位测量中。

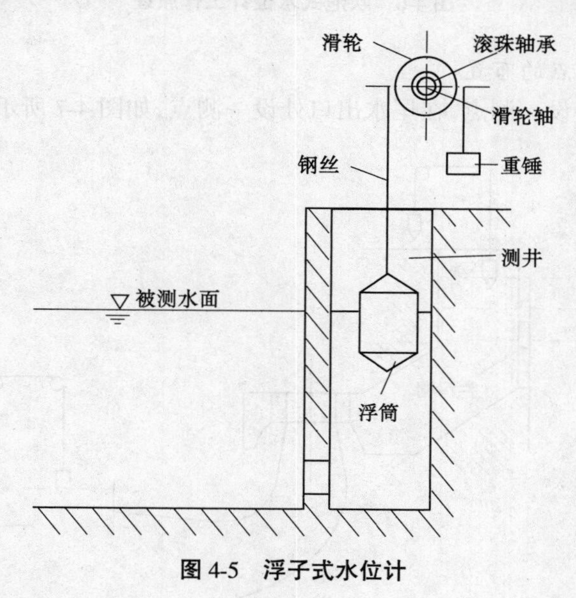

图 4-5 浮子式水位计

这种装置可通过电缆或无线传输方式将信号送到厂房中控室内,其基本结构已在第 2 章中做过介绍。

2)投入式水位计

投入式水位计是利用压力传感器作为测量元件,当水位变化时,通过压力变化测量水位变化,投入式水位计在压力传感器上装有防水电缆,将压力传感器投入水中,传感器的电源与信号均通过电缆传输。目前在许多电站使用投入式水位计,测量范围 0 ~ (1 ~ 120)m 液柱。

3)超声波水位计

利用超声波的传播速度与时间测量水位的方法,在第2章中已作介绍。目前,超声波水位计已在三门峡、天桥等许多水电站中使用。

4)吹泡式水位计

吹泡式(吹气式)水位计是将一管路系统插入水(液)中,在管中通入压缩空气,吹出一定数量的气泡,这里,压缩空气的压力与液位成一定数量关系,通过测量压缩空气压力可以测量液位的变化。吹泡式水位计的工作原理如图4-6所示。

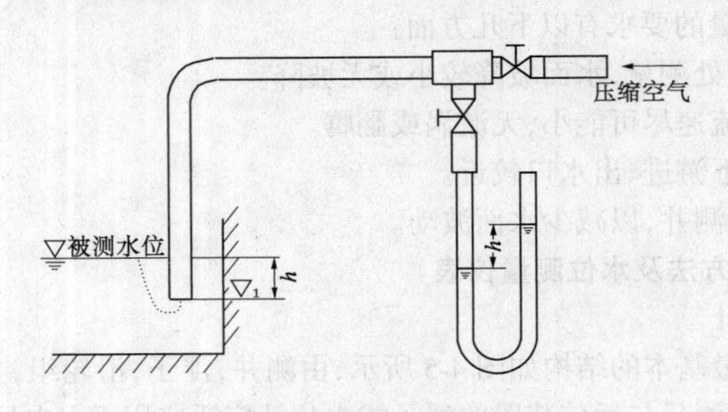

图4-6　吹泡式水位计工作原理

5)水电厂水位测点的布置

在栏污栅前后各设一测点,在尾水出口处设一测点,如图4-7所示。

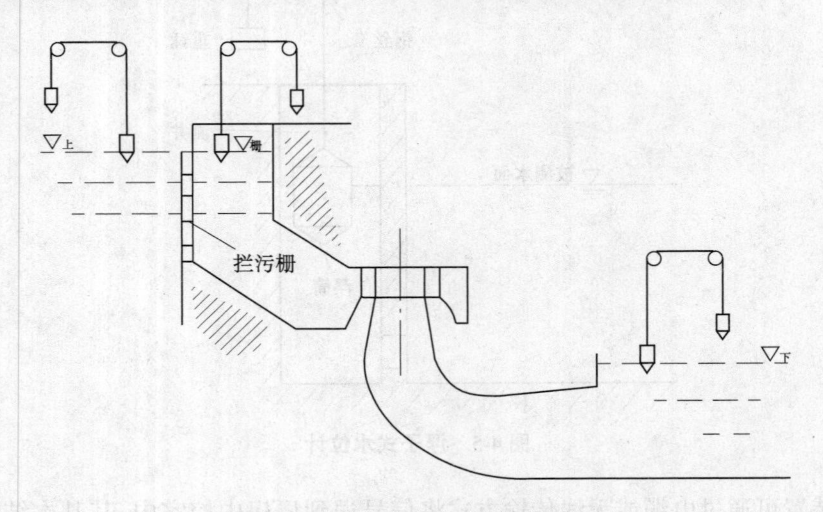

图4-7　水电厂上、下游水位测点

4.2.2　水轮机工作水头的测量

水轮机工作水头的表达式有两种:

$$H=\left(Z_1+\frac{P_1}{\gamma}+\frac{V_1^2}{2g}\right)-\left(Z_2+\frac{P_2}{\gamma}+\frac{V_2^2}{2g}\right)=(Z_1-Z_2)+\frac{P_1}{\gamma}+\frac{V_1^2}{2g} \tag{4-1a}$$

$$H = H_g - \Delta h = \nabla_{上} - \nabla_{下} - \Delta h \tag{4-1b}$$

4.2.2.1 测量水轮机工作水头方法一

用式(4-1a)测量水轮机的工作水头:

(1)在水轮机进口断面设精密压力表或压力传感器测出进口压力 P_1(Pa),同时测 Z_1。

(2)在尾水管出口断面装水位计测下游水位 Z_2。

(3)在水轮机进口断面装流量计测量水轮机的流量 Q 与进口断面积 F_1。

(4)水头计算 $H = (Z_1 - Z_2) + \dfrac{P_1}{9\,810} + \dfrac{1}{2g}\dfrac{Q}{\frac{\pi}{4}d^2}$。

这里要注意进口断面压力表或压力传感器的安装,要设置均压环以消除压力测量的误差。均压环如图 4-8 所示。

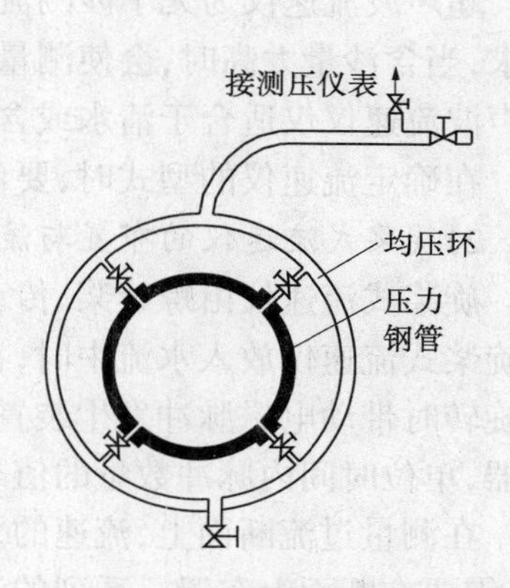

图 4-8 测压均压环

4.2.2.2 测量水轮机工作水头方法二

用式(4-1b)测量水轮机的工作水头:

(1)已知水轮机引水管损失 $\Delta h = f(Q^2)$。

(2)在进水口前装水位计测上游水位$\nabla_{上}$。

(3)在水轮机出口断面装水位计测下游水位$\nabla_{下}$。

(4)测水轮机流量以计算 Δh,当引水管路很短时,可以忽略 Δh。

(5)计算水轮机工作水头 $H = \nabla_{上} - \nabla_{下} - \Delta h$。

在水轮机水头测量中,要根据水电站的具体情况选择适合的水位计,在进水口冬季结冰或存在大量漂浮物的情况下,要注意这些杂物对水位测量的影响,寻找清除杂物的方法或使水位计避开杂物的影响,此外,水流的泥沙含量对水头测量也会有影响,泥沙含量太大时,会堵塞投入式水位计的测孔,在寒冷的北方,水面冰冻会对超声波水位计、投入式水位计的使用产生不良影响。因此,要根据电站具体情况选择水位计,以保证正常测量与测量精度。

4.2.3 水轮机流量的测量

4.2.3.1 流量测量的常用方法

在水电厂现场流量测量中,常用的测流方法有下面几种。

(1)流速法。通过测量过流断面各处流速,用流速面积之积来计算流量的方法,可用于各种类型的水电站。

(2)堰测法。通过测量堰顶水头高度来测量流量的方法,可用于小型水电站。

(3)差压法。通过测量蜗壳不同半径的压力差,用水力学方法计算水轮机的过流量,可用于有蜗壳的水电站。

(4)示踪法。利用稀释原理,将示踪剂(水溶性物质)注入须测流的流体管道中,测定示踪剂在管道中的稀释度,该稀释度与流量成正比,由此来计算流量。该方法适用于各种类型的水电站,但最好在水质较好的水电站中使用。

4.2.3.2 流速法测量水轮机流量

1)流速仪的选择

在第 1 章及第 2 章中对流速仪做过介绍。目前用于水电站现场测流的流速仪有旋桨式流速仪、超声波流速仪等。

旋桨式流速仪的优点是适应各种水质的过流断面,特别是水质较差、含沙量较大时,也可用这种流速仪测量;其缺点是在过流断面装设流速仪后,会对过流断面形成干涉,影响断面流态,降低测量精度。

超声波流速仪为无干涉测流,不会对过流断面形成干涉,不影响流态,但它对水质有要求,当含沙量太高时,会使测量精度降低,甚至使流速仪测不到流速信号,一般情况下,超声波流速仪仅适合于清水或含沙量小于 $10kg/m^3$ 的水流。

在确定流速仪的型式时,要认真考虑水电站的水质条件进行选择。

2)旋桨式流速仪的布置与流量计算

旋桨式流速仪由螺旋桨、传动机构、脉冲计数器、尾翼等部分组成。如图 4-9 所示,当把旋桨式流速仪放入水流中时,在水流的作用下旋桨产生旋转,其转速与流速成正比,旋桨旋转时带动电磁脉冲发生装置产生脉冲信号,所产生的脉冲信号通过引线接至脉冲计数器,单位时间内脉冲数量的值与流速成一定比例关系,由此可测出流速。

在测量过流断面上,流速的分布是不均匀的。为了提高流量测量精度,测量断面较大时,需要在断面上布置一系列的流速仪,测出各点流速,以断面积分来求出断面的过流量。

在圆形过流断面上,一般布置十字交叉的 4 条支臂,在每条支臂上按一定要求装置流速仪,如图 4-10 所示。

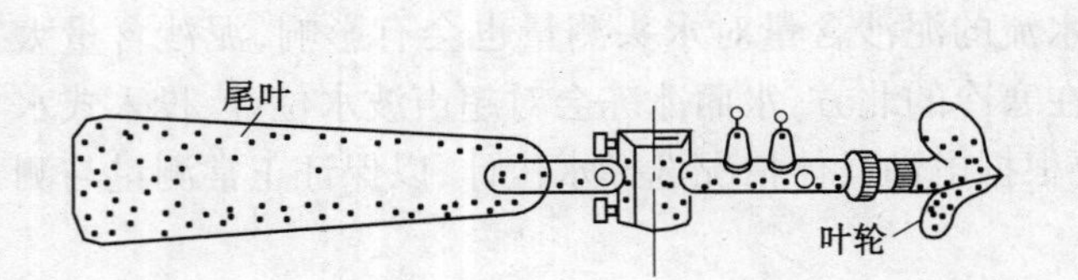

图 4-9 旋桨式流速仪

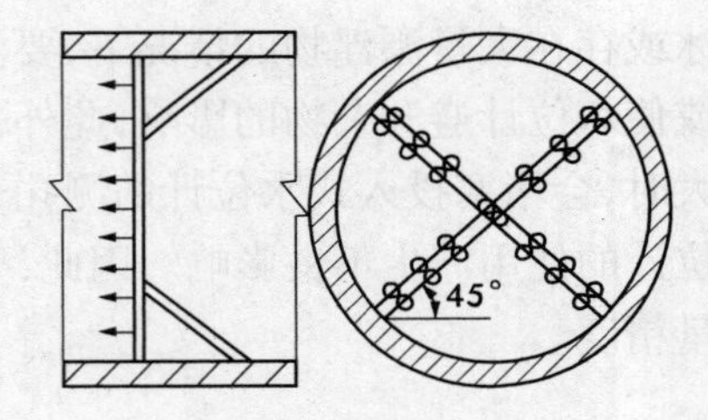

图 4-10 圆断面流速仪布置

每个半径臂上流速仪的数目为 Z_R 个:

$$4\sqrt{R} < Z_R < 5\sqrt{R} \tag{4-2}$$

式中 R——管道断面半径,m。

例如,当 $R = 4m$ 时,则 $Z_R = 8 \sim 10$ 个,按 4 条支臂计算,断面需装 32 ~ 40 个流速仪,各测点的半径用下式计算:

$$r_n = R\sqrt{\frac{2n-1}{2Z_R}} \tag{4-3}$$

式中 r_n——第 n 个流速仪的半径,m。

对于矩形或梯形断面,流速仪分布规律按图 4-11 或图 4-12 所示,一般遵守边沿多中间少的原则。

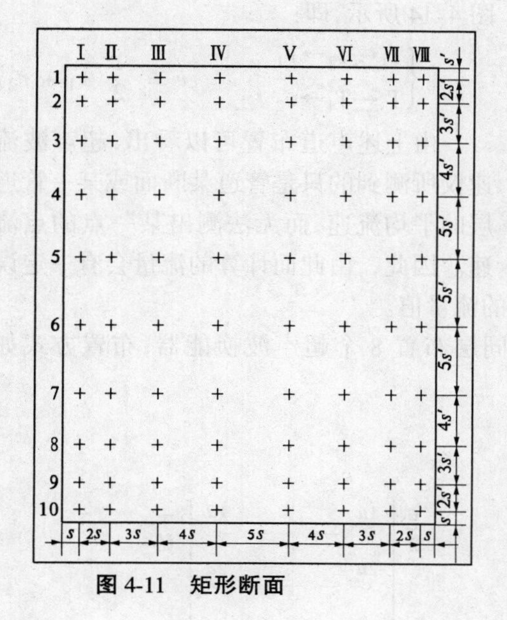

图 4-11　矩形断面

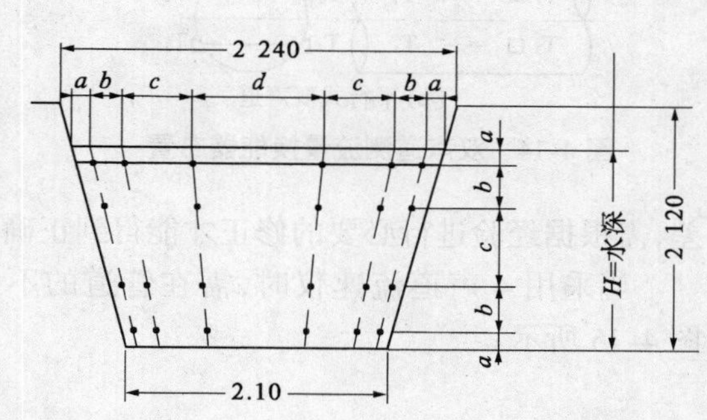

分割方法:6 点 $a=H/21, b=2a, c=4a, d=7a$

4 点 $a=H/25, b=3a, c=5a$

图 4-12　梯形断面　（单位:mm）

流速测出后,流量的计算可用断面积分方法求出(以圆断面为例):

$$Q = 2\pi\int_0^k vr\,\mathrm{d}r \tag{4-4}$$

3)*超声波流速仪测流与声道布置*

超声波测流是利用超声波在不同流速的介质中传播速度的不同测出过流断面各层的平均流速,进而用面积积分法求出断面的过流量。

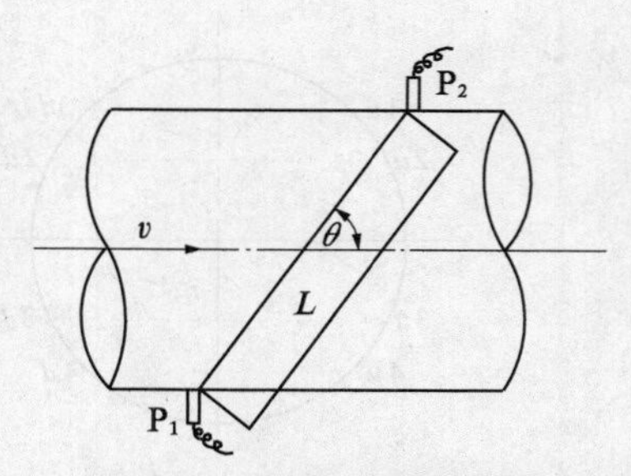

图 4-13　超声波测流原理

超声波流速仪的工作原理已在第 2 章中作了介绍,以单声道为例(图 4-13),P_1、P_2 分别为装在管道上有一定间隔的两个超声波换能器,P_1 发送时 P_2 接收,而 P_2 发送则 P_1 接收,若流体的流速为 v,则有:

$$T_1 = \frac{L}{C+\cos\theta\cdot v},\qquad \text{逆向 } P_2\rightarrow P_1$$

$$T_2 = \frac{L}{C-\cos\theta\cdot v},\qquad \text{正向 } P_1\rightarrow P_2$$

即

$$\Delta T = T_2 - T_1$$

其中 v 为管道的平均流速,而 $v = L\Delta T/2T_1T_2\cos\theta$。

当管路直径较大时,为了提高测流精度,需要在管道中布置多声道超声波流速仪,对于圆管来说,有双声道、4 声道、8 声道等几种布置方式。

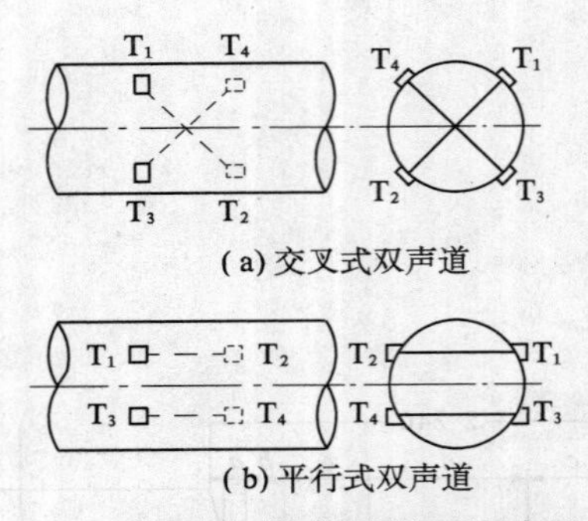

图 4-14　双声道测流量换能器布置

当采用双声道时,须装 4 个超声波换能器,布置方式有交叉式与平行式两种,如图 4-14 所示,即:

$$\begin{cases} T_1 \leftrightarrows T_2 \rightarrow v_1 \\ T_3 \leftrightarrows T_4 \rightarrow v_2 \end{cases} \qquad v = \frac{1}{2}(v_1 + v_2)$$

由上述声道布置可以看出,超声波流速仪所测到的只是管道某断面或某一管道层的平均流速,而无法测出某一点的点流速。因此,由此而计算的流量会有一定误差,需根据经验进行必要的修正才能得到正确的流量值。

当采用 4 声道流速仪时,需在管道的不同层布置 8 个超声波换能器,布置方式如图 4-15 所示。

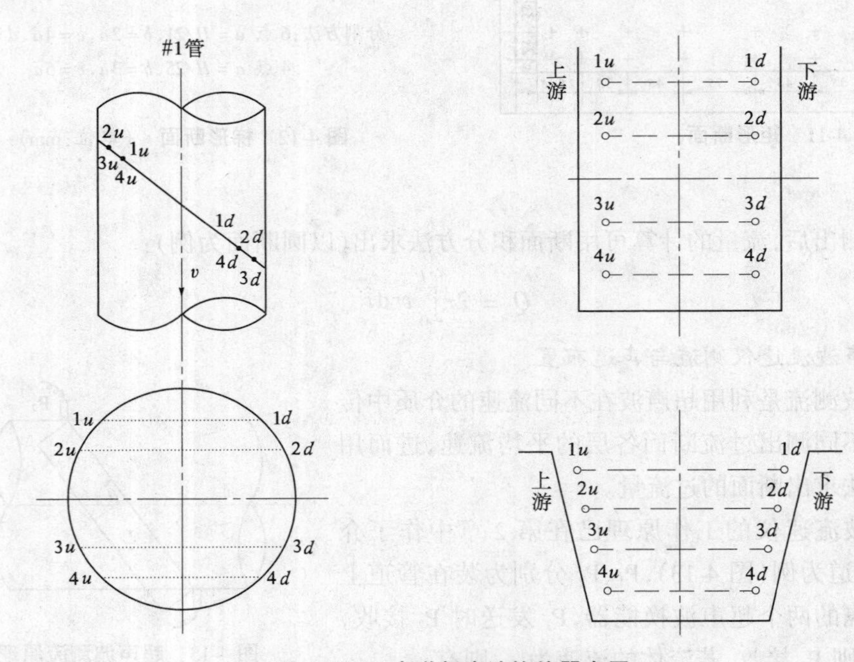

图 4-15　4 声道超声波换能器布置

由上述各声道可得出各声道的流速 v_i,断面平均流速 $\bar{v} = \sum_{i=1}^{4} k_i v_i$,其中 k_i 为流速系数,并由厂家给出。若断面面积为 S,则断面的流量为:

$$Q = S \cdot \bar{v} \tag{4-5}$$

对于大型过流断面,需布置更多的声道,例如对于大型轴流式水轮机的矩形过水断面或梯形过水断面,有时要布置 16 声道或更多,求出各层流速后,用断面积分法求出断面过流量。

4.2.3.3 差压法测流量

1)差压测流原理

差压法测流量是根据蜗壳断面不同半径处的压差值来推算流量。

如图 4-16 所示，当假定蜗壳中的水流按有势流动规律时，蜗壳中的流速分布有 $v_u r = K, v_u = \frac{K}{r}$，按均匀流入条件：

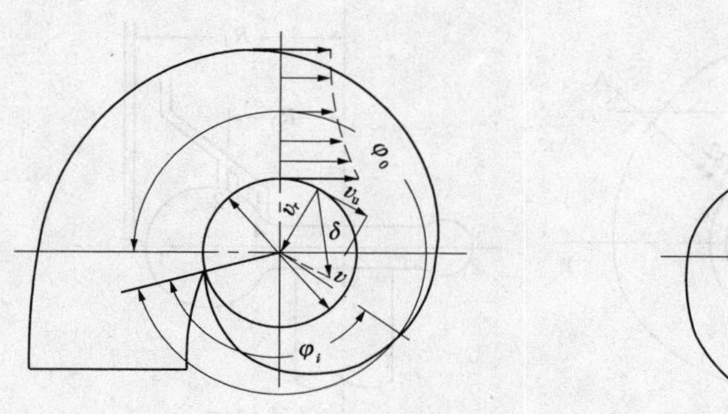
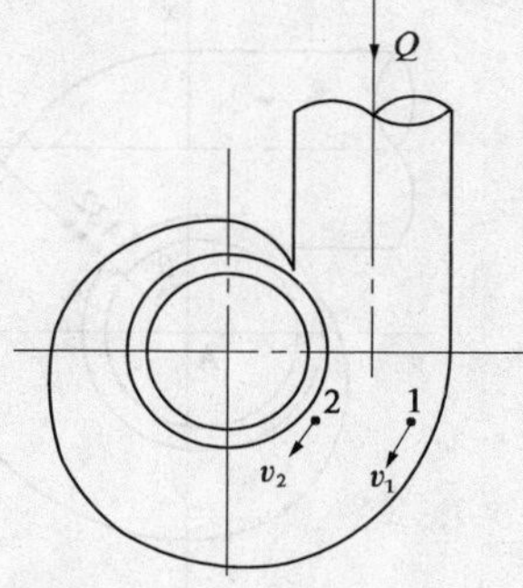

图 4-16 蜗壳差压测原理

$$Q = 2\pi r v_r$$

$$v_r = \frac{Q}{2\pi r}$$

$$v = \sqrt{v_u^2 + v_r^2}$$

蜗壳中水流的能量方程为

$$\frac{P_1}{\gamma} + \frac{v_1^2}{2g} = \frac{P_2}{\gamma} + \frac{v_2^2}{2g} \tag{4-6}$$

故

$$h = \frac{P_1 - P_2}{\gamma} = \frac{v_2^2 - v_1^2}{2g} \tag{4-7}$$

当流量为 Q' 时仍有上述关系存在：

$$h' = \frac{P'_1 - P'_2}{\gamma} = \frac{v'^2_2 - v'^2_1}{2g}$$

根据流量与流速关系有：$\frac{v'_1}{v_1} = \frac{v'_2}{v_2} = \frac{Q'}{Q} = C$(常数)，得 $v'_1 = Cv_1, v'_2 = Cv_2, Q' = CQ$；则

$$h' = \frac{(Cv_2)^2 - (Cv_1)^2}{2g} = C^2 \frac{v_2^2 - v_1^2}{2g} = C^2 h$$

即

$$\frac{h'}{h} = C^2 \tag{4-8}$$

而 $\frac{Q'}{Q} = C = \sqrt{\frac{h'}{h}}$，上式可写为

$$\frac{Q'}{\sqrt{h'}} = \frac{Q}{\sqrt{h}} = K(\text{常数}), Q = K\sqrt{h} \tag{4-9}$$

式中　K——率定的流量系数，与蜗壳几何形状有关。

蜗壳测量法是测出蜗壳断面的差压 h，由此推算出流量 Q，对于一个新的未经率定的蜗壳，K 值必须通过流速测流法进行率定。

2）差压测流测点布置与仪表配置

测点布置：一般将测点在蜗壳前半部 45°～90°的断面上，外侧测压孔选在最大半径处，如图 4-17 所示。里侧测压孔取 3 个，将 3 个测压孔连在一起，取平均值。

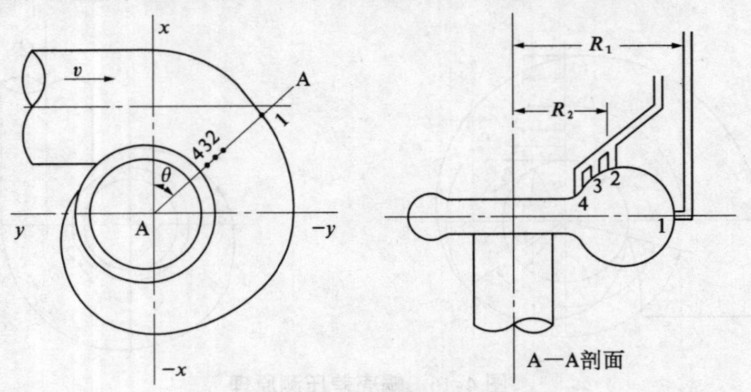

图 4-17　测压孔布置

测量仪表配置：当用手工测量时，可用水银 U 形测压管；当用自动测量时，可选用电测仪表，一般用差压变送器，其工作原理已在第 2 章中介绍过。测压管与差变送器的连接方法如图 4-18 所示。

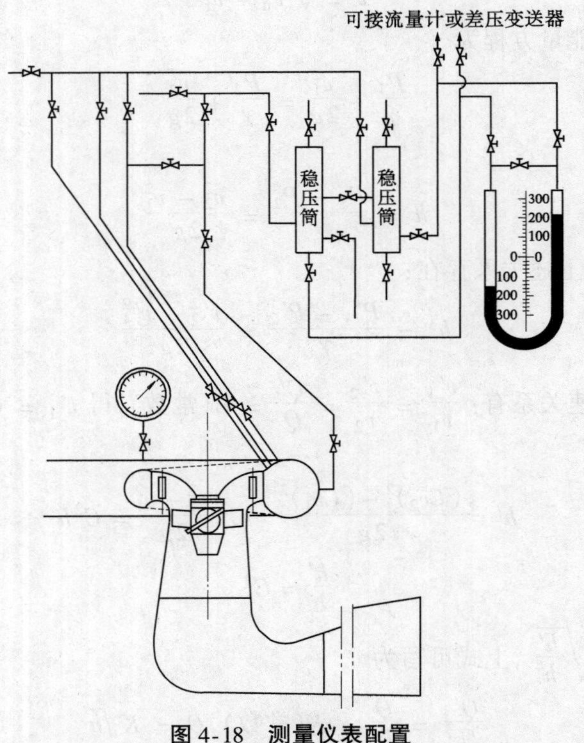

图 4-18　测量仪表配置

以上测量方法适合于水电厂现场大流量的测量,此外水锤法、盐水浓度法(示踪法)也有广泛应用。

在水轮机模型试验台或小型机组上,也可采用电磁流量计、堰式测流法测量水轮机的过流量。

有些测流方法仅适用于现场试验时的测流,例如流速仪(旋桨式)盐水浓度法等,而不适合于流量的长期监测,而超声波流量计,蜗壳差压测流量则适于长期监测水轮机的流量,因此在水电厂的日常监测中,要选用能够长期工作的测量方式与仪表。

4.3 水力机组振动的测量

4.3.1 水力机组振动的原因

水力机组振动的原因有机械振动、水力振动、电磁振动三种。

4.3.1.1 机械振动

由于机组轴线不正、转动部分质量不平衡、轴承间隙不均匀、润滑不良而引起的振动称为机械振动。如图 4-19 所示。

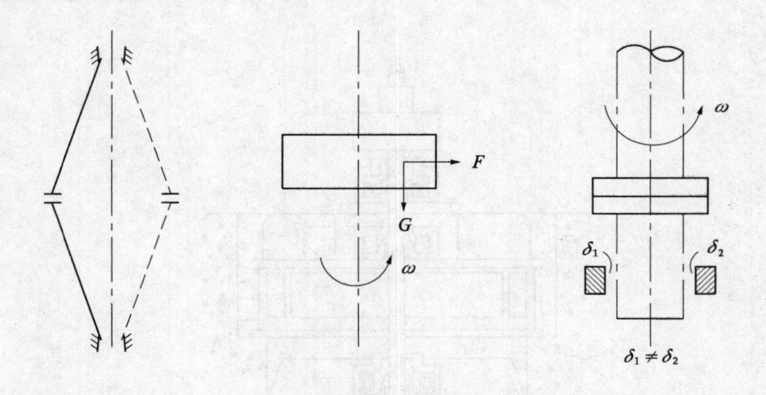

图 4-19 水力机组的机械振动

4.3.1.2 水力振动

由于水轮机流道中水流不均匀、压力脉动、漩涡(涡街)而引起的机组振动称为水力振动,其中包括下面几种:

(1)蜗壳中水流不均匀,非轴对称流动引起的振动,以混凝土蜗壳(半蜗壳)为突出。

(2)尾水管空腔涡带引起的压力脉动导致水流系统引起振动。

(3)叶片、导叶耦合,导叶出口水流形成周期性压力脉动而形成振动。

(4)叶片、导叶的尾部卡门涡街引起的压力脉动。

以上各种压力脉动的特点在水力机械中已作过介绍。

4.3.1.3 电磁振动

由于发电机磁拉力不平衡、气隙不均、三相功率严重不平衡等原因引起的振动。

4.3.2　振动测量的内容

振动测量的内容包括振动、摆度、压力脉动测量三种。

4.3.2.1　振动测量

测量机组固定部件在激振力作用下形成的变形，包括位移、速度及加速度。对水力机组来说，主要测量振动的波形、波幅与频率特性。

水轮发电机组的振动测量，一般在顶盖、发电机机架等处设测点。

4.3.2.2　摆度测量

测量机组大轴在激振力作用下形成的位移、速度与加速度，对水力机械来说，主要测大轴各处的位移。

4.3.2.3　压力脉动测量

测量机组流道中的压力脉动，对于水力机组，通常以尾水管、顶盖下方的压力脉动测量为主。

4.3.3　测点布置及传感器选择

4.3.3.1　测点布置

混流式水轮发电机组的测点布置如图 4-20 所示。轴流式水轮发电机组的测点布置如图 4-21 所示。

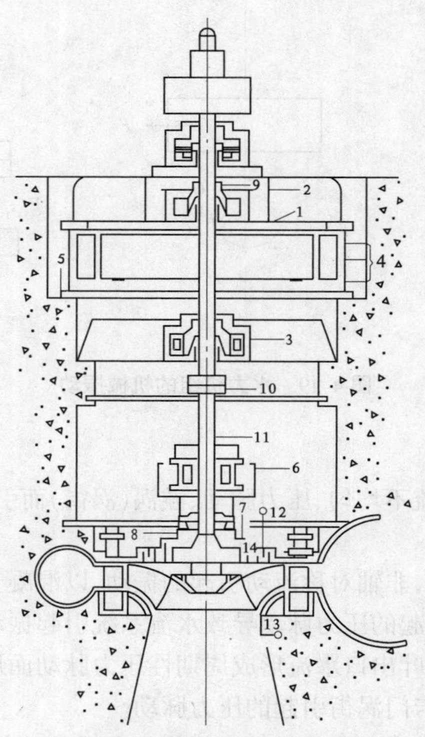

图 4-20　混流式机组测点布置图

1—上机架垂直振动；2—上机架水平振动；3—下导轴承水平振动；4—发电机静子水平振动；5—发电机静子垂直振动；6—水导轴承水平振动；7—顶盖垂直振动；8—顶盖水平振动；9—上导摆度；10—法兰摆度；11—水导摆度；12—上梳齿水压脉动；13—下梳齿水压脉动；14—上腔压力脉动

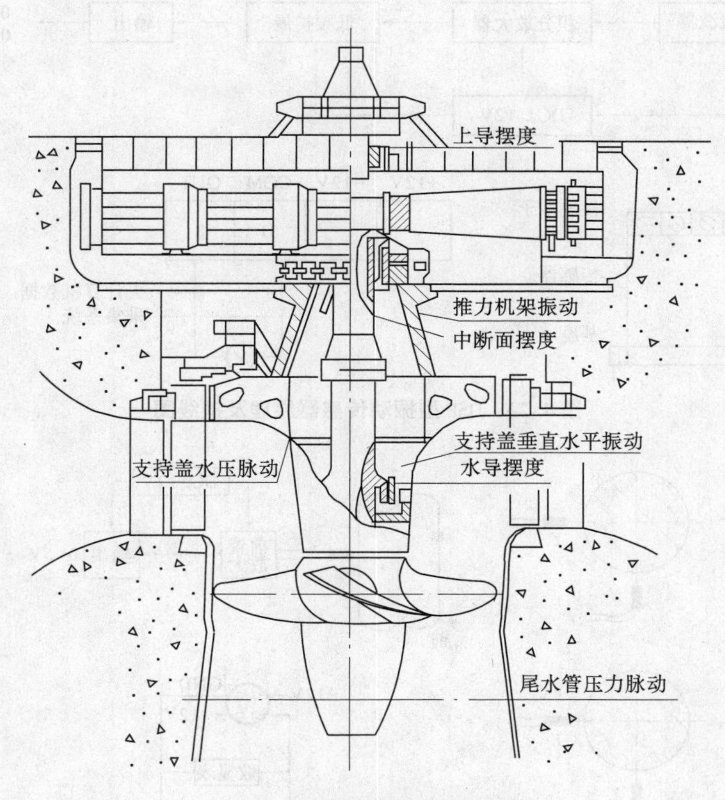

图 4-21　轴流式机组测点布置图

钢管、蜗壳、尾水管压力脉动可在运行表盘测点处测；尾水管的压力脉动亦可在人孔处另开孔装测点

图 4-20 与图 4-21 是一般情况下水轮发电机组现场振动试验时的测点布置情况。为了获得机组各部分的振动数据，所布置的测点较多；而正常运行时的振动监测测点则不一定布置这么多。一般在水轮机顶盖(或支持盖)上水平与垂直方向以及发电机的承重机架(或推动支架)上水平与垂直方向各设 1 个测点以测量机组固定部件的振动，而在水轮机导轴承与发电机导轴承处的 x，y 方向上各设一对摆度测点以测量大轴摆度。

4.3.3.2　传感器选择

1)振动测量传感器的选择

由于大多数的水轮发电机组的转速频率较低，而且压力脉动形成的振动也大都是低、中频的，所以固定部件的振动宜选择适于测低频振动的速度型振动传感器。例如，清华大学精密仪器系研制的 DSP 型传感器，最低频率响应为 0.3Hz，在水电厂中被广泛应用。其工作原理与接线图如图 4-22 所示。

2)摆度测量传感器的选择

水轮发电机摆度的测量属小位移动态非接触测量，所以一般应选择电涡流位移传感器。例如常用的 CWY－DO 型，探头直径 6～10mm，当水轮发电机大轴直径越大时，就应选择探头直径较大的传感器。电涡流传感器布置与接线如图 4-23 所示。

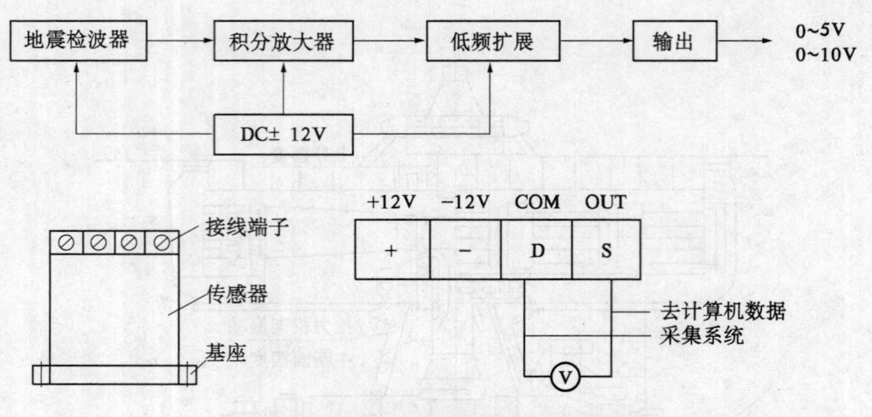

图 4-22　DSP 型振动传感器原理及接线图

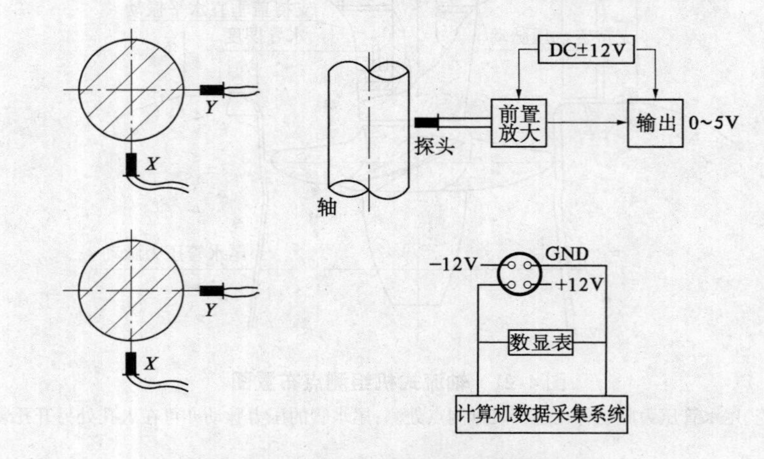

图 4-23　电涡流传感器布置与接线图

3)尾水管压力脉动的测量

尾水管压力脉动的测量本来属于水力监测的范围,但由于它与机组的振动关系密切。所以,将此项内容放在振动测量中介绍。

在水力机械课程中已介绍过尾水管压力脉动的原因,由于尾水管中涡带的形成,在尾水管中出现一条一边自转又一边沿水轮机轴线公转的龙卷状空腔涡带,其中心的低压与涡带外的高压区在尾水后的某处交替出现,形成压力的脉动,当这种脉动压力向上游传播,会形成水力系统的振荡,从而使机组振动加剧、出力波动。尾水管的压力脉动往往是机组振动加剧的主要诱因,这种振动的特点是频率较低,振动频率的估算式为

$$f = \frac{1}{2.5 \sim 4} f_n \tag{4-10}$$

式中　f_n——机组转动频率。

尾水管压力脉动测量时,一般在尾水管进口下方的直锥段布置 2 ~ 4 个测点,如图 4-24 所示。

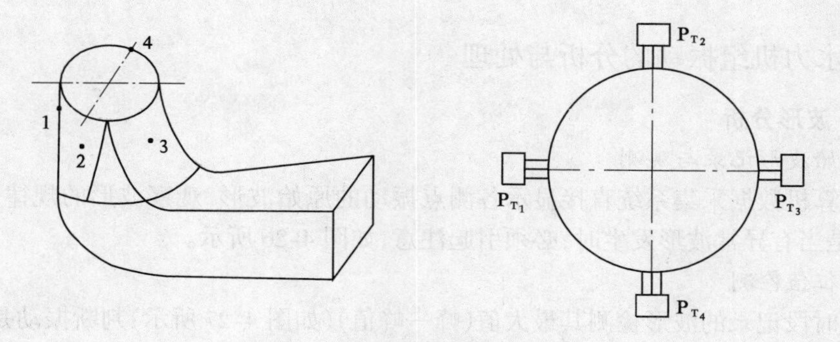

图 4-24　尾水管压力传感器布置

尾水管压力脉动测量用的压力传感器具有下述要求：

(1)适应于正、负压的同时测量，测程 $-10\sim100mH_2O$，即 $-0.1\sim1.0MPa$，一般选 $-10\sim(0\sim70)mH_2O$ 测程的压力传感器。

(2)具有较高的频率响应特性，适合于脉动压力测量，一般应选择扩散硅式压力传感器或干式压电陶瓷型压力传感器。

4.3.4　水力机组振动测量系统构成

现代的水力机组振动测量系统由传感器、现场显示监视仪表、计算机数据采集处理系统所组成，各测点传感器测出的振动信号一方面接现场监视仪表(振动监视仪)，显示出振动的平均振幅，并将越限值送中控室报警，另一方面将动态模拟信号(0~5)V~10V 接入计算机数据采集处理系统，采集保存各测点的动态波形，供进行振动分析时使用。一般的振动测量系统如图 4-25 所示。

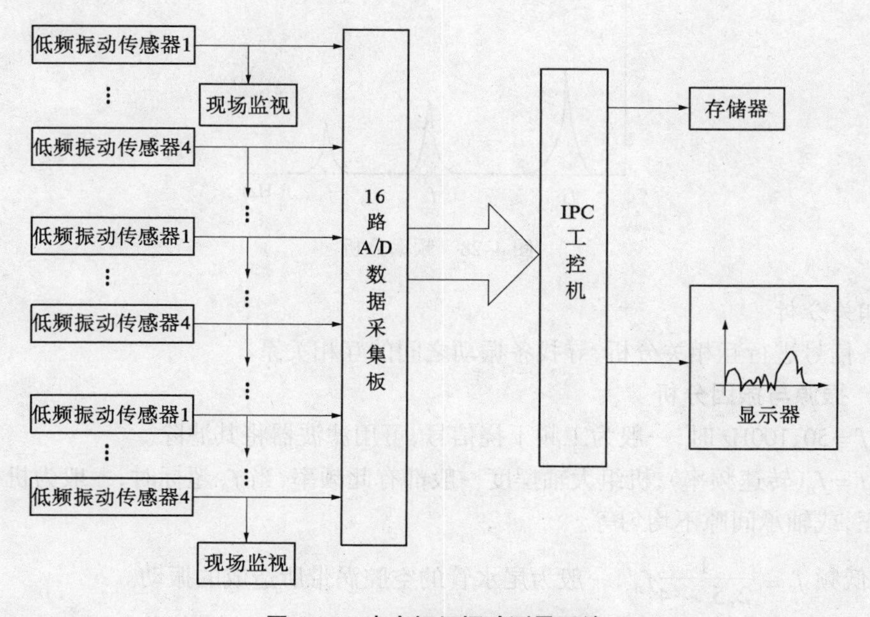

图 4-25　水力机组振动测量系统

4.3.5 水力机组振动的分析与处理

4.3.5.1 波形分析

1)原始波形记录与观测

由计算机数据采集系统直接显示各测点振动的原始波形,观察波形的规律与变化情况,特别是当有异常波形发生时,必须引起注意,如图 4-26 所示。

2)特征值检测

对某时段记录的波形检测其最大值(峰—峰值)(如图 4-27 所示)判断振动是否超标,超标时及时报警,分析其原因。

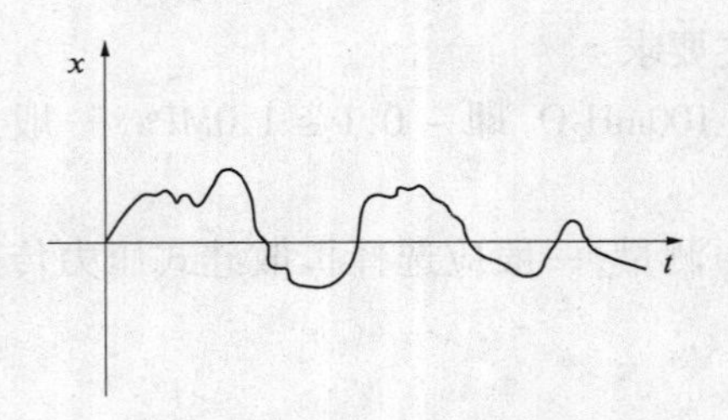

图 4-26 振动波形

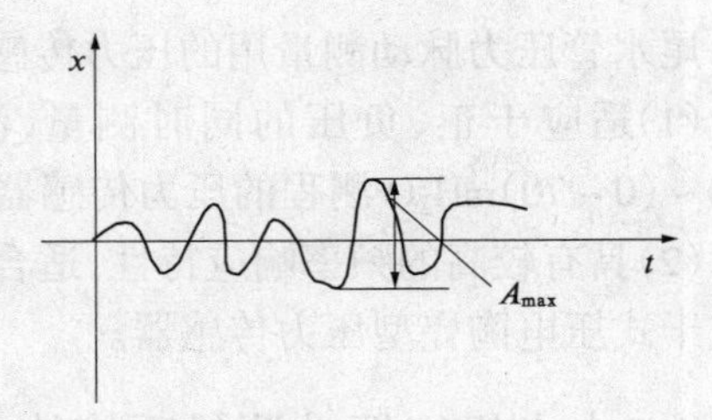

图 4-27 振动峰一峰值

3)频率分析

对各测点波形进行 FFT 分析或功率谱分析找出主振频率与其他谐频(如图 4-28 所示),分析它们之间的互相关系。

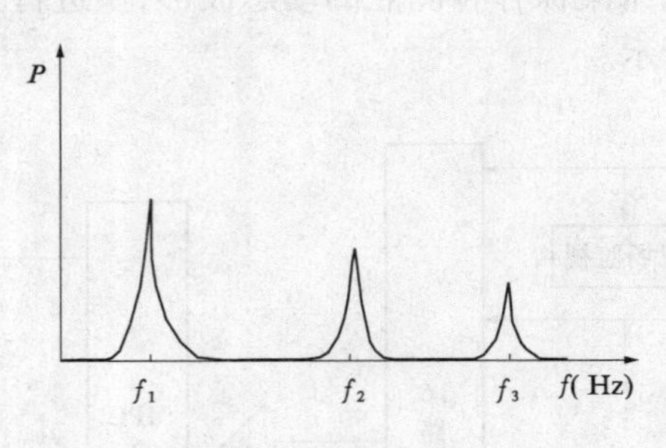

图 4-28 频率分析

4)相关分析

对各信号进行互相关分析,寻找各振动之间的互相关系。

4.3.5.2 振源与振因分析

(1)$f=50$、100Hz 时,一般为工频干挠信号,可用滤波器将其滤除。

(2)$f=f_n$(转速频率),机组大轴摆度一般都有此频率,当 f_n 超标时,一般为机械振动,轴线不正,或轴承间隙不均匀等。

(3)低频 $f=\frac{1}{2.5\sim4}f_n$,一般为尾水管的空腔涡带所造成的振动。

(4)主频 $f>f_n$,可能为卡门涡衔形成的振动或叶片与导叶耦合形成的振动。

卡门涡频率：$f = c\dfrac{W}{b} = (0.18 \sim 0.2)\dfrac{W}{b}$，$W$ 为叶片出口相对流速，b 为叶片出口边厚度。例如，$W = 30\text{m/s}$，$b = 10\text{mm} = 0.01\text{m}$，则 $f = 0.2 \times \dfrac{30}{0.01} = 600(\text{Hz})$。

叶片与导叶耦合脉冲频率：$f = Z_{叶片} \cdot Z_{导叶} \cdot f_n$。例如，$Z_{叶片} = 14$，$Z_{导叶} = 24$，$f_n = 2\text{Hz}$，则 $f = 14 \times 24 \times 2 = 672(\text{Hz})$。

除了上述振动的特征之外，振动与水力机组负荷、工况之间的关系也是分析振动原因的重要依据。其具体叙述如下：

(1)机械振动，任何转速下都存在，与转频有关，负荷增大时振动加剧。

(2)电磁振动，与励磁电流与负荷有关，不加励磁时无，加励磁后振动增大，负荷增大时，振动增大，一般与转速频率有关。

(3)水力振动，部分负荷时出现，与蜗壳中的不均匀流及尾水管空腔涡带有关。

水力机组的振动是很复杂的，各种振动因素之间互相影响，有时很难区别其振源与振因，借助于各种分析方法有助于振源与振因的分析，而经验更加重要，有经验的技术人员或运行工况时根据听觉、感觉可以判断振动的现象与原因。

4.4　水力机组运行状态监测

水力机组运行状态监测的目的是为了监视水轮机、发电机及其他辅助设备的运行状况，对运行中的设备的健康状态、异常现象、故障及事故进行监视、预报、报警与记录，为机组的安全运行与自动控制保护提供数据。

4.4.1　主机(水轮机与发电机)的监测

主机的监测包括机组运行参数(工况)的监测与设备状态参数的监测，运行参数包括水轮机的工作水头、流量、出力(有功、无功)，导叶开度(桨叶开度)、励磁电流与电压等。设备状态参数包括发电机的温度、机组轴承的温度、轴承油位等。

4.4.1.1　主机运行参数的监测

1)水头监测

通过电站上、下游水位(含栅前、栅后水位)，或水轮机进水口压力监测水轮机的工作水头。水头监视系统一般为下面方式(如图 4-29 所示)。

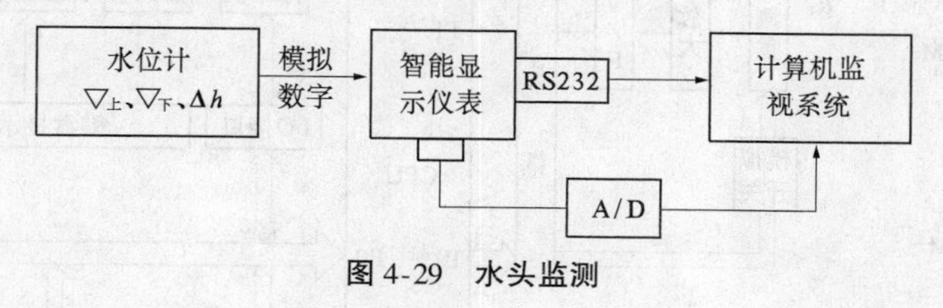

图 4-29　水头监测

2)流量监测

通过超声波流量计，蜗壳差压变送器或其他可实时测量水轮机流量的仪器测量水轮机的流量，流量监视系统一般为下面的方式(如图 4-30 所示)。

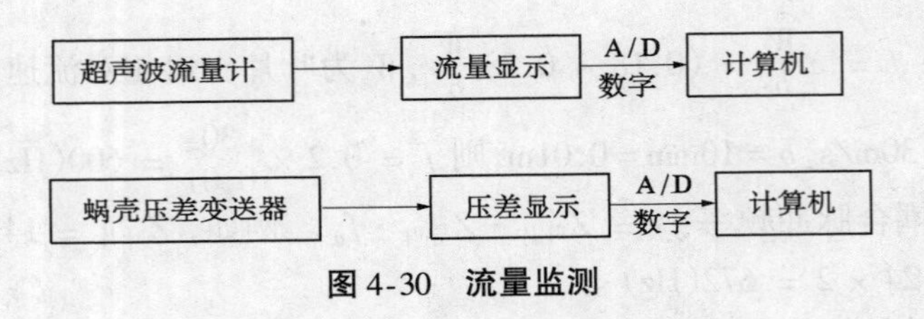

图 4-30　流量监测

3)功率监测(有功、无功、功率因数)

通过发电机出口 VT、AT 监视发电机出口的有功、无功与功率因数:其监测系统一般为下面方式(如图 4-31 所示)

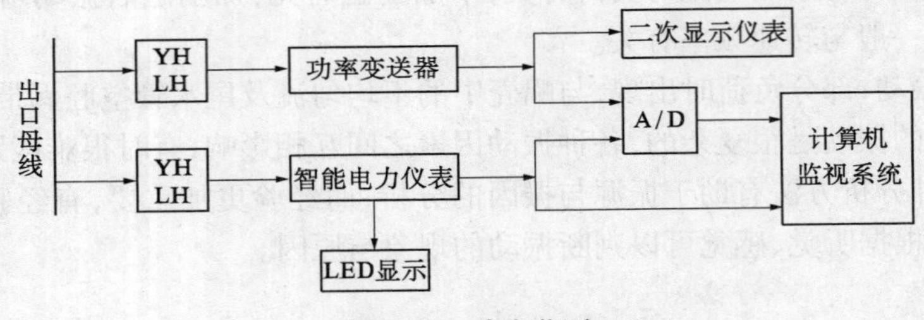

图 4-31　功率监测

4)励磁系统监视

通过直流电压、电流变送器监测励磁电压与电流(如图 4-32 所示)。

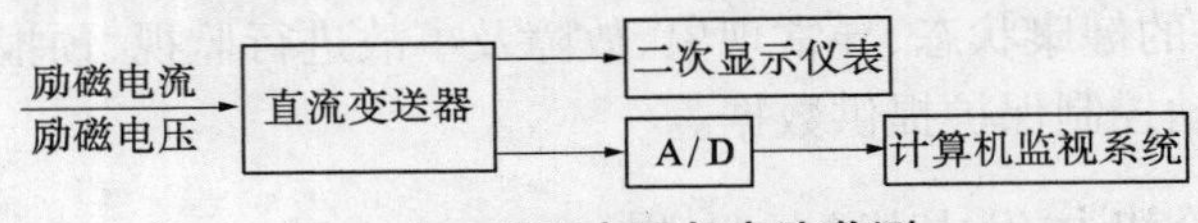

图 4-32　励磁电压与电流监测

4.4.1.2　设备状态参数监测

1)发电机温度监测

发电机温度监测即测发电机定子线圈温度。

定子线圈温度监视一般采用电阻型温度计 Pt100、Cu50,如第 2 章中所述,电阻型温度计需配相应的二次仪表才能指示温度值,配套设备有测温数显仪表,更常用的是温度巡测仪,可以巡测 4~96 路温度信号。热电阻温度计接线原理如图 4-33 所示。

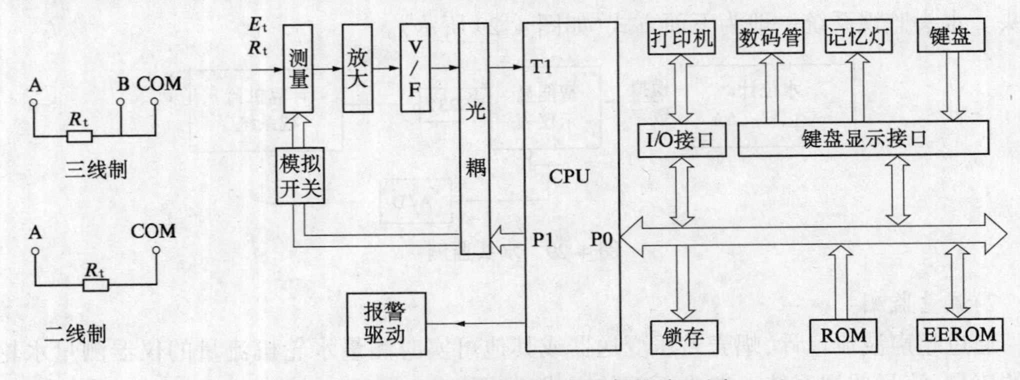

图 4-33　电阻型温度计接线与温度巡测

发电机温度测量的另一种方式是用温度变送器(RTD),RTD 由 R_t(热电阻)与采样处理电路所组成,可以将微小的热电阻信号转换为标准信号(0~20mA),供二次仪表或计算机数据采集系统直接引用。

发电机定子温度监视要设多点,在发电机定子线圈专用温度测槽内设 12 个/25 个/50 个热电阻。由于测点多,因此必须用温度巡测装置。

2)轴承温度监测

水轮机导轴承、发电机导轴承、推力轴承的油箱温度、轴瓦温度均须监视,一般情况下,温度限制在 70℃以下。为此,需在各轴承的油箱内以及其中的部分轴瓦中设热电阻型或热电偶型温度计,将各温度信号通过温度巡测装置或 RTD 送到计算机监视系统中去,轴瓦测温孔布置如图 4-34 所示。

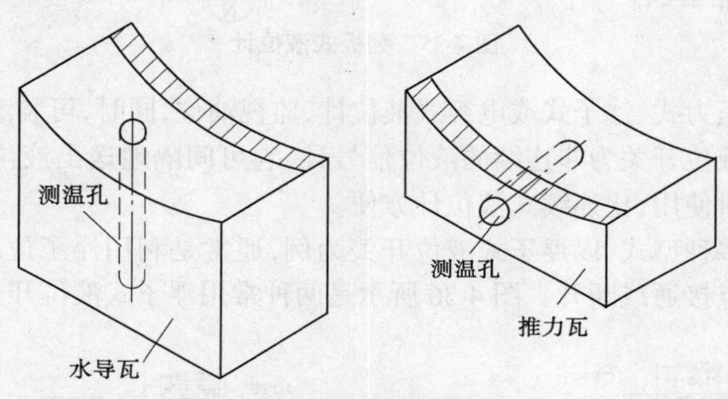

图 4-34 轴瓦测温孔

4.4.2 机组辅助设备的监测

4.4.2.1 油系统监测

油系统监测包括油温、油压、油质、油位的监测。

1)油温

在集油槽、压力油槽、轴承油箱中均采用 RTD 温度变送器。

2)油压

采用压力变送器进行压力测量,其中,压油槽压力较高,采用量程较大的压力变送器,而集油槽,轴承油箱则宜采用微压型压力变送器(油位变化小于 0.5m)。

3)油质

在轴承油箱、集油槽内设油混水测量仪,以监视油质变化情况,油混水测量仪在第 2 章中已作介绍。

4)油位

在集油槽、压力油槽、漏油箱、轴承油槽等处设油位计及油位变送器,进行现场观测与数据采集。同时,压力油槽、漏油槽的油位信号也是压力油泵与漏油泵的控制信号。

压力油槽宜装设翻板式液位计(如图 4-35 所示),便于运行人员直观地测出油位,为了控制槽内油位,可在翻板式液位计内加装电接点,作为补油、补气或自动补气装置的控制信号。

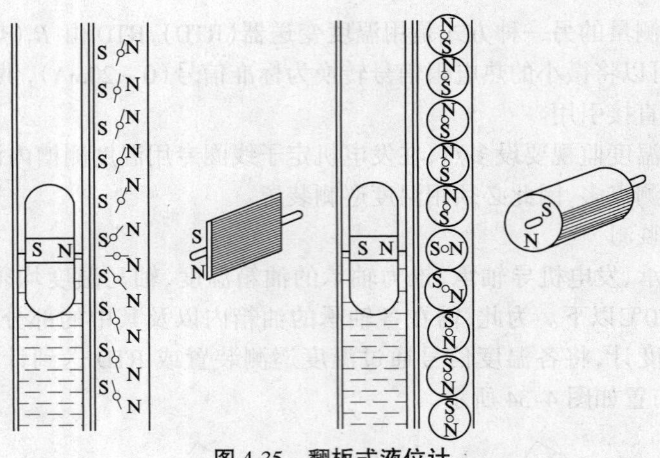

图 4-35 翻板式液位计

漏油箱宜装压力式、浮子式或电容式液位计，监视油位，同时，可装液位开关作为控制与报警的信号。液位开关为非连续的液位信号计，它可间隔地送出液位信号。控制油泵启动或液位报警时使用，比连续式液位计方便。

液位开关有多种型式，以浮子式液位开关为例，通常是利用浮子位移与姿态的变化，使相应的开关接点接通或断开。图 4-36 所示是两种常用浮子式液位开关。

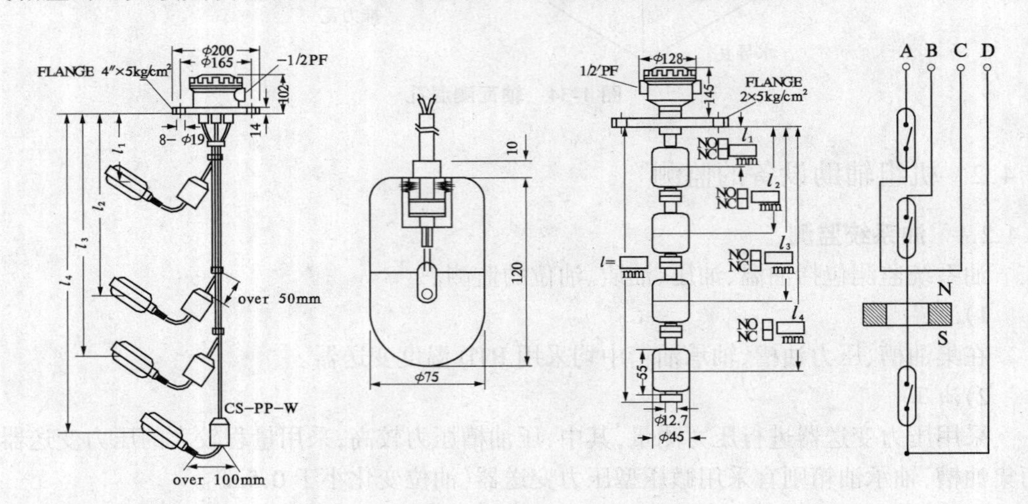

图 4-36 浮子式液位开关 （单位：mm）

4.4.2.2 水系统监测

供水系统的监测包括水流的压力、流量、温度及水流通断。监视的对象有：发电机空气冷却器系统、各轴水冷却水系统、主轴承密封水系统、空压机冷却水系统以及主、备供水母管的切换，主、备用供水泵的切换以及各供水管路上闸门（阀门）的状态与开度。

1)压力监测

供水压力是技术供水的主要参数，发电机供水管路及水轮机技术供水管路上均需装压力监视装置，主要供水管路上宜装压力变送器，可现地观察，并可将信号引入计算机监控系统，压力传感器的测程可根据测量压力具体确定。在可能发生负压的管路上，如水泵的进口、水泵吸水母管，要装可测负压与正压的压力变送器。

2)流量监测

水轮机轴承冷却管路、发电机空冷器供水管路上，需装设流量监测装置，以判断供水量是否满足冷却要求，当水中杂物较多时，流量监测尤其重要，可以根据流量值判断供水管路是否被堵塞。

流量监测一般要选择流量计，目前常用的有靶式流量计、电磁流量计、涡轮流量计等适合于装在较小直径管路上的测流装置。

这些流量计的基本原理在第2章中已作了介绍，不再赘述。

靶式流量计安装方便，采用插入式安装，其工作原理如图4-37所示。

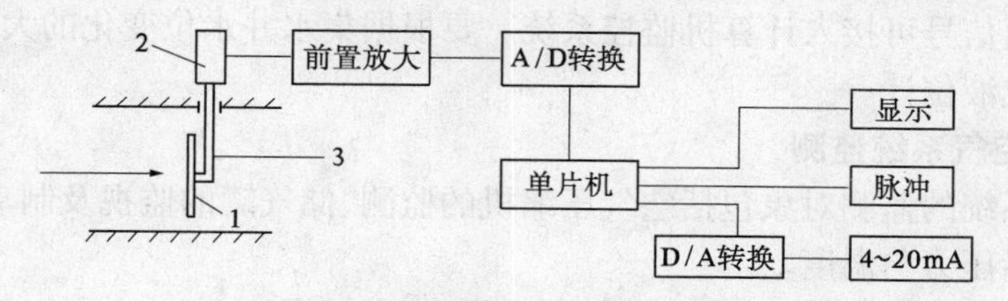

图4-37 靶式流量计工作原理

1—靶板；2—力传感器；3—测量管

3)水温监视

对于发电机冷却器、主轴承密封、各轴承冷却管路上均需装水温监视装置，测量供水温度，以保证冷却效果。水温监测宜采用插入式温度变送器，温度变送器带数字显示表头，并有4～20mADC的模拟输入，可接入计算机监控系统。例如，TH－400系列温度变送器的测量范围为－150～＋150℃(可选)。

此外，温度监视也可采用温度开关，温度开关间隔输入温度信号，其输出接口具有较大容量，可达125V/250V/480V、15A，可用于控制与报警。

4)水流通断监视

机组冷却水、润滑水的通断作为开机的必要条件与机组保护信号必须进行监视，水流通断的监视一般采用示流信号器或流量开关。示流信号器与流量开关的基本工作原理是一样的，当管路中有流量通过时，利用水流的作用(或浮力)使信号机构动作，将接点接通或断开，发生信号。常用的流量开关或示流信号器有浮筒式、靶式、热扩散式等多种形式。以靶式流量开关为例，其原理如图4-38所示。

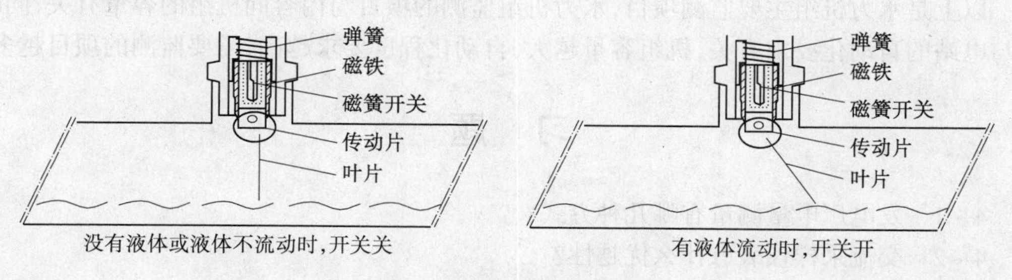

图4-38 靶式流量开关

5)闸门(阀门)位置监视

许多供水管有主、备用管,用电动开关或液压阀进行操作,闸门的开、闭以及闸门位置可用行程开关,闸(阀)门开度指示仪等辅助装置提供监视信号,接入二级仪表或计算机监控系统。

排水系统的监测主要是监测水位。当漏渗排水与检修排水采用集水井方式时,在集水井中设水位监测装置,其目的有两方面:①防止水位过高淹没设备;②控制排水泵的启、停。

集水井水位监测可用液位开关与液位计,用于报警与控制水泵时多用浮子式水位计或液位开关,液位开关的接点容量较大,可直接作为水泵启、停的控制信号。而监视水位变化时需用液位计,一般可选择投入式水位计,安装在集水井上方的数显表可现场指示水位,同时,其输出信号可接入计算机监控系统。要根据集水井水位变化的大小选择适当测程的液位开关或液位计。

4.4.2.3 压缩空气系统监测

压缩空气系统的监测对象包括空气压缩机的监测、储气罐的监视及制动系统的监测,监测的内容包括压力与温度。

1)空压机监测

主要监测压力、温度、冷却水量、监测仪表。

各级压力:压力开关,过压报警、停机。

出口压力:压力变送器,接计算机监控系统,或装压力变送控制器,带辅助控制接点,直接用于控制空压机启、停。

各级温度:温度变送器,带辅助接点,用于报警。

冷却水流量:耙式流量计或流量开关,监视冷却水。

空压机工作状态:工作、备用、故障,用开关上的辅助接点与事故报警装置。

2)储气罐监视

主要监测压力、温度、仪表及空压机。

3)制动系统

主要监测压力与制动闸位置。

制动管路压力:压力变送器。

制动活塞上、下腔压力:压力变送器。

制动闸位置:闸片行程开关(开关量)。

以上是水力机组主要监测项目,水力机组监测的项目与内容同机组的容量有关,同时也与电站的自动化要求有关,机组容量越大,自动化程度要求越高,需要监测的项目越多。

习　题

4-1　发电厂电量测量有哪几种方式?

4-2　交流采样仪表有什么优越性?

4-3　如何测量水轮机的工作水头?

4－4　水轮机流量测量常用哪几种方法？

4－5　水力机组振动的原因有哪些？

4－6　水力机组固定部件的振动测量与转动部件的振动测量有何不同？各用什么样的传感器？

4－7　如何判断振动的原因与振源？

4－8　发电机温度测量常用什么方法与仪器？

4－9　压力油系统一般需监测哪些项目？

4－10　技术供水系统监测哪些内容？常用哪些传感器？

第 5 章 火力发电机组现场测试技术

5.1 火力发电机组热力参数的测试

5.1.1 温度测量

温度是热力生产过程中最重要的热工参数,温度的测量对保证电厂热力设备安全、经济运行十分重要。在各种仪表中测温仪表的应用也最为广泛。

在大型火力发电厂中,由于其生产过程的特殊性,除了采用常规的测温仪表外,还采用了一些具有特殊性能的测温仪表。

5.1.1.1 锅炉炉壁热电偶

锅炉炉壁热电偶,其外形如图 5-1 所示,采用直径为 4mm 的铠装热电偶作感温元件,测量端紧固在带有不同曲面的导热板上(曲面半径有 29mm 和 100mm 两种)。分度号为 K 或 E,测温范围为 0 ~ 600℃或 0 ~ 800℃。

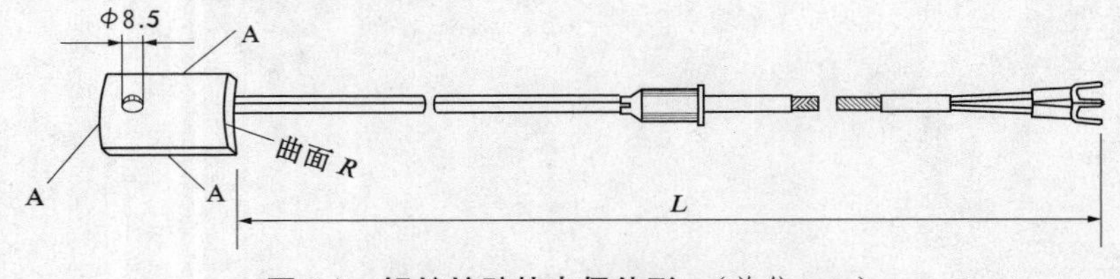

图 5-1 锅炉炉壁热电偶外形 (单位:mm)

5.1.1.2 炉膛火焰温度

在测量锅炉炉内气体温度时,为了避免热辐射引起测量误差,可采用抽气热电偶,如图 5-2 所示。

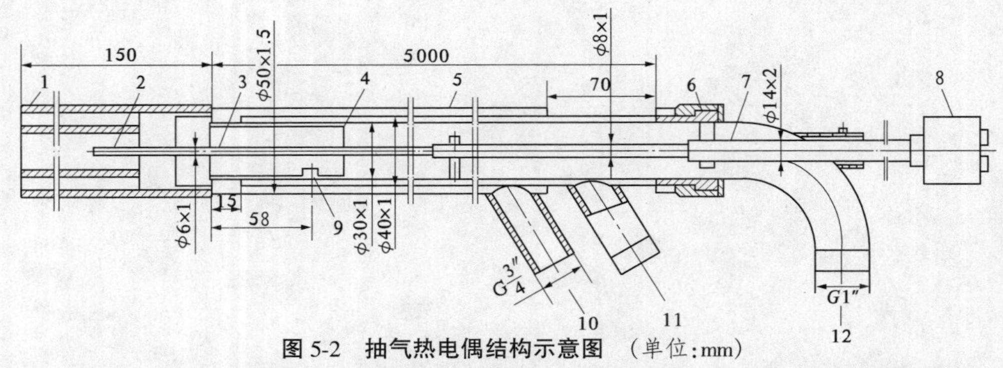

图 5-2 抽气热电偶结构示意图 (单位:mm)

1—遮热罩;2—0.5mm 热电偶配双孔瓷套管;3—刚玉保护管;4—罩座;5—水冷套管;6—膨胀密封填料盒;7—碳钢保护管;8—接线盒;9—安装遮热罩用的销;10—冷却水进口;11—冷却水出口;12—抽气出口

5.1.1.3 热套式热电偶

热套式热电偶,其结构如图 5-3 所示。这种热电偶的套管有内外两层,两层中间有一个环形空腔(称为热套),在内套管与管壁的支撑处有 3 个空隙,被测介质蒸汽可通过空隙进入环形空腔,使其中充满蒸汽并对套管加热。既保证了热电偶的插入深度,又缩短了热电偶悬臂的长度。解决了一般热电偶为了保证测温的准确性而要求有一定的插入深度,但又有插入深度太长易受高速流体冲刷折断的矛盾。因此,在大容量火电厂的主蒸汽温度测量中得到采用。

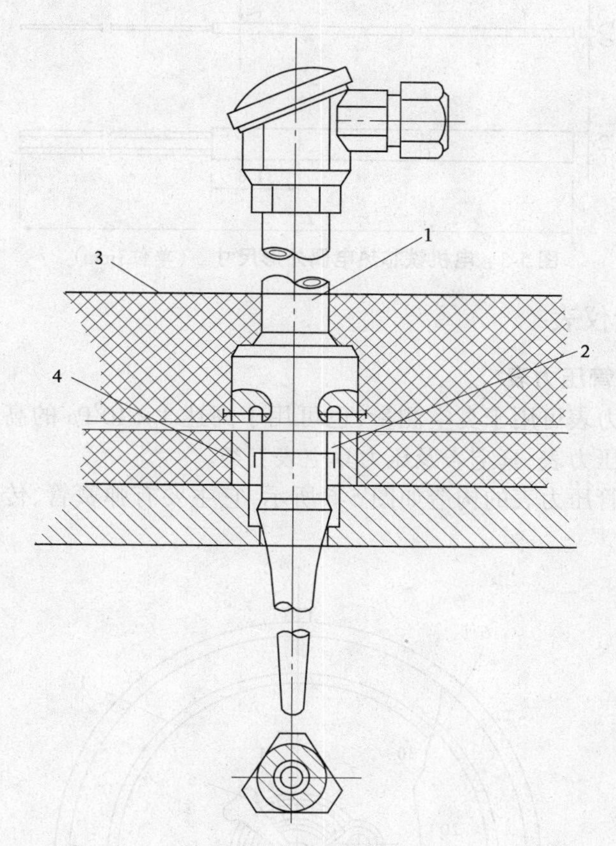

图 5-3 热套式热电偶

1—热套式热电偶;2—充满蒸汽的热套;3—保温层;4—安装插座

5.1.1.4 电机绕组铜电阻

电机绕组铜电阻主要用于测量电机绕组、定子及其他小间隙表面温度,其感温元件压制在非金属绝缘材料的保护片中。它除具有热电阻的一般特性外,还具有抗振、耐压绝缘等优点。分度号 Cu50,测温范围 0 ~ 120℃,外形尺寸如图 5-4 所示。

5.1.1.5 电机铁芯热电偶

电机铁芯热电偶主要用于测量电机的定子铁芯温度,其优点与电机绕组铜电阻相同。分度号 T,测温范围 0 ~ 150℃,外形尺寸如图 5-5 所示。

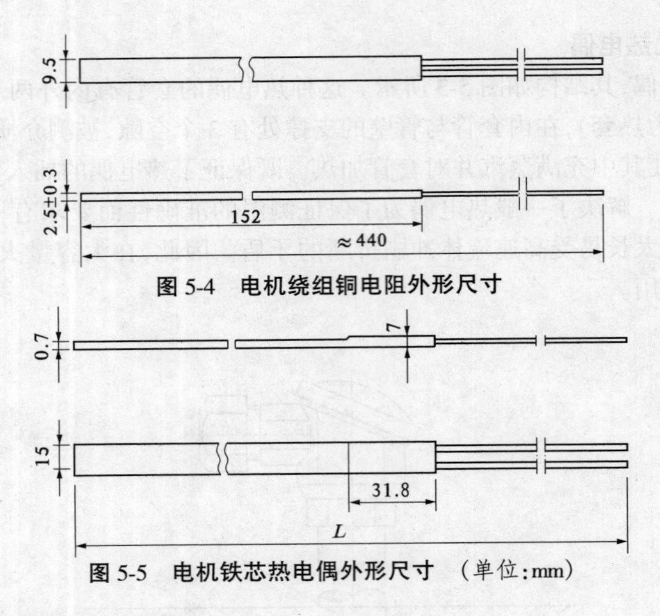

图 5-4　电机绕组铜电阻外形尺寸

图 5-5　电机铁芯热电偶外形尺寸　（单位：mm）

5.1.2　压力测量仪表

5.1.2.1　单圈弹簧管压力表

单圈弹簧管压力表可用于真空测量，也可用于高达 1×10^9Pa 的高压测量，根据其测量范围一般可分为压力表、真空表及压力真空表三类。

普通单圈弹簧管压力表的构造如图 5-6 所示，它主要有弹簧管、传动放大机构、指示机构及外壳组成。

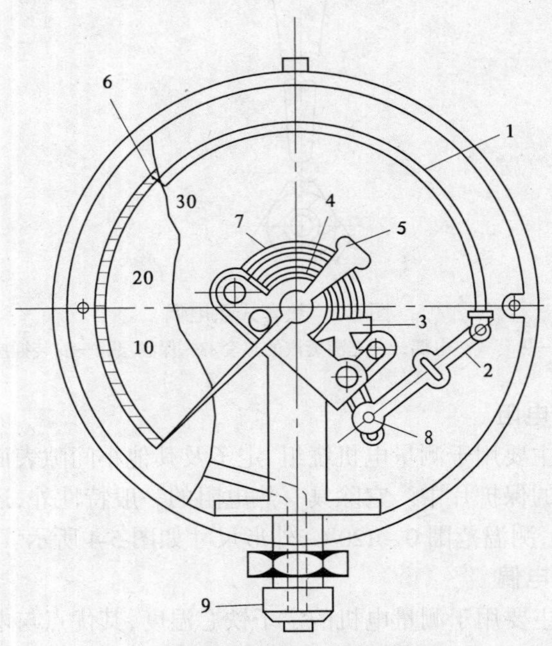

图 5-6　弹簧管压力表组成

1—弹簧管；2—拉杆；3—扇形齿轮；4—中心齿轮；5—指针；6—面板；7—游丝；8—调整螺钉；9—接头

5.1.2.2　膜盒微压计

膜盒微压计常用于火电厂锅炉风烟系统的风烟压力测量及锅炉炉膛负压测量，其结构如图 5-7 所示(测量范围为 150 ~ 40 000Pa)。

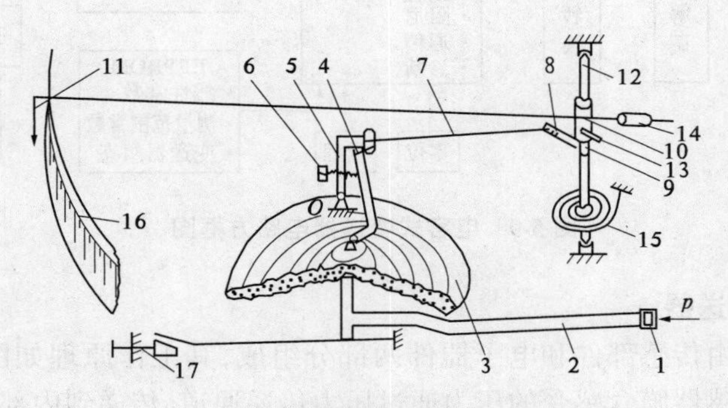

图 5-7　膜盒微压计原理结构

1—接头；2—导压管；3—金属膜盒；4、5—杠杆；6—微调螺丝；7—拉杆；8—曲柄；9—内套筒；10—外套筒；11—指针；12—轴；13—制动螺丝；14—平衡锤；15—游丝；16—标尺；17—调零机构

5.1.2.3　电接点压力表

电接点压力表以弹簧管为测量元件，表壳直径一般为 150mm，具有指示及控制电气信号通断功能，有直接作用和磁助直接作用两种方式。压力测量范围与单圈弹簧管压力表相同。

5.1.3　压力变送器

5.1.3.1　电容式变送器

电容式变送器采用全密封电容感测元件 δ 室，直接感测压力，其工作原理如图 5-8所示。被测介质压力通过隔离膜片，由灌充液体传送到 δ 室中心的测量膜片；另一侧可以是大气基准压力(用于测量计示压力)、真空(用于测量绝对压力)或其他比较压力(用于测量差压)，以同样的方式传递到测量膜片。测量膜片的位移正比于作用在其上的差压，此位移由其两侧的电容固定极板检测出来，由此而产生的电容量变化被电子线路(如图 5-9 所示)转换成二线制 4 ~ 20mA DC 输出信号。

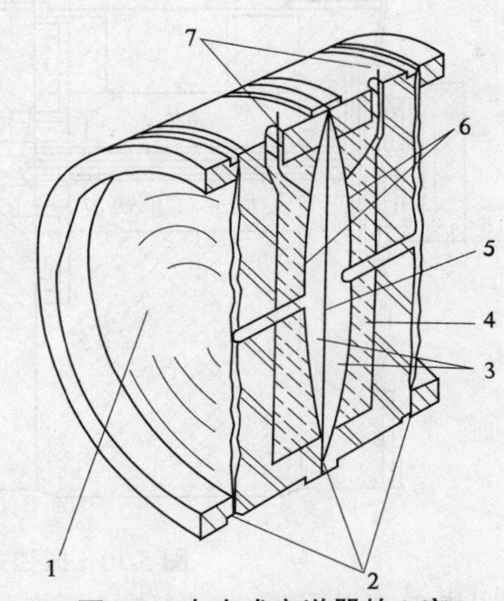

图 5-8　电容式变送器的 δ 室

1—隔离膜片；2—焊接密封；3—灌充液体；4—刚性绝缘体；5—测量膜片；6—电容极板；7—引线

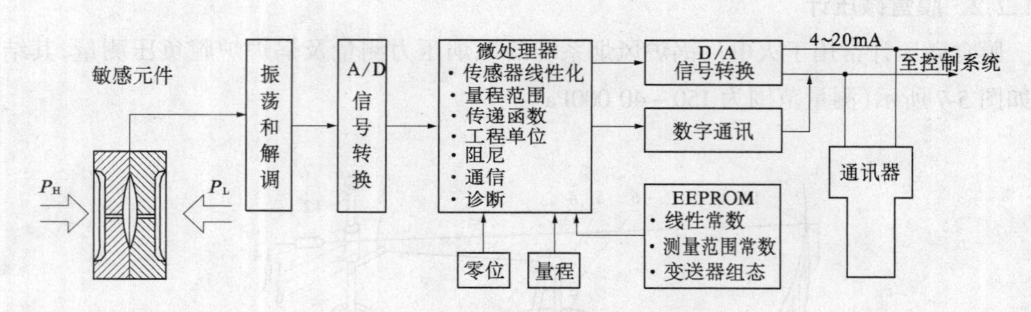

图 5-9　电容式变送器电路方框图

5.1.3.2　振弦式变送器

振弦式变送器由传感部件和电子器件两部分组成，其工作原理如图 5-10 所示（以差压变送器为例），传感器膜盒感受的压力通过压力传递通道，传递到内部张紧的弦上，改变其张力，可使张弦的机械谐振频率发生变化。弦的谐振频率量经电子器件转换成二线制 4～20mA DC 输出信号。

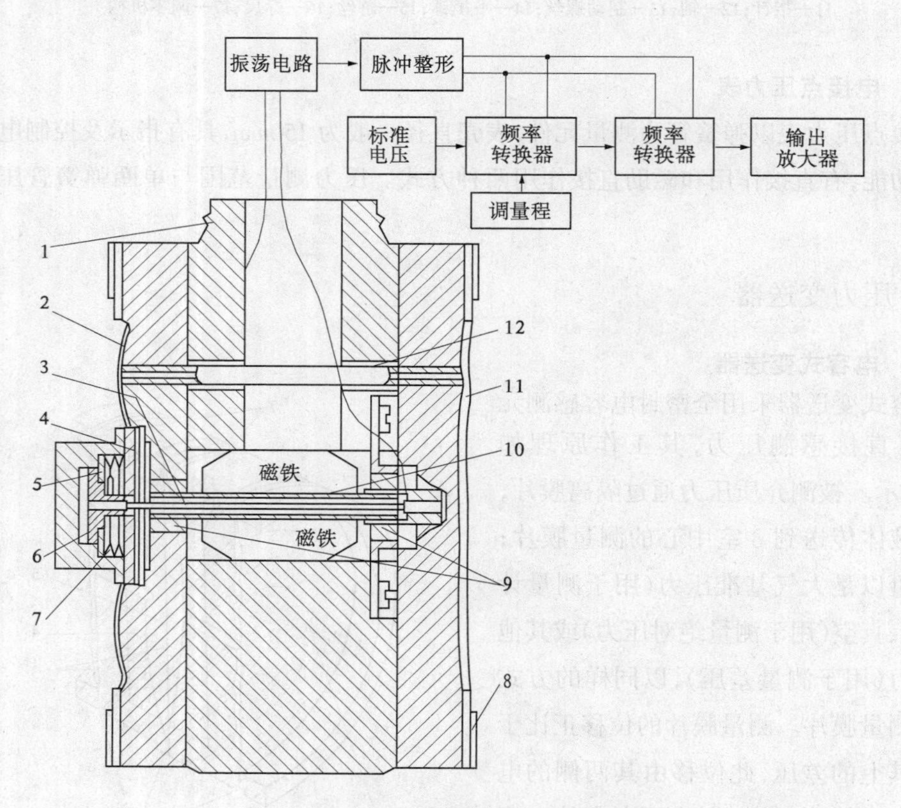

图 5-10　振弦式差压变送器工作原理

1—基体；2—低压测膜盒；3—振弦丝；4—预加张力弹簧；5—垫圈；6—振弦丝夹头；7—过量程保护弹簧；8—密封垫；9—绝缘体；10—金属管；11—高压测膜盒；12—液体传递通道

5.1.4 凝汽器真空低保护装置

5.1.4.1 单筒波纹管式真空低保护装置

单筒波纹管式真空低保护装置的结构如图 5-11 所示,波纹管有一个连接头 6,用于和凝汽器喉部相连接。正常运行时,中芯杆 3 下部向外伸出的端头 7 不与微动开关 4 的按钮接触,微动开关 4 处于开放状态,而由中芯杆带动支架 8 上的触头 9 压住微动开关 5 的按钮,微动开关 5 处于闭合状态。

随着凝汽器内真空的高低变化,波纹管跟着伸缩,于是带动中芯杆上下移动,移动的大小与真空度成比例。当凝汽器内真空下降时,中芯杆向下移动,带动支架 8 一起下移。真空下降到负压 83.3kPa 时,支架上的触头 9 与微动开关 5 的按钮脱开,微动开关 5 动作,接通信号报警系统的电路,发出“真空下降”声光报警信号。当真空继续下降到负压 63.7kPa 时,中芯杆继续下移,其伸出的端头 7 便压住微动开关 4 的按钮,微动开关 4 动作。此时,一方面接通保护控制系统的电路,迅速关闭自动主汽门和抽汽逆止门,自动停机;另一方面接通信号报警系统的电路,发出“真空低跳闸”声光报警信号。

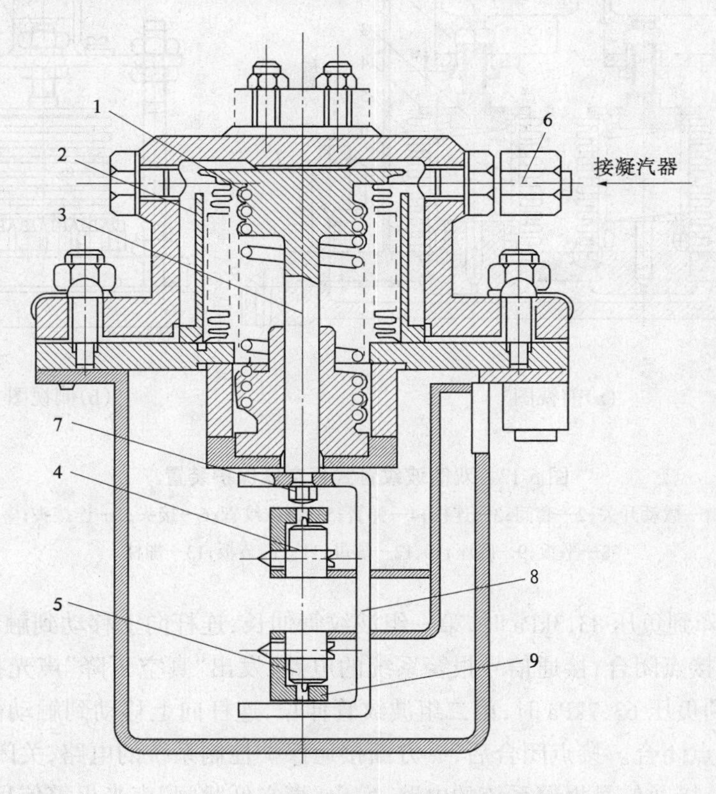

图 5-11 单筒波纹管式真空低保护装置

1—弹簧;2—铜波纹管;3—中芯杆;4、5—微动开关;6—连接头;7—端头;8—支架;9—触头

5.1.4.2 双筒波纹管式真空低保护装置

双筒波纹管式真空低保护装置的结构如图 5-12 所示,它有两组一样的波纹管装置。

铜波纹管有 10 个波纹,其外径为 50mm。波纹管一端焊在平板 8 上,另一端则焊在连杆 3 上。弹簧 4 装在铜波纹管 5 内,用接头 6 固定,以支撑连杆 3。波纹管伸缩时,可带动连杆 3 在套筒 2 内移动。套筒 2 是固定在调节板 11 上的。

在每个波纹管上都有调节板 11,该板利用螺母 12 固定在专门的螺柱 13 上,微动开关 1 装在调节板 11 上。

波纹管的内部空间经过接头 6 的标准孔(孔径为 1.5mm)和底座 9 的铣槽与连接头 7 相通,然后经真空导管与凝汽器相连。

在正常真空值下,波纹管和弹簧受压缩,连杆 3 端头脱离微动开关 1 的按钮,微动开关处于断开状态。真空下降时,在弹簧的作用下,波纹管伸长,带动连杆向上移动,其移动的大小与真空下降成比例。

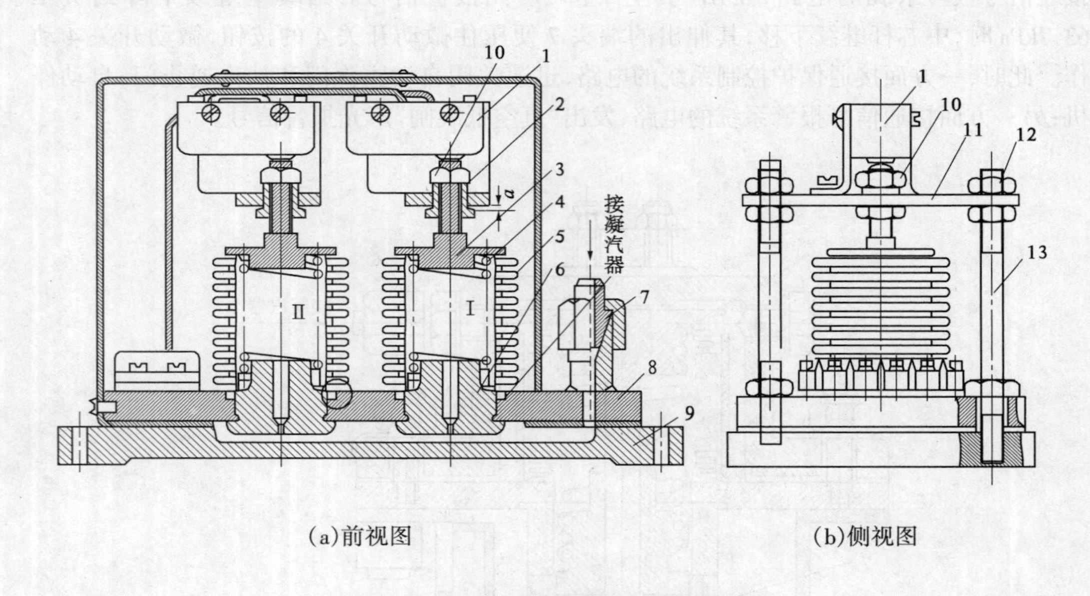

图 5-12　双筒波纹管式真空低保护装置

1—微动开关;2—套筒;3—连杆;4—弹簧;5—铜波纹管;6—接头;7—连接头;

8—平板;9—底座;10、12—螺母;11—调节板;13—螺柱

当真空下降到负压 83.3kPa 时,第一组波纹管伸长,连杆向上移动到触动微动开关按钮的位置,使其接点闭合,接通信号报警系统的电路,发出“真空下降”声光报警信号。当真空继续下降到负压 63.7kPa 时,第二组波纹管伸长,连杆向上移动到触动微动开关按钮的位置,使其接点闭合。接点闭合后,一方面接通保护控制系统的电路,关闭主汽门,自动停机;另一方面,接通信号报警系统的电路,发出“真空低跳闸”声光报警信号。

5.1.4.3　**压力控制器式真空低保护装置**

压力控制器是一个随压力变化而使电路闭合或断开的压力开关。其结构如图 5-13 所示。

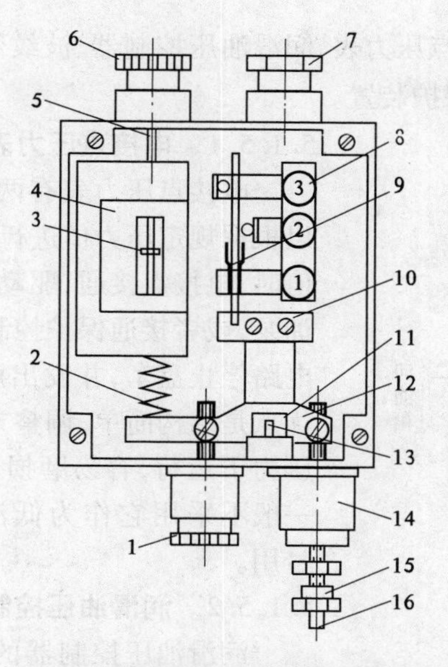

图 5-13 真空压力控制器结构示意图

1—差动旋钮;2—拉伸弹簧;3—指针;4—标尺;5—调节杆;6—锁紧螺帽;7—出线套;8—接线端子;9—拨动开关;10—拨壁;11—刀支架;12—杠杆;13—刀;14—波纹管室;15—接头;16—套筒

真空压力控制器装置的工作原理如图 5-14 所示。真空压力控制器通过导压管 1 与凝汽器连接,拨动开关触头与控制回路中的中间继电器 6 连接。在正常运行时,真空较高,波纹管 2 受压缩,拨动开关的触头①与③处于闭合状态,①与②处于断开状态。当凝汽器真空下降到第一限值时,波纹管伸长,通过杠杆 3 和拨动开关 5 使触头①与②闭合、中间继电器 6 动作,接通信号报警系统的电路,发出“真空下降”声光报警信号。当真空下降到第二限值时,同样第二个真空压力控制器动作,接通保护控制系统的电路,自动跳闸停机,并发出“真空低跳闸”声光报警信号。

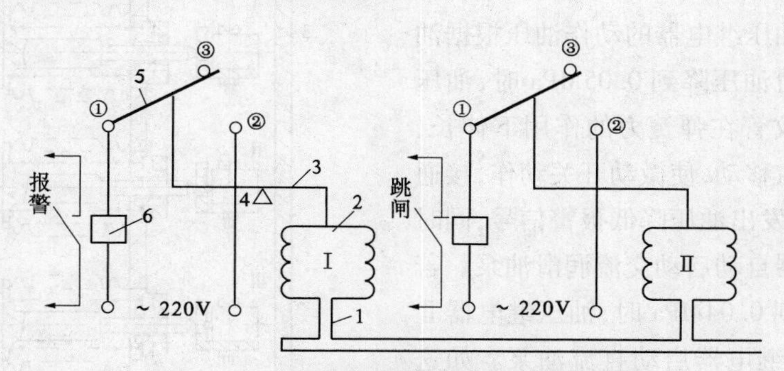

图 5-14 真空压力控制器工作原理示意图

1—导压管;2—波纹管;3—杠杆;4—刀支架;5—拨动开关;6—中间继电器

5.1.5 润滑油压低保护装置

为了保持一定的润滑油压以保护轴承的安全运行,就必须装设润滑油压低保护装置。

该保护装置，通常采用电接点压力表、润滑油压控制器、波纹管式油压继电器以及压力控制器作为润滑油压低联动保护装置。

5.1.5.1 电接点压力表

电接点压力表有两副随指针移动的电接点，可以根据规定压力值进行整定。当压力值降低到规定值时，电接点接通，驱动中间继电器，启动辅助润滑油泵，或者接通保护控制电路，跳闸停机和切断盘车电路停止盘车，并发出声光报警。电接点压力表的优点是结构简单，调整方便；缺点是它经常处于某一压力下运行，容易磨损，影响动作的准确性。因此，一般不采用它作为低油压保护，只作为发报警信号用。

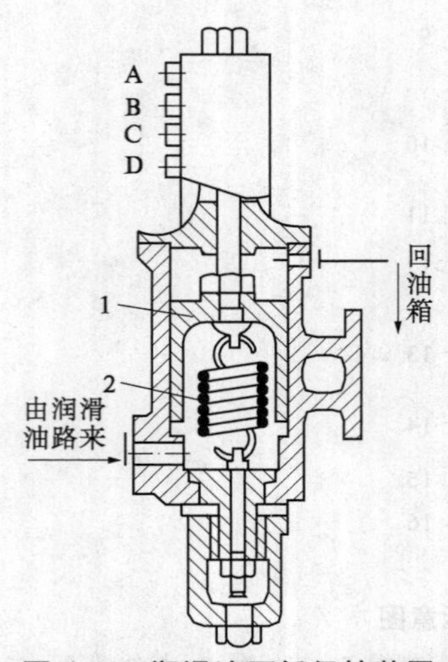

图 5-15 润滑油压低保护装置

1—活塞；2—弹簧；A、B、C、D—触点

5.1.5.2 润滑油压控制器

润滑油压控制器的结构如图 5-15 所示。润滑油压引入活塞的下部，油压对活塞向上的作用力与弹簧向下的作用力相平衡。当润滑油压下降到 0.055MPa 时，活塞则向下移动，触点 A 将信号控制电路接通，发出声光报警信号；油压下降到 0.04MPa 时，触点 B 将电路接通，启动电动辅助油泵；油压降到 0.02MPa 时，触点 C 将保护控制电路接通，跳闸停机，油压降到 0.015MPa 时，触点 D 将盘车装置电路切断，停止盘车。

5.1.5.3 波纹管式油压低保护装置

波纹管式油压低保护装置又称为油压继电器，其结构如图 5-16 所示。润滑油通入铜波纹管的外部腔室，随着润滑油压的变化，铜波纹管跟着伸缩，带动中芯杆移动，使微动开关动作。三组油压继电器的动作油压根据油压整定。当润滑油压降到 0.05MPa 时，油压继电器Ⅰ的波纹管在弹簧力的作用下伸长，带动中芯杆向右移动，使微动开关动作，接通信号控制电路，发出油压降低报警信号，同时通过中间继电器自动启动交流润滑油泵。若油压继续下降到 0.04MPa 时，油压继电器Ⅱ动作，通过中间继电器启动直流油泵。如这时油压还不能恢复正常，继续下降到 0.03MPa 时，油压继电器Ⅲ动作，通过中间继电器驱动保护控制电路，实行紧急停机和停止盘车，以保护机组的安全，同时发出“油压低跳闸”报警信号。

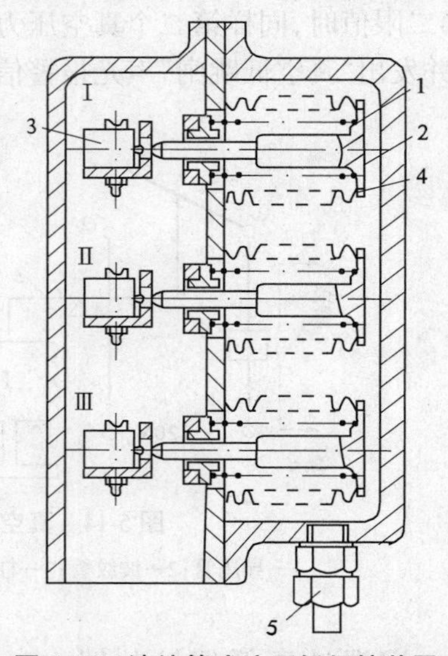

图 5-16 波纹管式油压低保护装置

1—弹簧；2—中芯杆；3—微动开关；4—铜波纹管；5—连接管

5.1.5.4 压力控制器式油压低保护装置

压力控制器式油压低保护装置是由三个压力控制器组成,其工作原理如固 5-17 所示。压力控制器是一个随压力变化而使电路接触头闭合或断开的压力开关。各个压力控制器,根据不同压力限值的要求进行整定。

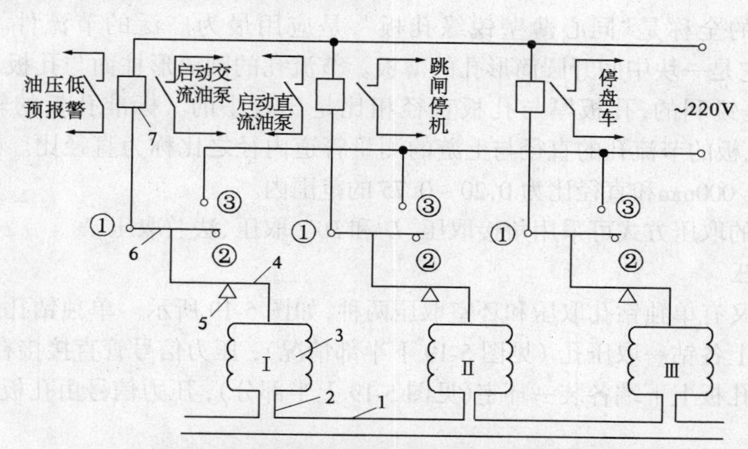

图 5-17 压力控制器式油压低保护装置工作原理图

1—润滑油总管;2—导压管;3—波纹管;4—杠杆;5—刀支架;6—拨动开关;7—中间继电器

三个压力控制器的波纹管 3,分别通过导压管 2 与润滑油系统进油总管 1 相连接,拨动开关 6 的触头①、③与控制电路中的中间继电器 7 和电源相连接。在正常运行时,油压较高,波纹管伸长,拨动开关的触头①与②处于闭合状态,①与③处于断开状态。

当润滑油压下降到 0.05MPa 时,压力控制器Ⅰ的波纹管 3 收缩,通过杠杆 4 推动拨动开关 6 使其触点①与②断开,①与③闭合,因而接通控制电路,继电器 7 动作,一方面驱动信号控制电路,发出润滑油压低预报信号;另一方面联动交流润滑油泵,以使润滑油压恢复正常。若油压继续下降到 0.04MPa 时,同样压力控制器Ⅱ动作,通过中间继电器,联动直流事故润滑油泵,同时驱动保护控制电路,实行紧急停机。当油压再继续下降到 0.03MPa 时,则压力控制器Ⅲ动作,通过中间继电器去控制停止盘车。由于此时机组温度还高,停盘车后应由人工进行定时盘车。

5.1.6 流量测量

火力发电厂中,蒸汽、液体等流量的测量,绝大部分采用节流装置;低参数大管径的流量测量采用测速装置。

5.1.6.1 节流装置

节流装置的测量原理是:充满管道的流体流经管道内的节流装置,流束在节流件处收缩,流体流速增加,静压力降低,于是在节流件前后产生了静压力差(或称差压)。流体的流速越大,在节流件前后产生的差压也越大,所以可通过测量差压来测量流体流过节流装置时的流量大小。

整套节流装置由节流件、取压装置、直管段组成。节流装置中,造成流体收缩并使流体产生差压的元件称为节流件。节流件由孔板、喷嘴和文丘里管等组成,其外形、尺寸已经标准化称为标准节流件，国家标准规定了其结构形式、技术要求以及节流装置的使用方法等。电厂常用的是标准孔板和标准喷嘴两类，其中标准喷嘴包括ISA1932喷嘴与长径喷嘴两种。

1)标准孔板

标准孔板的全称是“同心薄壁锐缘孔板”，是应用最为广泛的节流件。其形状如图5-18所示。它是一块中间开圆筒形孔的薄板。节流孔的圆筒形柱面与孔板上游端面垂直，孔的边缘是锐利的，孔板厚与孔板直径相比是比较小的。标准孔板的轴向截面如图5-18所示，孔板的节流孔的直径与上游的测量管道内径之比称为直径比。标准孔板用于管径为50～1 000mm和直径比为0.20～0.75的范围内。

标准孔板的取压方式可采用角接取压、D和$D/2$取压、法兰取压。

i. 角接取压

角接取压又有单独钻孔取压和环室取压两种，如图5-19所示。单独钻孔取压是在孔板前后夹紧环上各钻一取压孔（见图5-19下半部情况），压力信号管直接接在两孔上；环形取压则是在孔板上下端各装一环室(见图5-19上半部分)，压力信号由孔板与环室孔腔

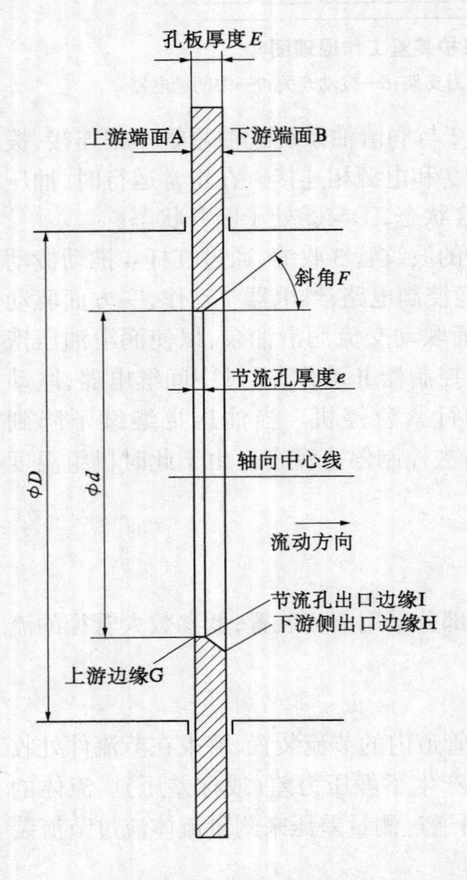

图5-18 标准孔板

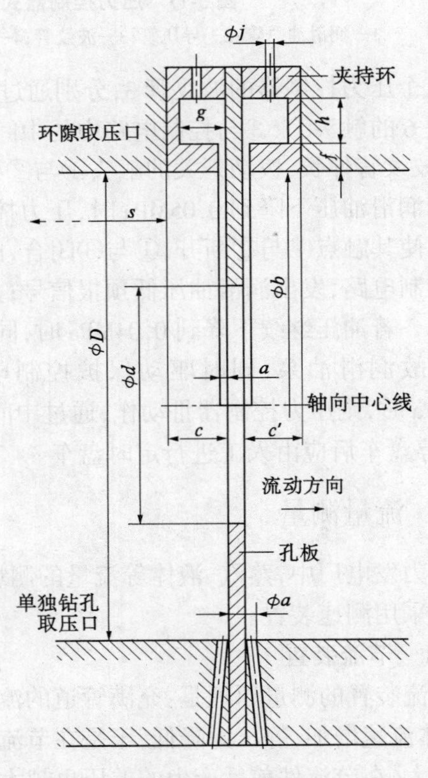

图5-19 角接取压口

a—环隙宽度(或单独取压口直径)；f—环隙宽度；

c—夹持环长度(上游)；c'—夹持环长度(下游)；

b—夹持环直径；s—上游台阶到夹持环的距离

之间的缝隙 a 引入到环室孔腔,再由环室通到压力信号管道。单独钻孔的取压直径 b 及环室缝隙的宽度最小值的确定主要是考虑偶然阻塞的可能性及良好的动态性能而确定的。

采用角接取压时,孔板上、下游侧取压孔的轴线分别与孔板上下侧端面的距离等于取压孔径的一半或取环隙间隙宽度的一半,也就是取压口应紧靠节流元件上下游端面。

ii. D 和 $D/2$ 取压和法兰取压

D 和 $D/2$ 取压和法兰取压,如图 5-20(a)所示,取压口的间距:对 D 和 $D/2$ 取压,上游 l_1 名义上等于 D,下游 l_2 名义上等于 $0.5D$。

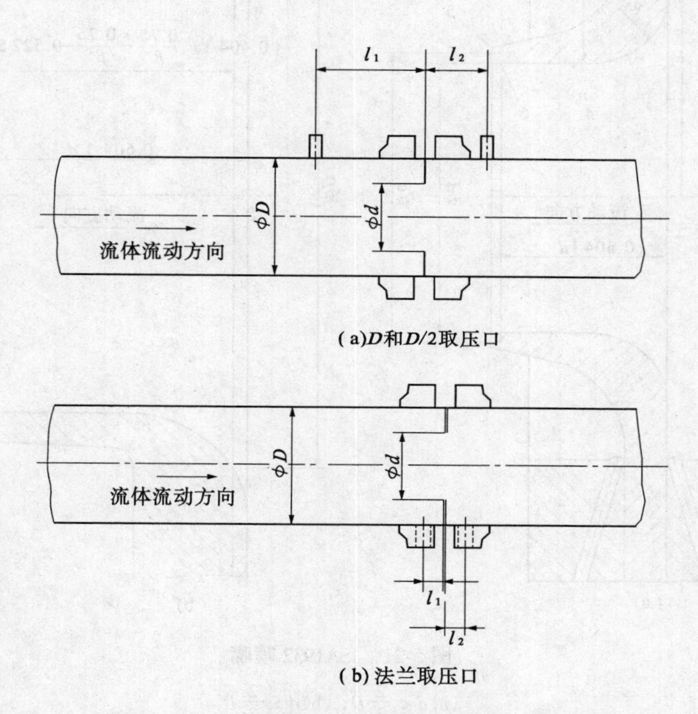

图 5-20　D 和 $D/2$ 取压口和法兰取压口

对法兰取压口,如图 5-20(b)所示,标准孔板夹于两片法兰之间,l_1、l_2 名义上等于 25.4mm。取压孔径不大于 $0.13D$,同时小于 13mm,孔轴线必须垂直于管道轴线。

2)ISA1932 喷嘴

ISA1932 喷嘴是由收缩部分和圆筒形喉部组成的,其轴向截面如图 5-21 所示,用于管径 d 为 50～500mm,直径比为 0.30～0.80 的范围内。

ISA1932 喷嘴的取压口采用角接取压口,技术要求与标准孔板相同。

3)长径喷嘴

长径喷嘴是由形状为 1/4 椭圆的入口收缩部分和圆筒形喉部组成的,其轴向截面如图 5-22 所示。有高比值和低比值两种结构形式,当 β 值介于 0.25～0.50 之间时,可采用任意一种。长径喷嘴用于管径 D 为 50～630mm,直径比 β 为 0.20～0.80 的范围内。

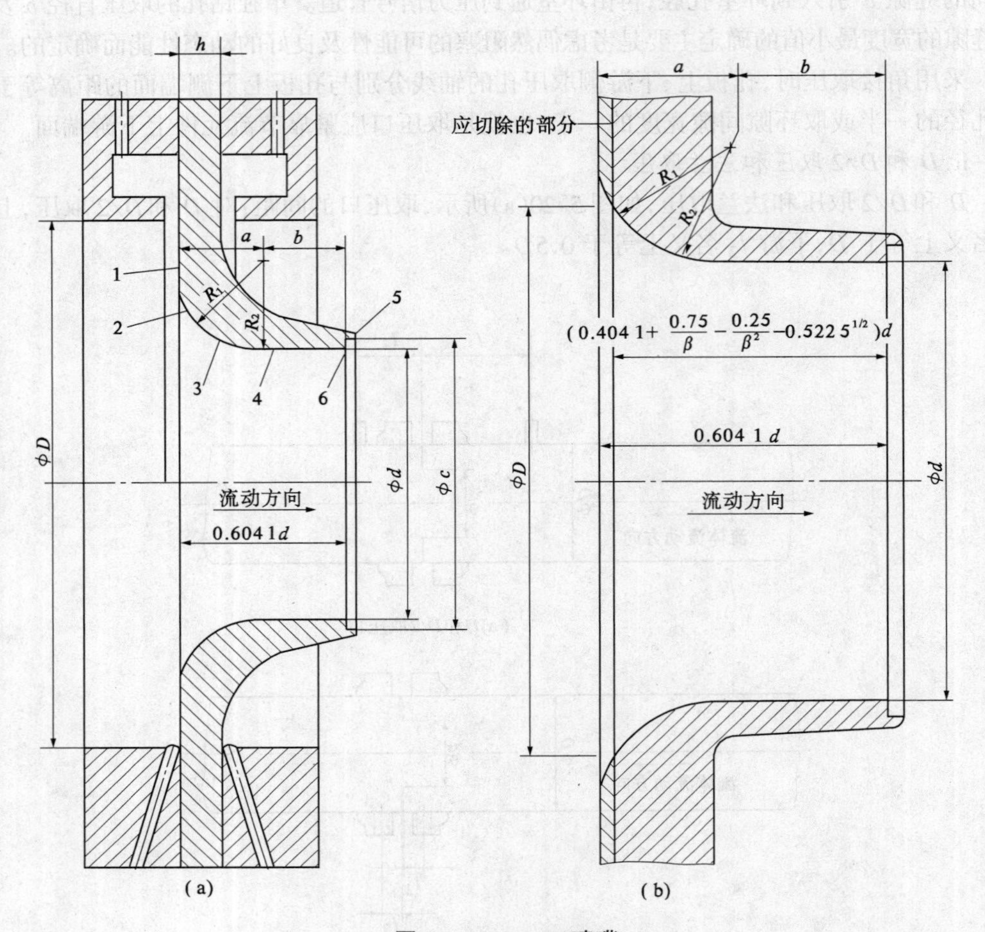

图 5-21 ISA1932 喷嘴

(a) $d<\frac{2}{3}D$; (b) $d>\frac{2}{3}D$

1—入口平面部分;2、3—由两段圆弧曲面构成的入口收缩部分;4—圆弧形喉部;5—保护槽;6—出口边缘

h—厚度;a—圆弧圆心与平面的距离(0.304 1d);b—喉部长度(0.3d);

c—保护槽的直径(至少等于 1.06d)

长径喷嘴的取压口采用 D 和 $D/2$ 取压方式,上游和下游取压口的轴线与管道轴线相交,并与其成直角,在取压口的贯穿处其边缘应与管道内壁平齐。

4)流动调整器

为保证测量的准确度必须规定在节流装置的上下游两侧有一定长度的直管段,这种方法虽然简单,且效果好,但是测量现场有时很难提供所需要的直管长度,因此必须加装流动调整器。

当采用直径比比较大的节流件时,在管道上也需安装流动调整器。常用的标准型式的流动调整器有以下几种。

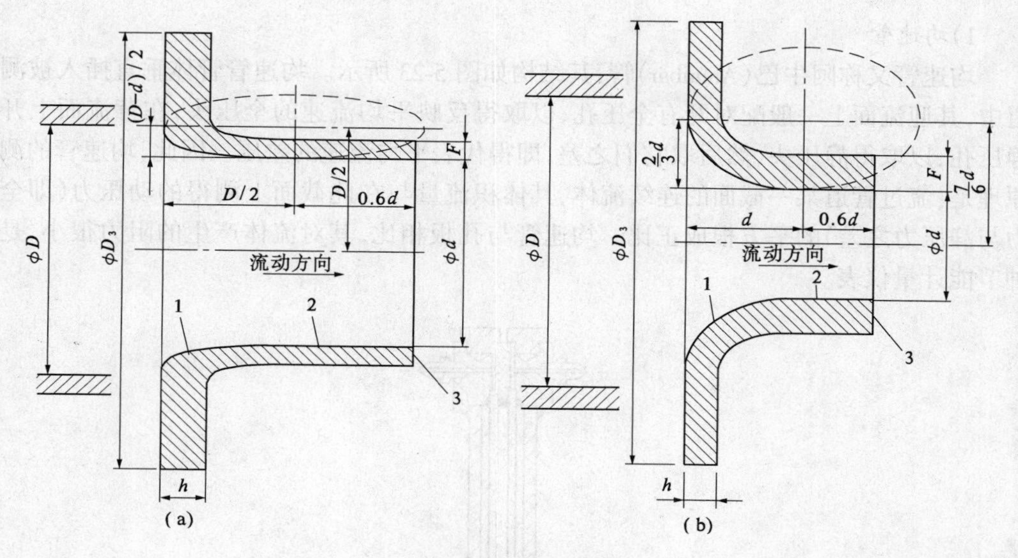

图 5-22　长径喷嘴

(a)高比值($0.25 \leqslant \beta \leqslant 0.80$;(b)低比值($0.20 \leqslant \beta \leqslant 0.50$)

1—入口收缩部分;2—圆筒形喉部;3—下游平面;F—喉部壁面厚;

h—厚度(大于或等于 3mm,并小于或等于 $0.15D$)

(1)平板交叉式流动调整器:是由规定尺寸洞孔的多孔板和多块平板交叉形成的一些通道(每孔一个)所组成的。平板应具有最小厚度,但还要有足够的强度。

(2)多孔板式流动调整器:是由三块串接的多孔板组成,相邻板之间的长度等于 D。在洞孔的上游侧最好有倒角,而且每块板的洞孔总面积应大于管道流通面积的 40%。板厚对洞孔直径之比应至少为 1.0,而洞孔的直径应小于管道直径的 1/20。三块板应用棒或螺栓连在一起,棒或螺栓孔在同一中心距的圆周上均匀分布,其直径应尽可能的小,但应满足强度。

(3)管束式流动调整器:是由一捆紧固在一起的管子束组成。管子束刚性地夹持在管道中。诸管子的轴线彼此平行,外圆彼此相切。在这种情况下,诸管子的轴线彼此平行外,还应与管道轴线平行,如不满足此要求,流动调整器本身可能会对流动产生干扰。至少应有 19 根管子,它们的长度应大于或等于 $10d$。管子彼此应贴接,而 19 根管子所组成的管束应与管道内径相切。

(4)栅格式流动调整器:是由方形栅格组成的蜂窝结构。

(5)径向叶片式流动调整器:是由 8 个径向叶片组成,叶片之间具有相等角度间隔,其长度等于 $2D$,这些叶片应有最小厚度。

5.1.6.2　测速装置

在火力发电厂中,送风和吸风矩形风道和大容量机组回热管道等大管径低参数流体的流量测量,由于风道和管道庞大,流体又常带有灰尘和烟雾,不能直接进行测量只好采用流速 - 面积法,即先测量局部流速再乘以流通截面积来得出流量。常用的测量装置有均速管和翼形测速管等,由于它们结构简单、制造方便,所以在工业上得到广泛的应用。

1)均速管

均速管又称阿牛巴(Annubar)管,其结构如图 5-23 所示。均速管管体垂直插入被测管道中,其迎流面上一般配对开有全压孔,以取得反映平均流速的全压头;在背流面上开有静压孔,以取得静压头,然后取它们之差,即得代表平均流速的差压。因此,均速管的测量原理是:流过管道某一截面的连续流体,其体积流量与在此截面上测得的动压力(即全压力与静压力之差)的平方根成正比。均速管与孔板相比,其对流体产生的阻力很小,是一种节能计量仪表。

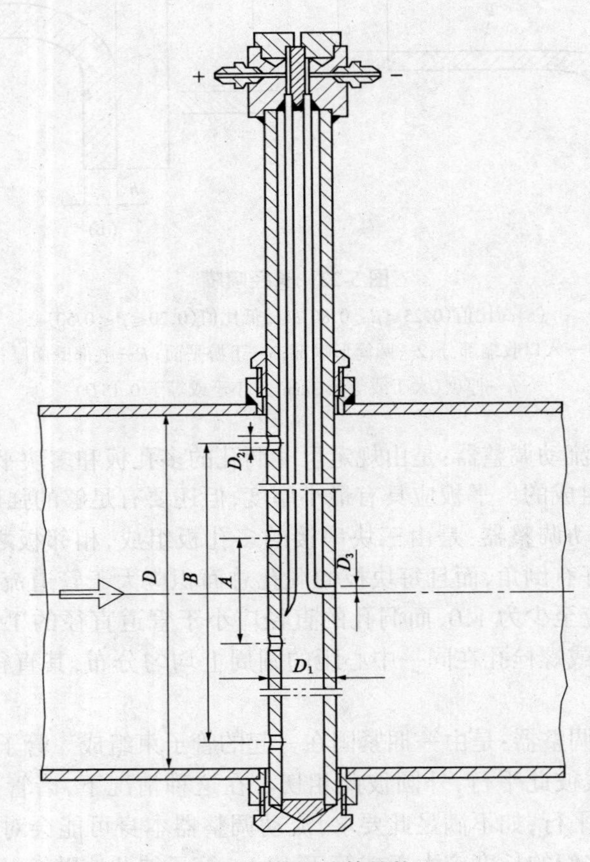

图 5-23 均速管结构

A—内测全压孔之间的距离;B—外测全压孔之间的距离;D—被测介质通流管内径;D_1—均速管管体外径;D_2—全压孔直径;D_3—静压孔直径

2)翼形测速管

翼形测速管适用于测量大管径流量,在火力发电厂中已广泛应用于矩形(或方形)风道中的风量测量,图 5-24 所示为翼形风量测量装置。在风道中(长 × 宽 × 高 = $L \times B \times H$),当气体流经翼形叶片时产生绕流,在翼形叶片逆流方向的顶端(全压孔)测得全压 P_+,在翼形叶片最大厚度(静压孔)处测得静压 P_-,差压信号 $\Delta P = P_+ - P_-$ 与流速(即流量)呈抛物状曲线的函数关系。

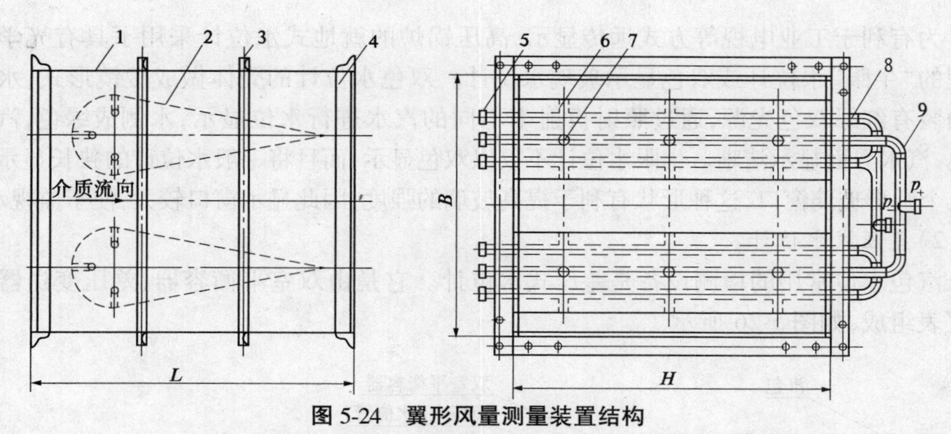

图 5-24 翼形风量测量装置结构

1—风道;2—翼形叶片;3—加固槽钢;4—法兰;5—排尘管帽;6—静压孔;7—全压孔;8—静压取压管路;9—全压取压管路

5.1.7 水位的监测

5.1.7.1 锅炉汽包水位的监测

锅炉汽包水位测量对于锅炉的安全运行极为重要,水位过高、过低都将引起蒸汽品质变坏或水循环恶化,甚至造成严重事故。尤其在锅炉启停过程中,炉内参数变化较大,水位波动亦大,水位的监视就更为重要了。

1)就地式水位计

汽包就地式水位计是监视汽包水位最可靠的仪表,它是利用连通管原理实现测量的直读水位计。根据锅炉压力不同,其显示窗可以采用耐温耐压能力较高的平板玻璃(中低压锅炉用)、石英玻璃管(中高压锅炉用)及云母片(高压锅炉用)制作。就地式水位计的原理及结构如图 5-25 所示。

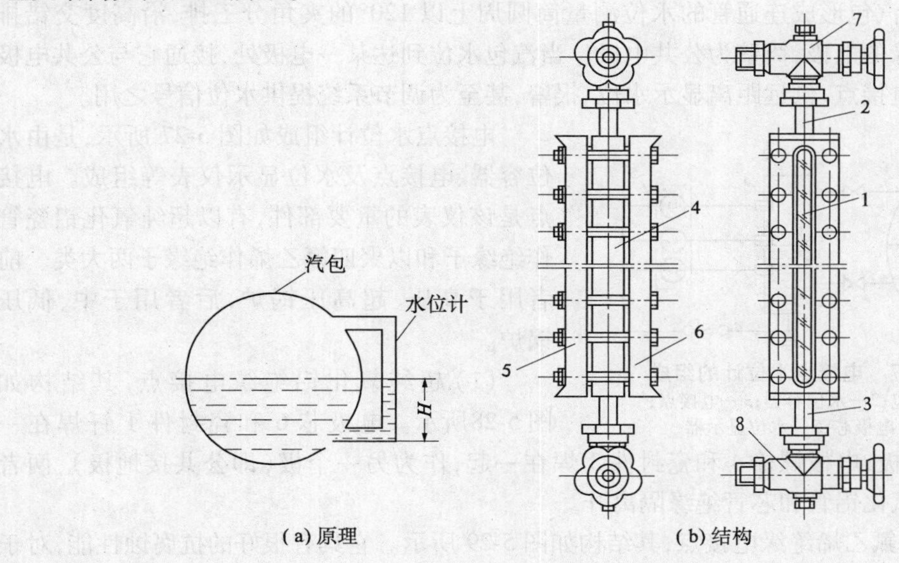

图 5-25 就地式水位计的原理及结构

1—玻璃(云母)板;2、3—上、下金属管;4—水位计体;5、6—前后夹板;7、8—阀门

为有利于工业电视等方式远传显示,高压锅炉的就地式水位计采用了具有光学折射原理的“牛眼”水位计或双色显示玻璃水位计。双色水位计的壳体做成棱镜形式,水位计背面装有红绿双色光源,通过照射折射率不同的汽水进行水位显示,水侧成绿色,汽侧成红色,汽水界面显示清晰。牛眼水位计不仅以双色显示,而且将一般水位计的狭长显示窗改为几个圆形玻璃窗口,这种形状有利于提高玻璃的强度,因此显示窗口较大,便于监视水位。

2)差压式水位计

汽包水位常用的检测设备是差压式水位计。它是由双室平衡容器、差压变送器及二次仪表组成,如图5-26所示。

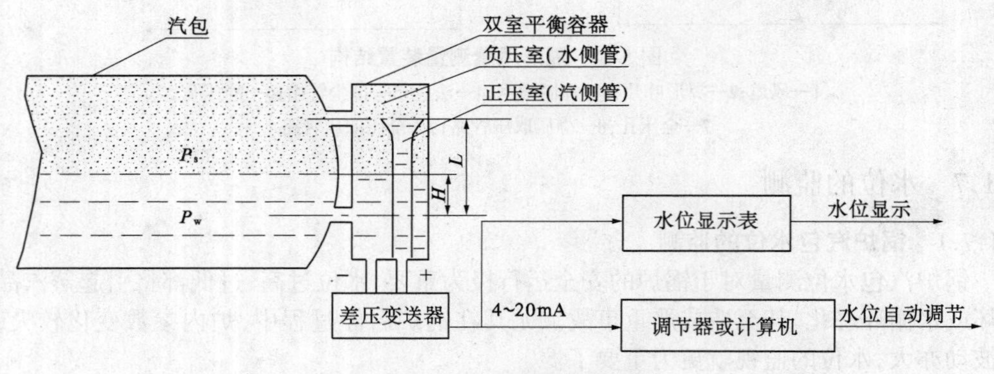

图5-26 差压式水位计框图

3)电接点水位计

电接点水位计是利用与受压容器相连通的测量筒上的电接点浸没在水中与裸露在蒸汽中的导电率的差异特性来实现水位测量的,它属于一种电阻式水位测量仪表。其结构原理是,在与汽包形成连通管的水位测量筒圆周上以120°的夹角分三排,沿高度交错排列与筒壁绝缘的电极,筒壁为公共电极。当汽包水位到达某一电极处,接通它与公共电极之间形成的电接点,供远距离显示水位、报警,甚至为调节系统提供水位信号之用。

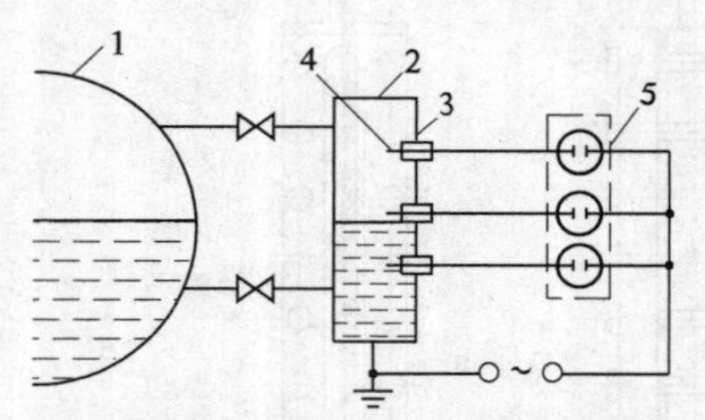

图5-27 电接点水位计的组成

1—汽包;2—水位容器;3—电接点;4—电极芯;5—水位显示器

电接点水位计组成如图5-27所示,是由水位容器、电接点及水位显示仪表等组成。电接点是该仪表的重要部件,有以超纯氧化铝瓷管作绝缘子和以聚四氟乙烯作绝缘子两大类。前者用于高压、超高压锅炉,后者用于中、低压锅炉。

(1)超纯氧化铝绝缘电接点,其结构如图5-28所示。电极芯6和瓷封件1钎焊在一起,作为一个极;电极螺栓4和瓷封件3焊在一起,作为另一个极(即公共接地极),两者之间用超纯氧化铝管和芯管绝缘隔离开。

(2)聚四氟乙烯绝缘电接点,其结构如图5-29所示。它具有很好的抗腐蚀性能,对于强酸、强碱和强氧化剂,即使在较高温度下也不发生任何作用。其使用温度为180~250℃,适合于水质较差的中压锅炉。

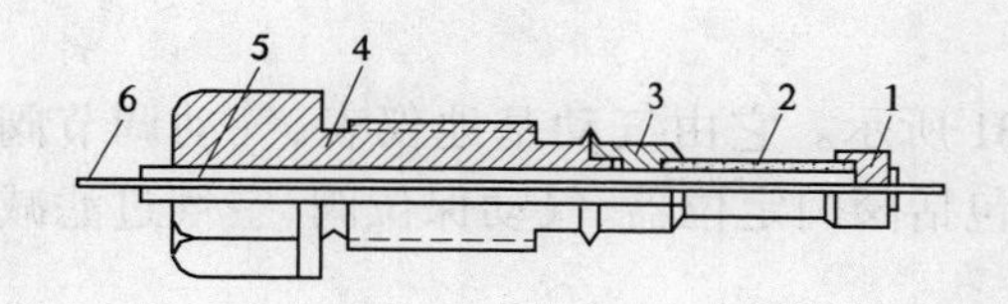

图 5-28　超纯氧化铝绝缘的电接点结构

1—瓷封件；2—绝缘子；3—瓷封件；
4—电机螺栓；5—芯杆绝缘套；6—电极芯

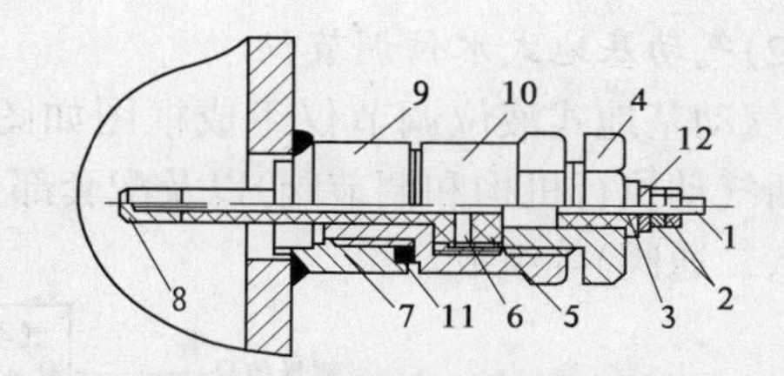

图 5-29　聚四氟乙烯绝缘电接点

1—电极芯；2—接线螺丝；3—同芯绝缘套；4—压紧螺栓；
5—绝缘垫；6—制动圈；7—密封绝缘套；8—电极头；
9—接管座；10—电极座；11—紫铜片；12—垫片

电接点水位显示方式常分为氖灯显示、双色显示和数字显示三种。

目前，火电机组的远传汽包水位计中，200MW 及以下机组的锅炉上一般分别配备了双色水位计（汽包水位 TV）、电接点汽包水位计和差压式汽包水位计，电接点水位计用于汽包水位保护、报警，差压水位计用于水位自动调节系统；300MW 及以上机组的锅炉上一般仅配备双色水位计（汽包水位 TV）、差压式汽包水位计，差压式汽包水位计同时应用于水位保护、报警和自动调节系统中。

5.1.7.2　除氧器、加热器、凝汽器水位

对于除氧器、加热器、凝汽器水位监视的仪表一般采用以下几种方式：

（1）就地指示仪表使用玻璃管式水位计。

（2）差压水位计，用于水位自动调节系统。

（3）电接点水位计，用于就地监视，或直接接入主控室数字显示、水位保护及报警。

5.1.7.3　水位的调节

1）电子式水位调节仪

加热器电子式水位调节仪，其工作原理如图 5-30 所示。当加热器壳体内的水位发生变化时，压差形成器发出压差变化信号，经过压差变送器把压差信号转换成电信号，再经调整器放大，作用到电动执行机构，通过传动杠杆使升降式疏水调节阀开大或关小，从而改变疏水流量，调整加热器的水位。

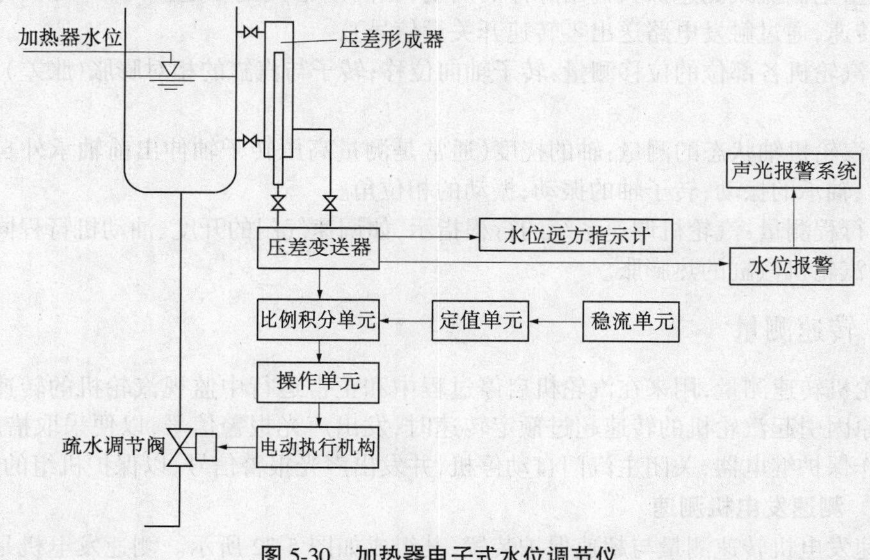

图 5-30　加热器电子式水位调节仪

2)气动基地式水位调节仪

气动基地式液位调节仪组成框图如图 5-31 所示。它由气动基地仪表、气动调节阀(包括气动执行机构和调节阀)以及配套部件(包括阀门定位器、气动保位阀、空气过滤减压阀、二通阀)等组成。

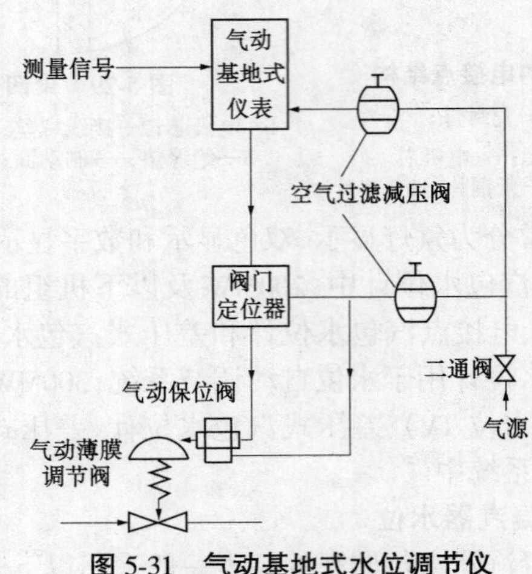

图 5-31 气动基地式水位调节仪

5.2 火电厂机械量的监测

为确保火电厂汽轮机的安全运行,在汽轮机上均装设了各种汽轮机机械监测装置,除提供监视各机械量外,还提供超信号送到报警系统和保护系统。电厂中的机械量测量项目包括以下几部分。

(1)汽轮机转动状态的测量:主要测量转速、加速度(速度的导数,将测得的模拟量转速信号通过微分电路即可得到,用于在汽轮机升速过程中控制速度变化率)、零转速(在停机时,测量电涡流式测速探头输出脉冲的周期,当周期增大到一定值时,即可认为转速已接近零转速,通过触发电路送出零转速开关量信号)。

(2)汽轮机各部位的位移测量:转子轴向位移;转子与汽缸的相对膨胀(胀差);汽缸的热膨胀。

(3)汽轮机轴状态的测量:轴的挠度(通常是测量高压转子轴伸出前轴承外自由端的偏心度);轴承的振动;转子轴的振动;振动的相位角。

(4)行程测量:汽轮机调速系统的行程指示,如调速气门的开度、油动机行程同步器的形成等;汽轮机汽缸的热膨胀。

5.2.1 转速测量

汽轮机转速测量,用来在汽轮机启停过程中和正常运行中监视汽轮机的转速。当由于某种原因引起汽轮机的转速超过额定转速时,发出声光报警信号,以便采取措施;或者直接动作保护继电器,关闭主汽门自动停机,并发出声光报警信号,以保护机组的安全。

5.2.1.1 测速发电机测速

测速发电机转速测量与超速保护装置,其组成如图 5-32 所示。测速发电机是一个显极式四极交流发电机，其构造（如图 5-33 所示）主要由转子、静子联轴节所组成。测速发电机的转子通过弹簧联轴节与汽轮机转子前端相连接。当汽轮机转动时，带动测速发电机的转子转动，在绕组中便感应出电势。各绕组的感应电势与汽轮机的转速成比例，因而在各个表计上便指示出相应的转速。

机头转速表装在汽轮机的前轴承盖上。

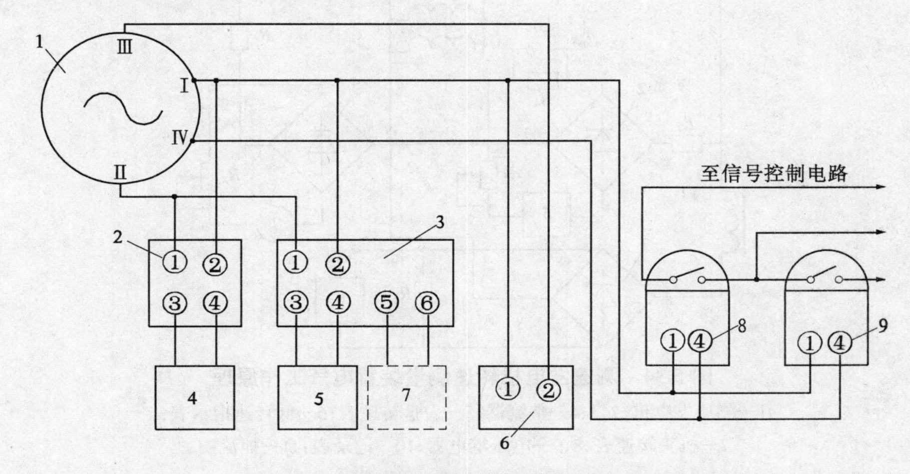

图 5-32　转速测量与超速保护装置组成方框图

1—测速发电机；2、3—测量装置；4—低转速表指示表；5—表盘转速表；6—机头转速表；7—记录表；8、9—电压继电器

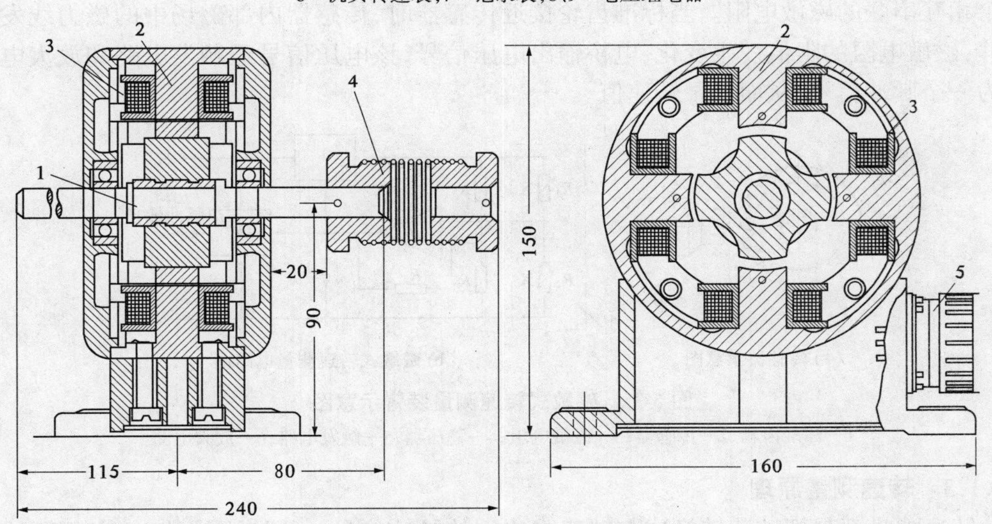

图 5-33　测速发电机的构造　（单位：mm）

1—转子；2—静子；3—绕组；4—弹簧连轴节；5—绕组引出线接头

测速发电机转速测量装置电气工作原理如图 5-34 所示。绕组Ⅰ、Ⅱ和Ⅲ共接在一点。绕组Ⅱ的输出通过整流器 2、3 分别接到表盘转速表 5 和低转速指示表 6。绕组Ⅲ的输出通过整流器 4 接到机头转速表 7。绕组Ⅰ和Ⅳ相串联后的输出，接到电压继电器 8 和 9 上，构成超速保护回路。

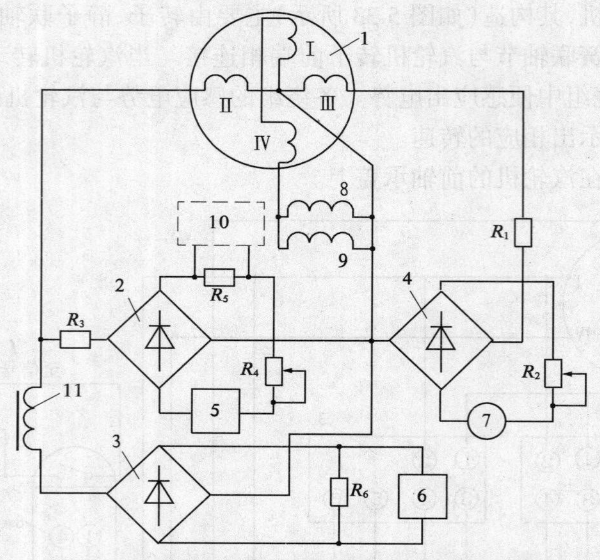

图 5-34　测速发电机转速测量装置电气工作原理

1—测速发电机;2、3、4—整流器;5—表盘转速表;6—低转速指示表;

7—机头转速表;8、9—电压继电器;10—记录表;11—扼流圈

5.2.1.2　磁敏式测速装置

磁敏测速装置的组成如图 5-35 所示,传感器内装有一个小永久磁铁,在磁铁上装有两个相互串联的磁敏电阻。当标准齿轮接近传感器时,传感器内部磁场中的磁力线发生偏移,磁敏电阻的阻值发生变化,电桥输出电压信号,该电压信号经触发电路和放大电路成为一个脉冲信号,从而记录转速值。

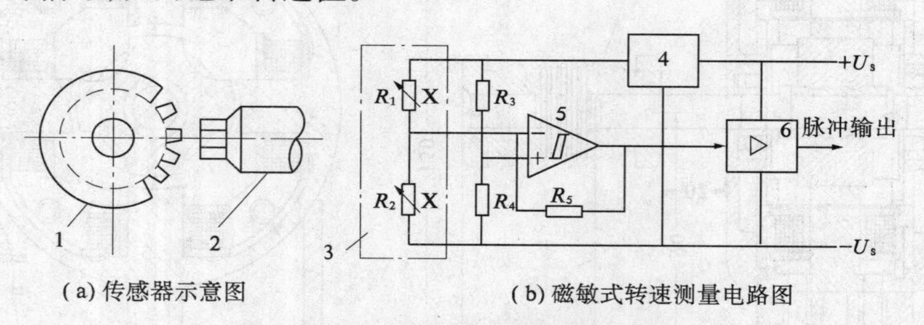

图 5-35　磁敏式转速测量装置示意图

1—标准齿轮;2—传感器;3—磁敏电阻;4—稳压器;5—触发电路;6—放大电路

5.2.1.3　转速测量原理

转速测量都是把转速转换成与转速成比例的脉冲信号。要读出转速,还必须要计算这些脉冲数。根据计算方法分为测频算法与测周期算法,相应的监测仪分为数字转速监测仪和零转速监测仪。

1)数字转速监测仪

数字转速检测仪的测量原理一般为计数法测频率,即测定在预定的标准时基内进入计数器的待测信号脉冲的个数,从而求得待测转数。图 5-36 为其工作原理图。

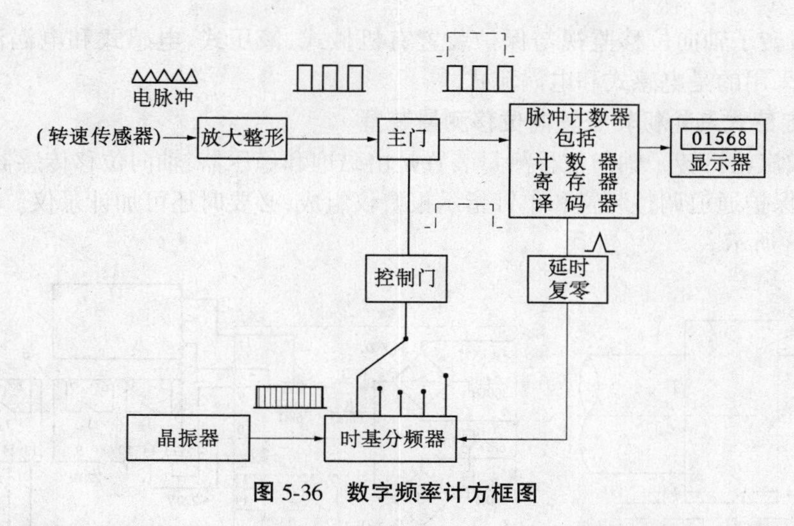

图 5-36 数字频率计方框图

由转速传感器输出的电脉冲信号(频率为 f_x,经过放大整形成幅度一致的脉冲波形如矩形波),被传到主门的输入端。由晶体振荡器产生的标准频率,频率较高,经过时基分频器加以分频后,变成为每 1s 一次、每 10s 一次等的低频脉冲信号,称为秒信号,两个秒信号之间的间隔即为 1s、10s 等的标准时基 ts。当选定一个标准时基 ts 后,设第一个秒信号进入控制门后,使主门开启,允许被测信号 f_x 通过,计数器随之计数;经 ts 后,当第二个秒信号进入控制门,使主门关闭,不允许待测信号 f_x 通过,计数器停止计数。

这种数字式测频法,由于存在故有的量化误差,当转速很低时,数字转速表的精度很低。因此,这种转速表有一个最低的转速测量值,即当转速低于最低值时,数字转速显示为空白。

2)零转速监测仪

零转速监测仪用于连续监视机组的零转速状态,常采用反测法,即先测出被测信号的周期,再以周期的倒数来求得被测频率,这样可提高测量准确度。图 5-37 为测周期的原理框图。

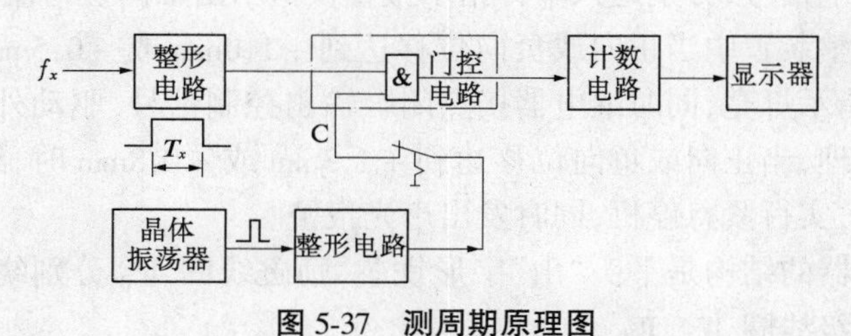

图 5-37 测周期原理图

当转速传感器发出的脉冲周期大于报警周期时,说明汽轮机的转速很低,为了防止大轴弯曲,需启动盘车装置,此时控制电路将使报警继电器动作。

5.2.2 汽轮机转子轴向位移测量

汽轮机转子轴向位移测量装置用于测量汽轮机转子的轴向位移,并当轴向位移过大时,发出报警信号或迫使汽轮机停机,同时自动记忆该停机信号,起到保护作用。

汽轮机转子轴向位移监视与保护装置有机械式、液压式、电感式和电涡流式四大类型，目前常采用的是电感式和电涡流式。

5.2.2.1 电感式汽轮机转子轴向位移测量装置

电感式汽轮机转子轴向位移测量装置是由磁饱和稳压器、轴向位移传感器、测量通道调整装置、保护通道调整装置和单针指示报警仪组成，必要时还可加计录仪。其组成方框图如图 5-38 所示。

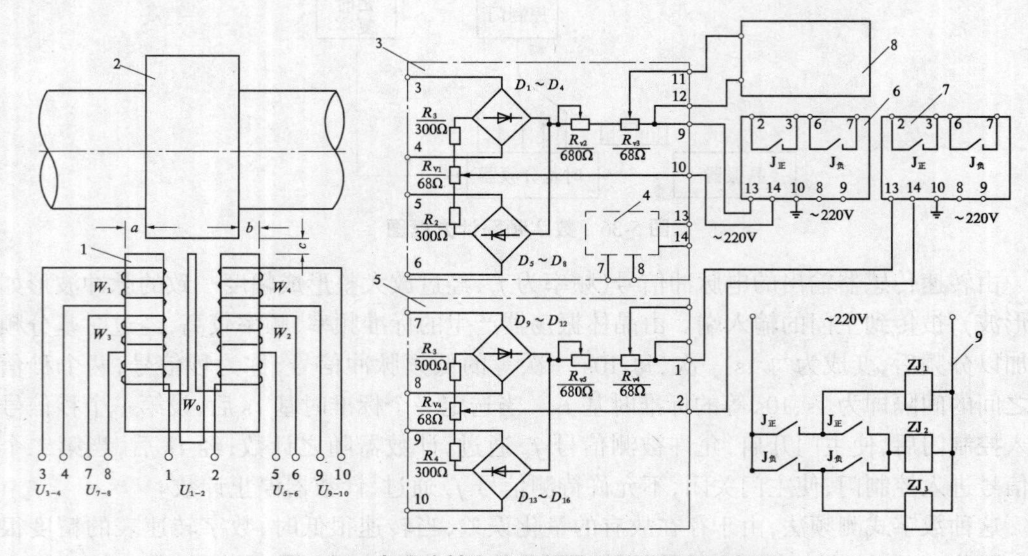

图 5-38 电感式轴向位移测量保护装置组成框图

1—轴向位移传感器；2—测量凸缘；3—测量通道调整装置；4—磁饱和稳压器；5—保护通道调整装置；6、7—报警指示灯；8—记录表；9—控制回路

轴向位移传感器在磁饱和稳压器供给励磁电压的作用下，将汽轮机转子轴向位移变化量转换成交流感应电压，分别送入测量通道调整装置和保护通道调整装置，经整流和差动比较后输出直流电信号，分别送入单针指示报警仪指示出轴向位移值。

在保护通道调整装置中当正向或负向位移达到 +1.0mm 或 -0.5mm 时，正负报警电路动作，正负报警指示灯亮，同时继电器接点闭合输出控制信号，驱动外部报警控制电路发出声光报警。同理，当正向或负向位移达到 +1.3mm 或 -0.8mm 时，继电器动作，驱动外部保护控制电路，实行紧急停机，同时发出声光报警。

轴向位移传感器的结构是平头“山”字形铁芯，励磁线圈 W_0 分别绕在两侧柱上。两侧柱上绕有两个次级线圈 W_1、W_2、W_3、W_4。

由测量通道调整装置内的磁饱和稳压器，经端子 7、8 向位移传感器供给 16V 交流励磁电压。在该励磁电压的作用下，将汽轮机转子轴向位移变化量转换成四个电压信号。其中感应电压 U_{3-4}和 U_{5-6}分别送到测量通道调整装置的输入端 3、4 和 5、6，经两个二极管整流器整流和差动比较后，由端子 9、10 输出电流信号送入指示报警仪，指示出轴向位移值，亦可由端子 11、12 输出电压信号供给记录表。

轴向位移传感器的安装如图 5-39 所示，将位移传感器的调整支架 5 安装到汽轮机轴承座内壁3上，然后将传感器6安装在调整支架上，要求传感器的中心线与汽轮机轴中心线垂直。

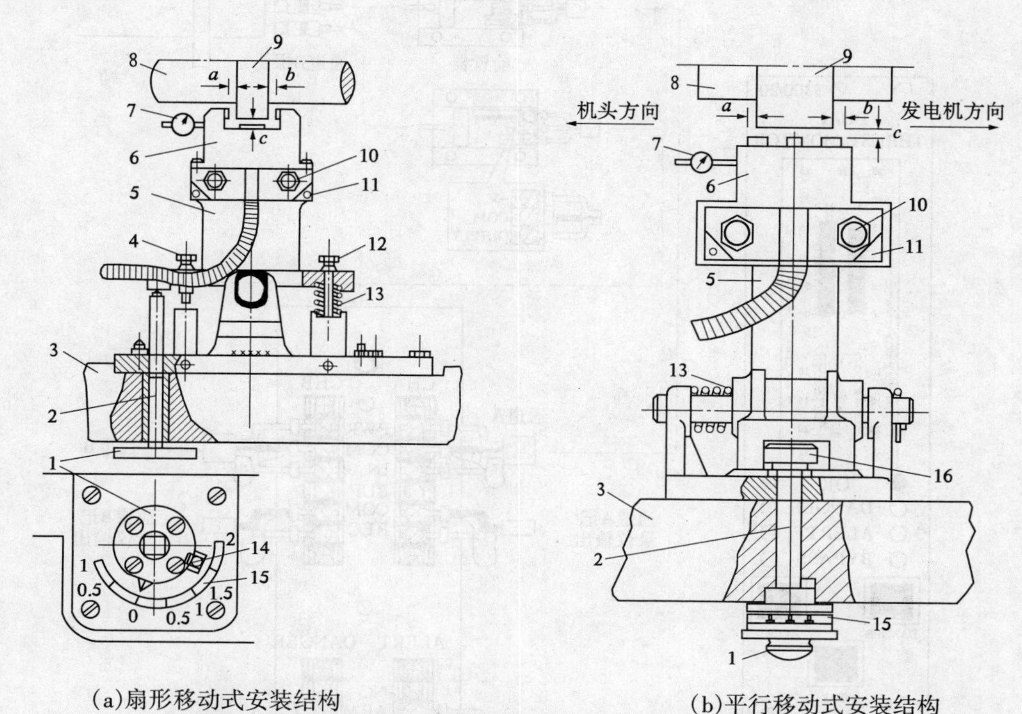

(a)扇形移动式安装结构

(b)平行移动式安装结构

图5-39 轴向位移传感器安装在汽轮机上的示意图(两种安装结构)

1—手轮；2—调节螺丝杆；3—轴承座内壁；4、12—止动螺丝；5—调整支架；6—位移传感器；7—千分表；8—汽机主轴；9—转子凸缘；10—固定螺丝；11—定位销孔；13—弹簧；14—固定螺丝和制动块；15—刻度盘；16—偏心轮

5.2.2.2 电涡流式转子轴向位移测量装置

该测量装置是利用涡流传感器的输出电压与其被测金属表面的垂直距离在一定范围内成正比的关系，将位移信号转换成电压信号送至前置放大器，经整形放大后，输出0～24V DC电压信号，送至监测器进行信号处理，输出开关量信号至汽轮机跳闸保护系统实现保护功能，同时送出4～20mA、0～10V DC或1～5V DC模拟量信号至记录仪。图5-40为轴向位移信号传递原理图。

通道A与B采取完全对称的双选式结构，两个通道都独立地、连续地在监视器的显示器上显示读数，以提高系统的可靠性。

5.2.3 汽轮机相对膨胀测量

汽轮机相对膨胀测量装置用于测量汽轮机转子与汽缸之间的相对膨胀值，并当相对膨胀值达到整定值时发出报警信号，同时自动记忆该报警信号。

5.2.3.1 电感式相对膨胀监测装置

电感式相对膨胀监测装置，由位移传感器(左、右各一个)、调整装置(磁饱和稳压器和测量部分)、指示仪表三部分组成。其工作原理如图5-41所示。

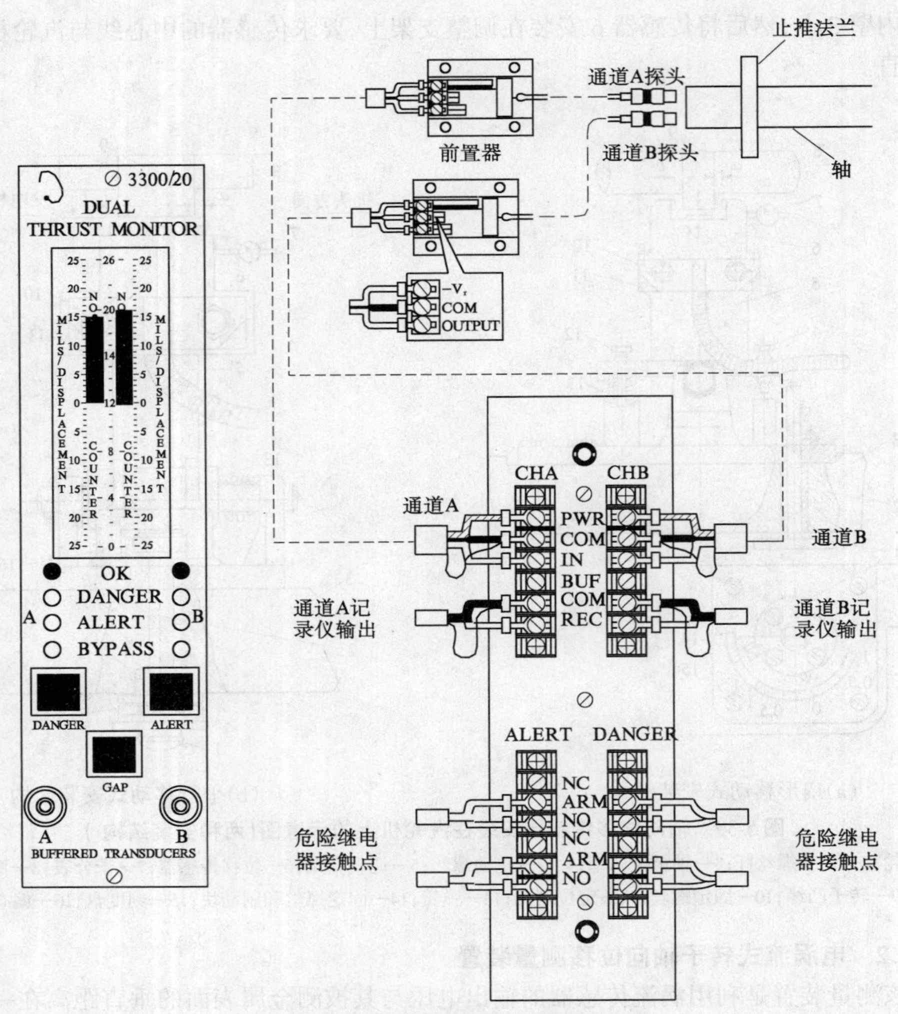

图 5-40　轴向位移信号传递原理图

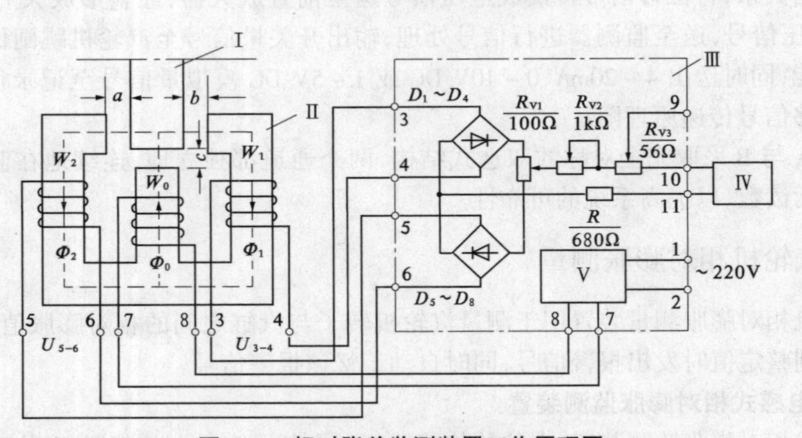

图 5-41　相对胀差监测装置工作原理图

Ⅰ—转子凸缘；Ⅱ—相对膨胀传感器；Ⅲ—调整装置；Ⅳ—指示表；Ⅴ—磁饱和稳压器

传感器的铁芯用山形硅钢片叠成,初级励磁绕组布置在铁芯的中心导磁柱上,次级绕组布置在铁芯左右侧导磁柱上。

当初级励磁绕组通过交变电流时,次级绕组就产生感应电势。当汽轮机转子与汽缸受热膨胀(或冷却收缩)时,由于膨胀(或收缩)不同,这二者之间产生相对位移,则转子的凸缘与两个位移传感器左右侧间隙就发生变化,改变磁阻,使次级绕组的感应电势也随之发生变化。该感应电势送入调整装置中,经整流放大后,送入指示仪表指示出相对膨胀值。

采用两个位移传感器对称布置的目的,是要有效地抑制汽轮机在运行中特别是在启动过程中,由于转子的径向摆动而引起的附加指示误差、继电器的误动作以及指示表的摆动。

相对膨胀传感器安装如图 5-42 所示,拖板支架安装在汽轮机轴承箱内,传感器用固定螺栓安装在拖板架上。

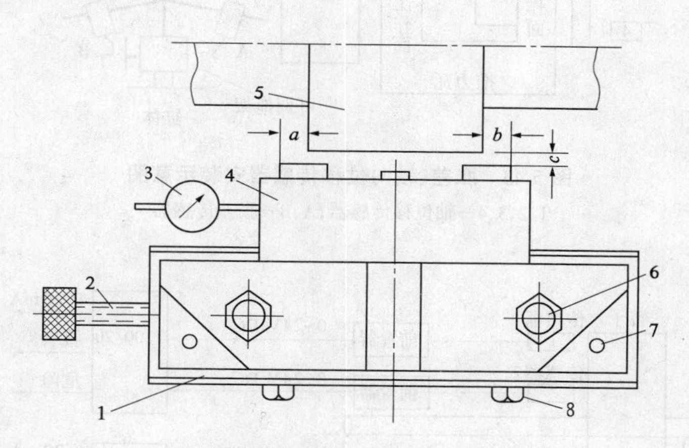

图 5-42　相对膨胀传感器安装示意图

1—拖板支架;2—调节螺丝;3—千分表;4—传感器;5—转子凸缘;
6—固定螺丝;7—定位销孔;8—锁紧螺丝

5.2.3.2　电涡流斜坡式胀差监测装置

电涡流斜坡式胀差监测装置是利用涡流传感器的输出电压与其被测金属表面的垂直距离在一定范围内成正比的关系,将位移信号转换成电压信号送至监测仪表,从而实现监测和保护的目的。

胀差、轴向位移传感器安装示意图如图 5-43 所示。胀差传感器固定在汽缸体上,而传感器的被测金属表面铸造在转子上。因此,汽缸与转子受热膨胀的相对差值称为胀差。根据“输出电压与其被测金属表面的垂直距离在一定范围内成正比”的关系,该差值被涡流传感器测得,并利用转子上被测表面加工的 8°斜坡将传感器的测量范围进行放大,其换算关系为

$$\delta = L \times \sin 8^{\circ}$$

式中　δ——传感器与被测金属表面的垂直距离;

　　L——胀差。

传感器将其与被测斜坡表面的垂直距离转换成直流电压信号送至前置放大器进行整形放大后，输出 0～24V 电压信号至斜坡式胀差监测器，分别将传感器的信号进行叠加与运算后进行胀差显示，并输出开关量信号至保护回路进行报警和跳闸保护，同时送出 4～20mA、0～10V DC 或 1～5V DC 模拟量信号至记录仪。胀差信号传递原理如图 5-44 所示。

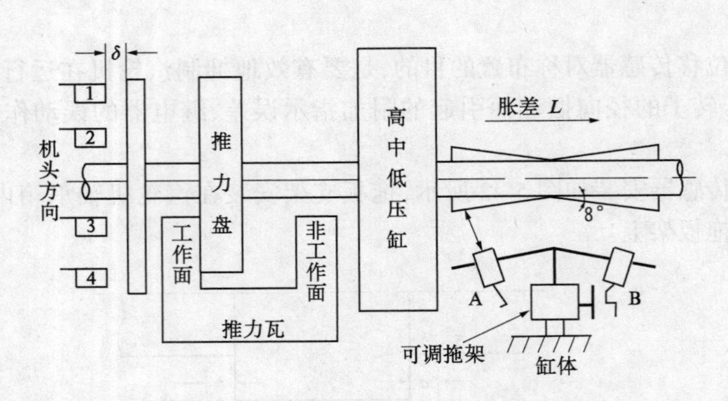

图 5-43　胀差、轴向位移传感器安装示意图

1、2、3、4—轴位移传感器；A、B—胀差传感器

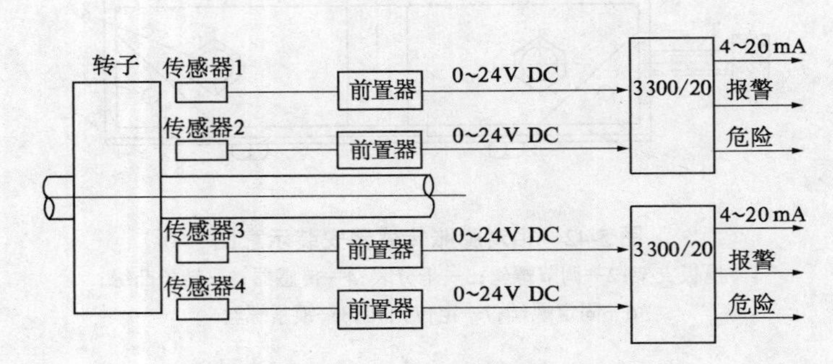

图 5-44　胀差信号传递原理图

1、2、3、4—81724－00－07－10－02 型涡流传感器

5.2.4　汽缸热膨胀监测装置

目前火电厂中，测量汽缸的热膨胀，常采用电感式位移传感器。

5.2.4.1　接触式电感热膨胀监测装置

接触式电感热膨胀装置示意图如图 5-45 所示，传感器安装于固定台板上，硬铅杆顶在装于汽缸的支持器上。当汽缸向左移动时，指针 4 逆时针偏转，指示出位移值(即汽缸的膨胀值)。同时，由于差动变压器铁芯向左移动，差动变压器次级线圈产生差动电压输出。

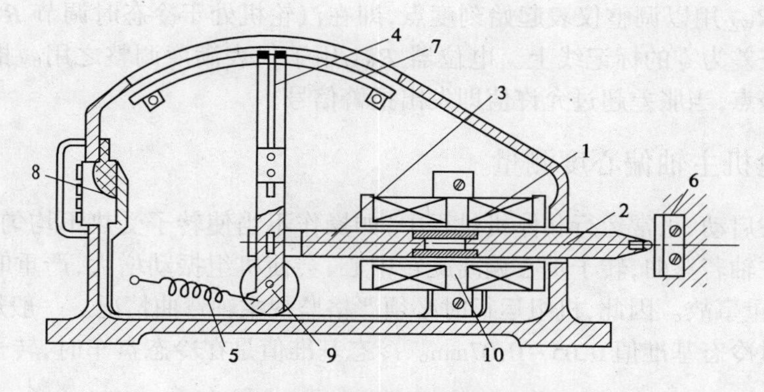

图 5-45 接触式电感热膨胀装置示意图

1—铁芯；2—硬铅杆头；3—杆尾；4—指针；5—弹簧；6—支持器；7—刻度盘；8—接线板；9—支点；10—差动变压器

5.2.4.2 电感式热膨胀量的测量装置

电感式热膨胀量的测量装置，其工作原理如图 5-46 所示。其传感器是由两个 Π 型铁芯及绕在铁芯上的线圈 W_1、W_2 所组成。两个检测线圈相串连，并与电源变压器次级线圈 W_3、W_4 组成一交流电桥。当转子上的圆盘处于两铁芯中间位置时，电桥输出为零。当转子相对汽缸有位移（既有热膨胀胀差）时，两铁芯与圆盘之间的间隙一个变大一个变小，使得两检测线圈的感抗发生变化，互不相等，因此电桥将有不平衡电压输出。该输出电压经同步整流电路转变为相应的直流电流，送入指示记录仪表进行显示和记录。

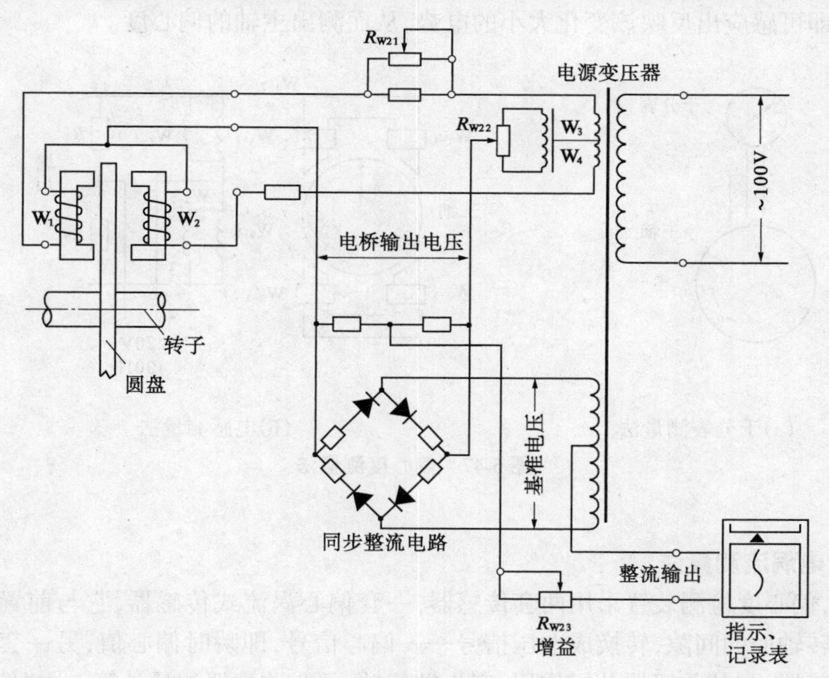

图 5-46 电感式胀差测量装置工作原理图

电位器 R_{W22}用以调整仪表起始刻度点，即在汽轮机处于冷态时调节 R_{W22}，使指示仪表指针指在胀差为零的标记线上。电位器 R_{W23}用于仪表满度调整之用。指示记录仪表一般带有报警点，当胀差超过允许值即发出报警信号。

5.2.5 汽轮机主轴偏心度测量

汽轮机在启动、正常运行和停机过程中，如操作不当使转子受热不均匀，则可能引起主轴弯曲。主轴若弯曲，转子重心偏离旋转中心，会使机组振动增大，严重时会引起动静摩擦，造成严重事故。因此，机组运行时必须严格监视主轴弯曲情况。一般规定汽轮机主轴弯曲不超过冷态基准值 0.05～0.07mm。冷态基准值是在冷态盘车时，转子的弯曲偏心值。

汽轮机主轴偏心度测量方法一般有以下几种。

5.2.5.1 千分表测量法

这是监视主轴弯曲程度的最简单的方法。如图 5-47(a)所示，在汽轮机主轴轴端位置装一块千分表，当主轴转动时，轴端上下晃摆，将使千分表指针左右摆动，主轴偏心度值等于指针左右摆动差值(即主轴晃动度)之一半。该方法可用于汽轮机安装、检修及停机后对轴偏心度的检查。

5.2.5.2 电感测量法

电感测量法的原理如图 5-47(b)所示，将两个 π 形铁芯，处于主轴上下。当主轴旋转时，由于主轴有偏心度，主轴与铁芯之间的上下气隙大小将交替产生变化，绕在 π 形铁芯上的线圈即可感应出反映该变化大小的电势，从而测出主轴的偏心度。

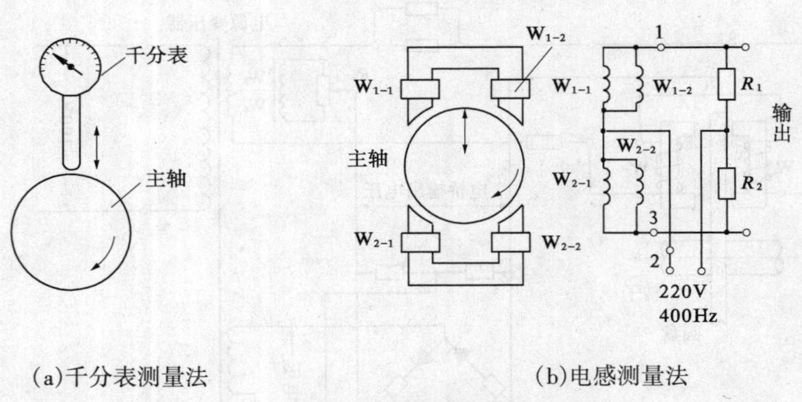

图 5-47 偏心度测量法

5.2.5.3 电涡流测量法

目前，偏心度检测装置采用两套传感器，一套偏心涡流式传感器，它与前置器一起将探头和旋转轴面的间隙，转换成电压信号——偏心信号，即瞬时偏心值；另一套为键相位式涡流传感器，与其前置器共同作用，产生轴每转一圈，监视器测量计算一次“偏心峰—峰值”的同步信号。其监测器系统框图如图 5-48 所示。

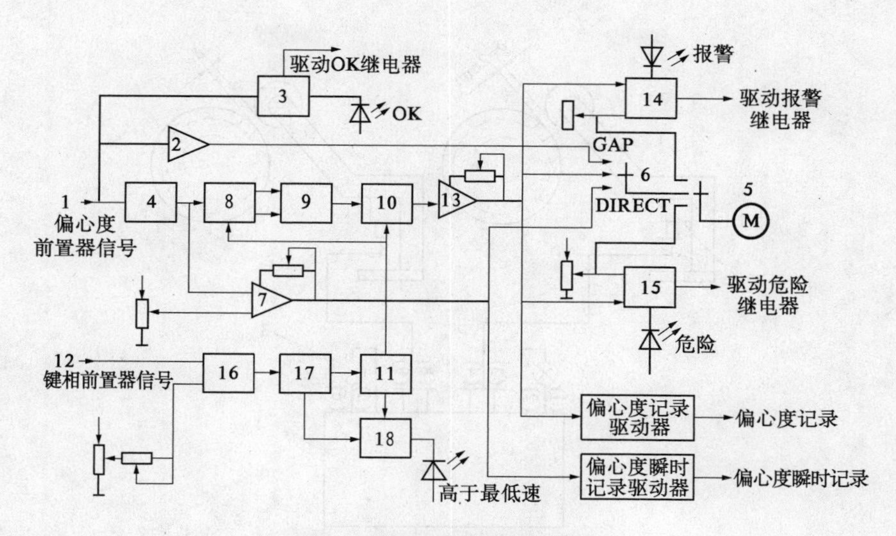

图 5-48　偏心度监测器系统框图

1—输入信号；2—缓冲放大器；3—OK 电路；4—低通滤波器；5—指示器；6—开关；7—函数放大器；8—检波器；9—加法器；10—采样保持放大器；11—定时控制电路；12—键相前置器；13—增益放大器；14—报警电路；15—危险电路；16—触发和滞后电路；17—脉冲整形器；18—转速监测器

由前置器来的信号同时被送往缓冲放大器 2、OK 电路 3 和低通滤波器 4，如果开关 6 放在 GAP 位置，缓冲放大器输出就被送往面板上的前置器测试点和面板指示器 5，用于检查偏心度前置器输出的间隙电压。

低通滤波器的输出信号同时输往函数放大器 7 和峰—峰检波器 8，如果开关放在 DIRECT位置，偏心度瞬时信号可直接输向记录器和面板指示器。从峰—峰检波器 8 来的输出信号被加法器 9 相加，并转变成为与之成正比例的直流信号加到采样保持放大器 10 上。在转速低于 600r/min 时，主轴每转一圈，采样一次，并于定时控制器 11 来的定时信号同步。该定时控制电路由键相前置器 12 的输出信号所控制。采样保持放大器 10 上的输出信号经增益放大器 13 放大，成为 0 ~ 10V DC 信号。该信号同时输往报警电路 14 和危险电路 15。键相前置器来的信号先经触发和滞后电路 16,，通过电位器调整出发时间和滞后时间，然后输入脉冲整形器 17，最低运行转速监测器将从脉冲整形器来的键相频率预定时控制器来的振荡器频率相比较，如果键相器频率大于振荡器频率，面板上的高于最低速指示灯就亮，反之灯灭，即偏心度监视器内的时间控制脉冲在转速大于某值时取用监测器来的脉冲信号，否则取用控制电路中的振荡脉冲。

5.2.6　汽轮机危急遮断器动作指示器

汽轮机危急遮断器动作指示器用于监视危急遮断器的动作情况，危急遮断器撞击子飞出时，就发出灯光信号并自动记忆该信号。

本装置为机械触点式的结构，如图 5-49 所示。它由机械撞击杠杆、微动开关、就地指示灯、电器部分组成。危急遮断器撞击子飞出之前，杠杆压住微动开关，使它处于常开状态；撞击子飞出后，即抬起杠杆，使微动开关动作，从而使相应的继电器动作，发出灯光信号。

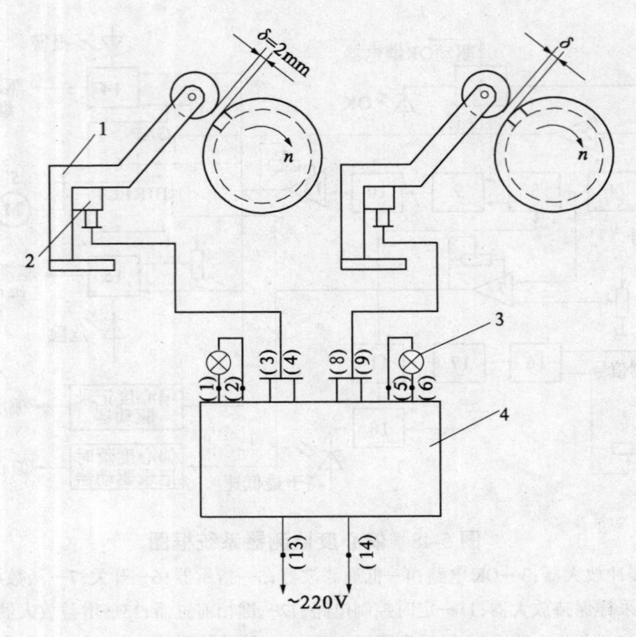

图 5-49　危急遮断器动作指示器

1—撞击杠杆;2—微动开关;3—就地指示灯;4—电气部分

5.3　炉膛火焰电视监视系统

火力发电厂中,火焰检测系统是炉膛安全监控系统中的一个十分重要的组成部分。该系统可靠与否,直接关系到炉膛的安全运行。

锅炉炉膛火焰信号一般用工业电视传送到控制室进行监视,其传输系统由四部分组成。

(1)摄像部分:将景像和数据信息转变为电视信号,称为工业电视摄像机。

(2)传输部分:将电视信号与控制信号传输到监视端,称为工业电视的传输通道。一般采用电缆通道。

(3)控制部分:此部分控制着整个工业电视系统工作,并对信号进行加工处理与切换,称为工业电视的控制器。

(4)显示部分:将电视信号还原为图像与数据信息,它实际上是一个专用的电视接收机,称为工业电视监视器。

摄像部分是炉膛火焰电视检视的关键部位。为了实现从锅炉点火到正常运行及灭火的全过程监视,常将摄像机的探头伸入炉膛壁内,即安装位置为内窥式,这就需要解决摄像机探头的耐高温、防结焦、防尘等问题和自身的保护措施。

5.3.1　内窥气冷式火焰监视系统

高温内窥气冷式火焰监视系统,其组成结构如图 5-50 所示,主要部件的功能和特点如以下几个方面。

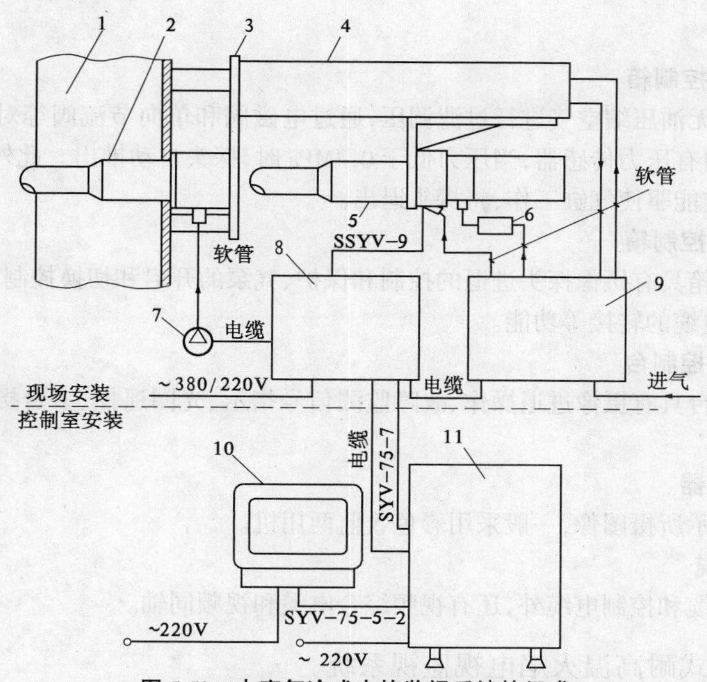

图 5-50 内窥气冷式火焰监视系统的组成

1—炉壁;2—防护罩;3—炉壁连接体;4—气动推进器;5—摄像镜头;6—制冷器;
7—气泵;8—电气控制箱;9—气动控制箱;10—监视器;11—集中控制台

5.3.1.1 防护罩和炉壁连接体

此两者为一整体结构,安装在炉壁的观察孔内。防护罩内有门封、隔热套等,由气泵供给大于 0.01MPa 压力的冷却风,以吸收炉壁传到外部的辐射热。

5.3.1.2 摄像探头

它是系统的主要部件,由以下几部分组成:

(1)图像传感器采用固体摄像器件,将光学镜头成像面分成几十万个像素,经光电电荷转换后,转移输出,最后形成视频信号。

(2)高温镜头是一种高温针,孔式望远镜光轴与镜头轴的夹角为 110°,它采用中继物镜两次成像系统,使成像在远离观察孔的摄像机上,减少进入摄像机的热辐射。

(3)冷却保护套用来保护镜头和图像传感器,是由不锈钢制成的双层结构的圆形客体。外层风冷(由气动控制箱直接供给压缩空气),内层由制冷器输出的冷却气体冷却并吹扫镜头。保护套管内装有温度传感器,温度 45℃时探头退出。

5.3.1.3 制冷器

制冷器内为一螺旋体,压缩空气的高速旋转使冷热分子分离,输出冷气进入探头,热气排空。

5.3.1.4 气动推进器

气动推进器由无杆气缸和传动导轨组成,它将固定在其上的探头送入或退出防护罩。

5.3.1.5 气泵

采用双联气泵定时切换工作方式,系统装有压力传感器。当压力低于 0.01MPa 时,探头自动推出。

5.3.1.6 气动控制箱

对输入的无油压缩空气进行过滤调压，通过电磁阀和单向节流阀等对气缸进退具有控制作用，向内有压力传感器，当压力低于 0.4MPa 时，探头自动推出。此外，还有储气罐，当气源中断，它能驱使气缸工作，将探头退出。

5.3.1.7 电气控制箱

电气控制箱具有摄像探头进退的控制和保护、气泵的开启和切换控制、图像传感器信号传递、综合电缆的转接等功能。

5.3.1.8 集中控制台

集中控制台具有摄像进退操作、故障监测信号指示、光圈遥控、多台摄像机视频切换等功能。

5.3.1.9 监视器

监视器显示所摄图像，一般采用彩色收监两用机。

5.3.1.10 电缆

除电源电缆和控制电缆外，还有视频综合电缆和视频同轴。

5.3.2 内窥式耐高温火焰电视监视系统

内窥式耐高温火焰电视监视系统，如图 5-51 所示。其主要特点是延长管和潜望镜管使摄像机远离热源，潜望镜头可耐高温 1 300℃。摄像机内所用的少量冷却风仅起吹灰作用，一旦风停，不会烧坏镜头。此外还配有手动除焦装置和电动除焦装置，两者兼容。

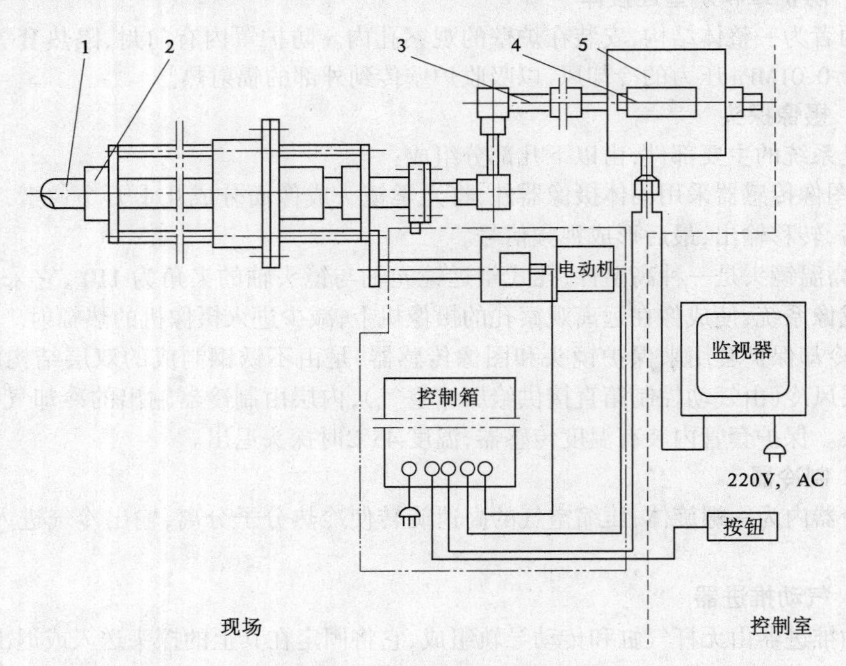

图 5-51 内窥式耐高温火焰电视监视系统的组成

1—镜头；2—除焦装置；3—外延管；4—摄像机；5—保护罩

5.4 成分分析仪表

在火力发电厂中,为了保证机组安全经济运行,需对某些气体(如烟气、氢气等)和液体(如除盐水、锅炉给水、凝结水等)的成分进行测定。

5.4.1 烟气含氧量分析仪

锅炉燃烧的好坏,通常用氧化锆氧量分析器测量烟气的含氧量来判断。

氧化锆氧量分析器由氧化锆探头、控制器、显示仪表等部分组成。氧化锆是一种金属氧化物的陶瓷制成的管子,其内外壁高温熔烧上铂电极和引线,内侧通入参比空气,外侧与被测烟气接触。在一定的温度下(一般为 600 ~ 850℃),当两侧氧分压(即氧浓度)不同时,在两电极间产生浓差电动势,测得此电动势即可测定烟气中的氧含量。根据被测烟气温度不同,探头有直接插入和定温插入两种安装方式。前者测点温度在 600 ~ 850℃范围内,并要求有补偿装置消除温度对测量结果的影响,如图 5-52 所示;后者用于被测烟气温度低于 600℃的场合,并有电加热装置和温度控制器使氧化锆处在一恒定的温度下,有直插定温式和旁路定温式两种。图 5-53 为旁路定温式氧化锆氧量分析仪测量系统图。

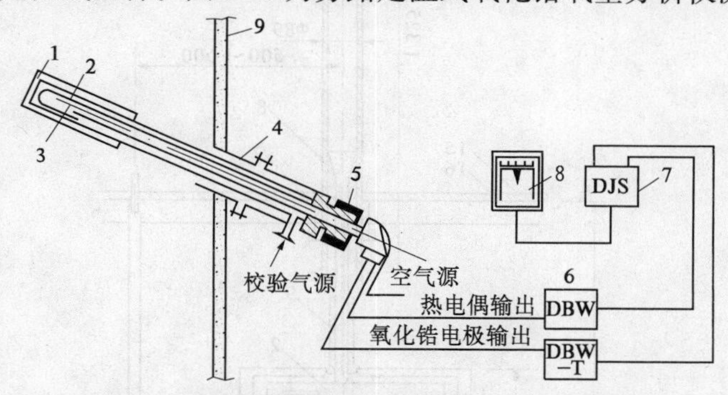

图 5-52　直插补偿式氧化锆氧量分析仪测量系统

1—过滤器;2—氧化锆管;3—热电偶;4—法兰;5—活接头;6—毫伏变送器;7—乘除器;8—显示仪表;9—炉墙

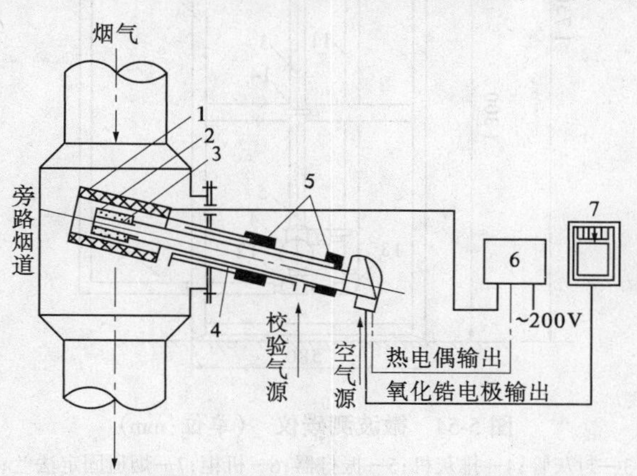

图 5-53　旁路定温式氧化锆氧量分析仪测量系统

1—定温电炉;2—过滤器;3—氧化锆管;4—氧化铝管;5—活接头;6—外温度控制器;7—显示仪表

5.4.2 锅炉飞灰含碳量监测

采用微波测碳系统来测量燃烧煤粉的锅炉飞灰含碳量,以指导锅炉燃烧调整。锅炉内未被燃烧的煤粉在高温条件下转化为石墨微粒,而石墨粉是吸收微波的良好材料。在微波电磁场中,石墨感生了微波电流,此电流流过石墨而产生热量,从而把微波电磁场的能量转化成了热能,飞灰中的石墨微粒浓度越高,它吸收微波能量的作用越强,反之亦然。因此,可用测量飞灰吸收微波能量的多少来测量煤粉含碳量。微波测碳仪如图 5-54 所示。该仪器安装在除尘器前的尾部水平烟道下面。灰经取样管 1 进入微波测碳仪主机 2,由排灰机 4 排出的飞灰利用烟道的负压,经抽灰管 10 吸回烟道内。

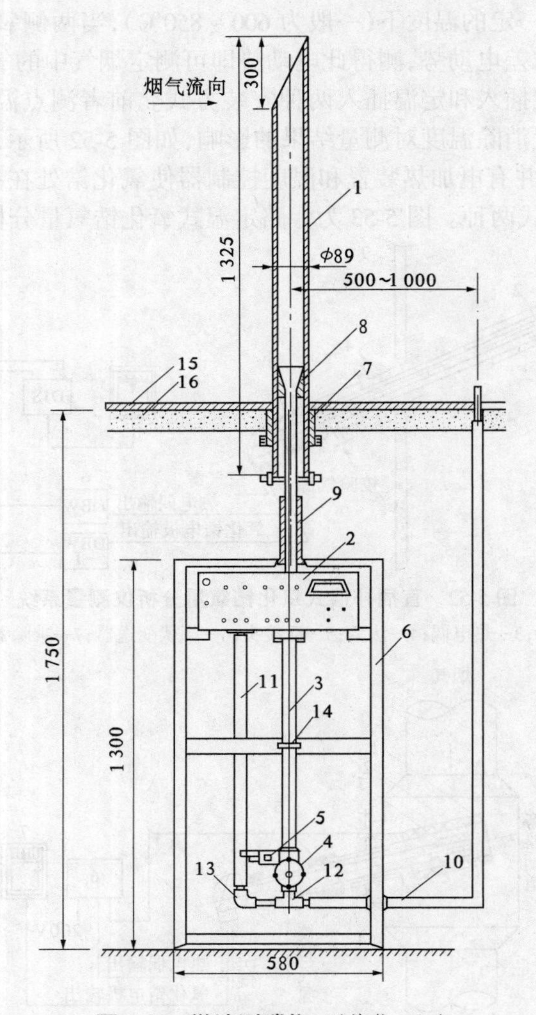

图 5-54 微波测碳仪 (单位:mm)

1—取样管;2—主机;3—封灰管;4—排灰机;5—振打器;6—机柜;7—烟道固定法兰;8—漏斗;9—连接管;10—抽灰管;11—风冷管;12—三通;13—弯头;14—卡环;15—烟道下壁;16—保温层

5.4.3 工业电导仪

电厂中常用工业电导仪测量锅炉给水、水冷发电机冷却水、汽轮机凝结水、化学除盐水等的电导率。它由发送器、转换器、显示仪表三部分组成。

工业电导仪发送器的结构如图5-55所示，主要由电极与电阻温度计组成。发送器内部的电极多用不锈钢制作，它与被测介质接触，感应介质的电导率变化。电极用屏蔽电缆与转换器连接，其线芯接到内电极接线片上，屏蔽层接到外电极接线片上。电阻温度计用以补偿被测溶液的温度变化。

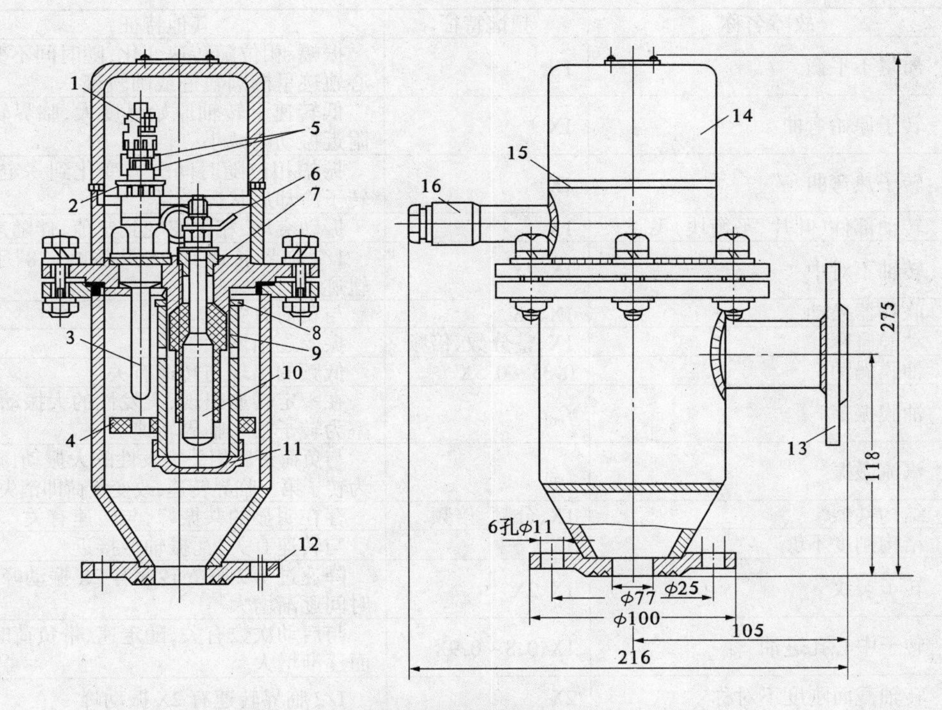

图5-55　工业电导仪发送器结构图　（单位：mm）

1—温度计引线插头；2—插头固定螺母；3—温度计；4—挡板；5—温度计接线柱；6—内电极接线片；7—外电极接线片；8—外电极固定螺母；9—外电极固定套管；10—内电极；11—外电极；12—进水法兰；13—出水法兰；14—出线防护罩；15—橡皮圈；16—出线套管

转换器把发送器电极所感受到的电导率变化，转换为0～10mA直流电流输出，可用于接动圈指示仪表和记录仪表。

5.5 汽轮发电机组的振动

5.5.1 汽轮发电机组振动的原因

汽轮发电机组的振动，往往是多种复杂因素综合作用的结果。了解振动产生的根源，对振动试验人员、检修和运行人员都是同等重要的。运行人员若能根据振动特征，及时对振动原因作出正确地判断和恰当的处理，就可以有效地防止事故的进一步扩大，从而避免或减少事故所造成的危害。检修人员了解振动的原因，则相当一部分振动原因问题可以在检修安装中预防和消除。

表 5-1 是汽轮发电机组振动汇总表，表中给出了机组可能的振动故障种类，简单地列出了各种故障和故障主要的频域特性和时变特性。此表可供现场振动分析和故障诊断时参考。

表 5-1　　汽轮发电机组振动故障特征汇总表

序号	故障名称	频谱特征	其他特征
1	质量不平衡	1X	振幅、相位随转速变化，随时间不变轴心轨迹呈椭圆轨迹或圆轨迹
2	转子原始弯曲	1X	低转速下转轴原始晃度大，临界转速附近振动略减小
3	转子热弯曲	1X	振幅相位随时间缓慢变化到一定值，转子冷却后状况恢复
4	转动部件(叶片、平衡块)飞脱	1X	振动突增，相位突变到定值，伴随声响
5	转轴不对中	1X、2X	1/2 临界转速有 2X 共振峰，“8”字型轨迹
6	联轴器松动	1X、2X	与负荷有关
7	动静碰摩	1X、整分数、倍频	振幅逐渐增大
8	油膜涡动	0.35～0.5X	低频的出现与转速有关
9	油膜振荡	f_{cril}	在一定转速出现，突发性的大振动，频率为转子第一临界转速
10	汽流激振	f_{cril}	与负荷密切相关突发性的大振动，频率为转子第一临界转速，改变负荷即消失
11	结构共振	1X、分频、倍频	存在明显的共振峰，与转速有关
12	结构刚度不够	1X	与转速有关，瓦振轴振接近
13	转子裂纹	1X、2X	降速过 1/2 临界转速有 2X 振动峰，随时间逐渐增大
14	转子中心孔进油	1X、0.8～0.9X	与启动次数有关，随定速、带负荷时间而逐渐增大
15	转轴截面刚度不对称	2X	1/2 临界转速有 2X 振动峰
16	轴承座刚度不对称	2X	垂直、水平振动大
17	轴承磨损	1X、次同步	1X、0.5X、1.5X 高
18	轴承座松动	1X	与基础振动差大
19	瓦盖松动，紧力不足	1X、1/2X	可能出现和差振动或拍振
20	瓦体球面接触不良	1X 和其他	振幅不稳定
21	叶轮松动	1X	相位不稳定，但恢复性好
22	轴承供油不足	1X	瓦温回油温度过高
23	匝间短路	1X、2X	和励磁电流有关
24	冷却通道堵塞	1X	与风压、时间有关
25	励磁不对中	2X	随有功增大
26	密封瓦碰摩	1X、2X	振幅逐渐增大

5.5.2 振动测试内容

5.5.2.1 新机投运中的振动测试

新机投运中的振动测试是必须要进行的主要常规项目。通常要测试的项目有:低转速时的振动;各阶临界转速和过临界转速的最大振动值,3 000r/min 的振动;超速试验时的振动;带负荷过程振动;额定负荷的振动。

该阶段的振动测试,是对新机组制造和安装质量的检验,此阶段的振动数据作为该机组的振动原始资料,为今后正常运行提供判断故障的依据。因此,要对机组的每一个轴承三个方向的振幅和相位进行测量记录,如有可能还应测量记录转轴的振幅和相位。

启停过程中主要是降速过程中应记录各轴承各方向的幅频特性和相频特性,以确定机组的临界转速特性。轴上的白线或贴锡箔纸的位置应作永久标志。

5.5.2.2 运行中的振动监测

机组运行中的振动监测是了解机组振动状态的变化,通过振动监测,取得机组有可能发生故障的信息。

5.5.2.3 振动试验中的振动测试

当机组发生故障时,为了诊断,需要进行振动试验,试验中的测试内容根据需要而定。

5.5.2.4 研究性的振动测试

为了对机组设计制造安装和运行中发生的振动问题进行探讨和研究,往往需要进行一些研究性的振动测试,例如模态测量。

5.5.3 传感器

汽轮发电机组的振动测试使用的传感器有涡流传感器、速度传感器和加速度传感器三种。下面对这些传感器分别进行说明。

5.5.3.1 电涡流传感器

目前,电涡流传感器被广泛的应用在汽轮发电机组的振动测量中,主要用来进行下列内容的测量。

1)转轴的径向振动

包括转轴的径向相对振动和绝对振动。如果涡流传感器固定在轴瓦上,测取的是转轴与轴承之间的相对振动。如果传感器固定在基础上,则测取的振动近似认为是转轴的绝对振动。

2)转轴在轴承中的静态位置

利用涡流传感器间隙电压可以准确地测量转轴在轴承中的静态位置,有的被称做平均位置。这个参数是诊断转子稳定性的关键数据。测量静态位置需要安装两个互相垂直的涡流传感器,间隙电压与转轴表面到探头的距离成比例,可以被换算为距离,进而确定轴颈的位置坐标。

3)转轴表面几何形状

利用涡流传感器可以测量转轴外表面的几何形状,作用和机械百分表完全相同,所不同的是百分表直接指示位移量,而涡流传感器得到的是间隙电压,还需转换成位移。它也可以用来测量大轴弯曲。这些测量都要在转轴处于盘车状态或人工转动大轴的情况下进行。

4)键相信号

涡流传感器还有一个重要的用途是测取键相信号。与光电传感器相比,将涡流传感器作为键相传感器更为可靠,但这样需要在大轴上作出一个小的凹槽。

涡流传感器结构简单、尺寸小,对于汽轮发电机组振动来说,具有合适的频响范围,标定较容易。但是,当振动物体材料不同时,影响传感器线性范围和灵敏度,需要重新标定。同时须外加电源,安装比较麻烦,要求十分严格,而且必须配前置器。

5.5.3.2 速度传感器

速度传感器是目前较常见的一种振动传感器,用来测量轴承座、机壳或者基础的振动。按其支承系统工作原理分为绝对式和相对式两种,而相对式速度传感器目前很少使用。

用于机组长期监测的速度传感器用螺钉固定在瓦盖表面,临时加装的传感器用磁座吸附上去。这样,对于非铁质材料的部位自然无法使用磁座,在这种情况下可以吸附在附近位置,N200MW 机组的发电机端盖处即如此。

5.5.3.3 复合式传感器

复合式传感器由一个速度传感器和电涡流传感器组合而成,放在一个壳体内,壳体可以安装在机组的同一个测点上,如图 5-56 所示。

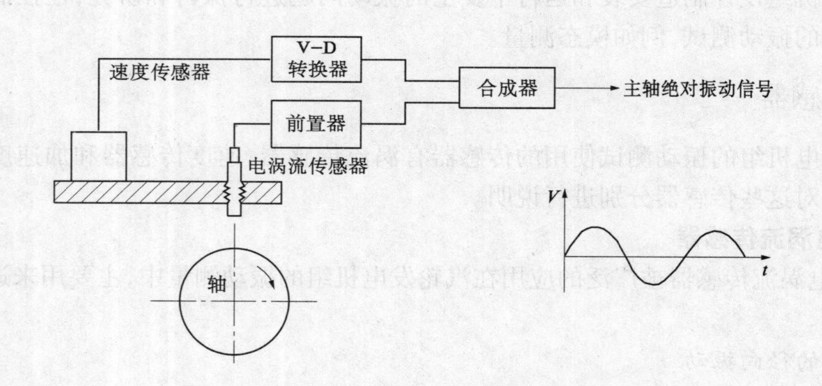

图 5-56 复合式振动传感器示意图

使用速度传感器测量轴承座的绝对振动;而用电涡流传感器测量主轴相对于轴承座的振动,即主轴的相对振动,然后将两个振动信号(矢量)叠加,可获得主轴绝对振动。

图 5-57 示意了复合式传感器的测量原理框图,电涡流传感器所得到的位移变化量 ΔH,通过前置器转换为电压信号 ΔV_1,经放大后获得振动信号变化量 V_1;速度传感器所测 Δv 经 V－D 转换器,把速度信号变换为位移信号 ΔV_2,经放大后获得振动位移电压 V_2。为了获得正确的幅值和相位关系,在频响范围的低频端进行显位补偿。两个振动位移信号送到加法器上,加法器输出端输出的便是主轴的绝对振动位移信号,再经过高通滤波,峰—峰检波后送表头显示。

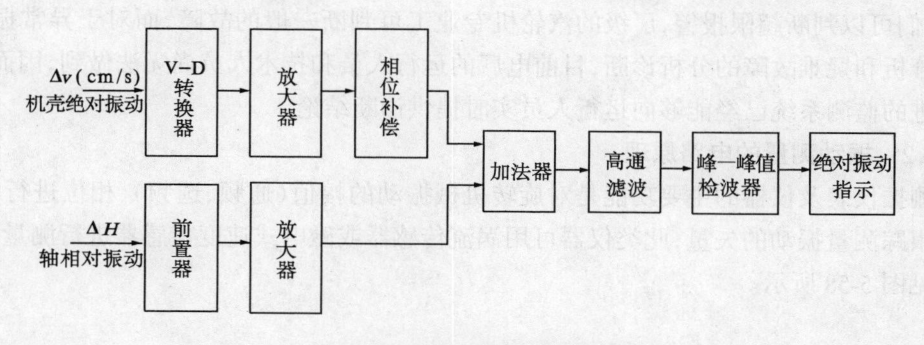

图 5-57　复合式传感器测量原理方框图

5.5.3.4　加速度传感器

加速度传感器主要用于发电机定子端部线圈、汽轮机叶片的振动测试。

5.5.4　测振仪器

5.5.4.1　测振仪表的特点

汽轮发电机组的振动测试仪器有长期检测用的仪表系统以及临时测试分析用的便携式测振仪器两大类。长期检测仪表在国内的大型机组上已普遍配备，有的是大机组引进时随主机一同进来的国外的检测系统，还有的是单独从国外购进来配置的检测系统，也有国内各单位自行研制的仪表或系统。

这类仪表和系统具有以下特点：

(1)功能由单一的振动为主向多参数的状态监测发展。这些仪表系统除了监测振动量外，汽轮机、发电机的其他相关的重要过程参数也同时被检测、记录。由于振动测试对采样速度和信号处理的特殊要求，使得振动仪表和系统处于电厂其他振动监控系统无法囊括和代替的地位。在这些系统中可以加进的振动监测只能是机组振动最简单最基本的内容，这对为提高大型机组运行安全而日趋完善的状态监测是远远不够的。相反，在以振动监测为主的系统中加进过程参数的监测倒是容易做到，这对提高主机在线故障诊断的准确度是十分有意义的。

(2)系统的配置可以根据监测对象灵活进行组态。硬件部分，每种模块的功能增多，板件种类减少，然后根据监测对象和目的确定系统构成；组态后的软件系统在专用软件上完成，监测参数的设置非常灵活。这种改革极大地提高了系统的可靠性。

(3)系统向网络化发展，网络通信功能齐全。它们都遵守网络协议，方便连到外部现有的公共信息网络或电厂专用的监测网络上。利用这些网络可以将监测信息做到远距离传输，供有关人员使用。

(4)具有诊断功能。在进行状态监测时，利用采集的振动数据和过程参数数据进行在线实时自动诊断，协助运行人员对机组状况作出判断。尽管状态监测系统可以提供机组当前状况的丰富信息，但是面对这些信息，运行人员准确及时地处理机组的故障是很困难的，他们可以判断超限报警，厂级的汽轮机专业工可判断一般的故障，而对于异常振动信号的分析和疑难故障的分析诊断，目前电厂的运行人员和技术人员尚无法做到，因而当前最先进的监测系统已经能够向运行人员实时提供诊断结论。

5.5.4.2 **振动测量的电路原理**

测振仪表及仪器的主要功能是对旋转机械振动的幅值（通频、选频）、相位进行测量，并可跟踪测量振动的矢量；此类仪器可用涡流传感器或磁电式速度传感器进行测量，基本原理见图 5-58 所示。

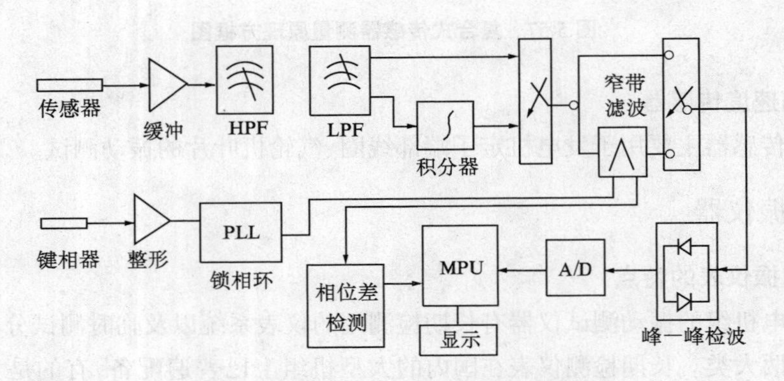

图 5-58 测振仪表电路的基本原理框图

振动信号由传感器探头拾取，送至仪器，经缓冲放大接收、低通滤波器去除高频噪声，高通滤波器滤去非振动信号。若传感器使用的是涡流探头，则信号经峰—峰检波电路提取振动信号的正 - 负最大峰值，送至 A/D（数模转换器）由单片机进行数据处理，计算出相应的振动量；若使用磁电式传感器测量轴承座振动，则信号经积分器得到相应的位移信号后，送至峰—峰检波器处理。键相器产生的脉冲由锁相环控制一个窄带滤波器，对振动信号在频域上进行扫描，完成分频和倍频的测量，同时由窄带滤波器输出的单一频率信号以键相信号为相位基准，完成相位的测量。

这种仪器通常制作为双通道，可以胜任一般的现场测试，如轴心轨迹的测量、动平衡的测量等。其特点是特征量由硬件电路预先提取，MPU 主要完成数据处理及一些控制，分析速度较快，可以跟踪旋转机械的启、停车瞬态快变信号；由于 MPU 的参与，因此具备实时数据存储、打印的功能。其缺点是元器件用得较多。

另一种测试分析仪是由软件大量代替硬件的功能，见图 5-59。这种仪器的外部可接多个传感器，由 MPU 控制多路开关，有顺序地扫描多个传感器信号，信号调整电路将信号归一化处理后送至 A/D 转换为数字信号由 MPU 处理。MPU 可通过快速傅里叶变换计算出各矢量的振幅相位，并将其显示、打印、存储。这类仪器特点是硬件大量缩减，可靠性相对较高。但由于 MPU 受到速度及转换时间的限制，通道数不可能很多，一般为 8 通道以下。

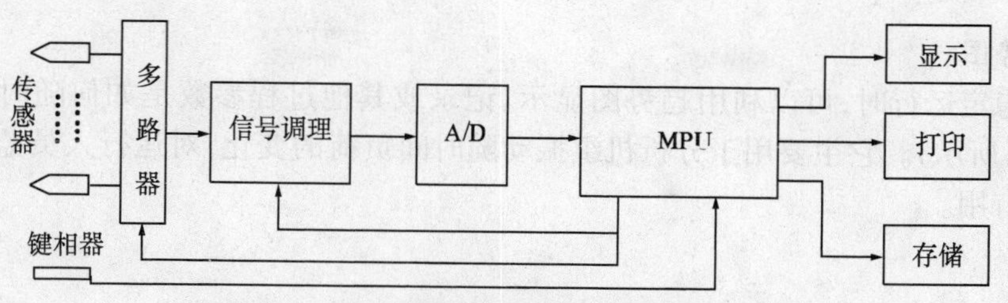

图 5-59　测试分析仪电路的基本原理框图

为充分发挥这种系统的优势，目前多采用将信号调整电路与 A/D 转换、MPU 分离，作成两部分，同时采用高速 A/D 及数字处理的方案，电路原理见图 5-60。

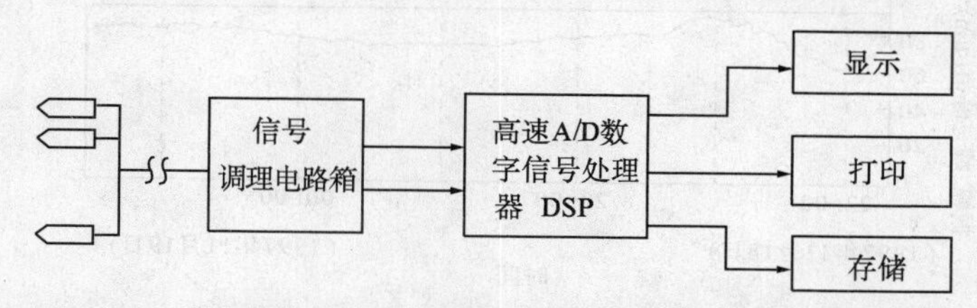

图 5-60　采用高速 A/D 及数字处理的测试分析仪电路原理框图

5.5.5　汽轮发电机组振动信号的特征图形

5.5.5.1　稳态数据特征图形

汽轮发电机组绝大多数时间是在转速不变的条件下工作的，机组在这种状态下所测得的振动数据称为稳态数据，对其分析的方法有以下几种。

1)频谱图

对时域波形进行频谱分析可以得到信号中所含各谐振分量的频率与幅值，将分析结果绘制在图上，称为频谱图(见图 5-61 所示)。频谱图是目前进行故障分析和整断的最普遍使用的图形。

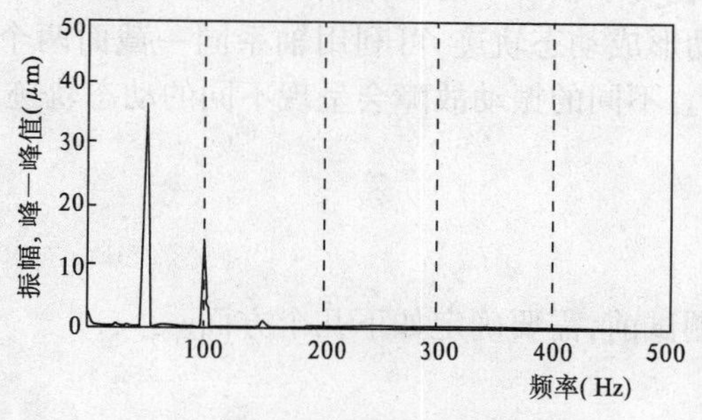

图 5-61　频谱图

2)瀑布图

用某一测点在一段时间内连续测得的一组频谱图顺序组成的三位频谱图，称为瀑布图。它主要用于分析定转速下出现的动静碰摩、热弯曲、气流激振等故障的诊断。

3)级联图

级联图是转速连续变化时，不同转速下得到的频谱图依次组成三维谱图。它主要用于分析振幅与转速有关的故障。如油膜涡动和油膜振荡。

4)趋势图

机组稳定运行时,可以利用趋势图显示、记录或其他过程参数是如何随时间变化的(如图 5-62 所示)。它主要用于分析机组振动随时间负荷的变化,对运行人员监视机组运行状况很有用。

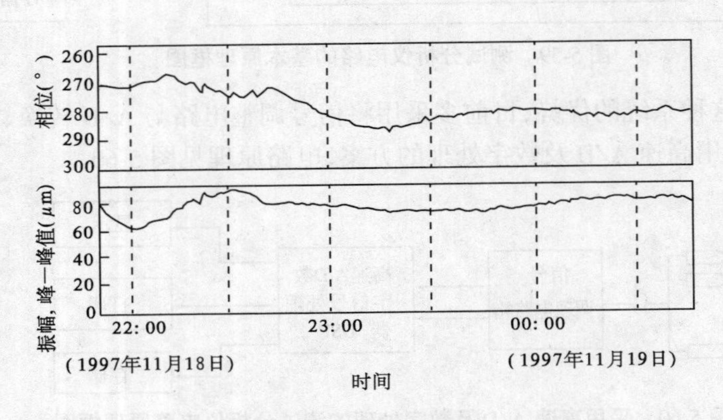

图 5-62 趋势图

5.5.5.2 瞬态数据的特征图形

机组处在启动或停机转速过程中所测得的振动数据称为瞬态数据。瞬态数据的特征图形有以下几种。

1)波特图、极坐标图

波特图、极坐标图是表示振动幅值、相位随转速变化的图形,主要用于确定汽轮发电机组的临界转速、结构共振、转子/轴承/支承系统的放大因子,以辅助进行高速动平衡。

2)轴心动态轨迹图

对应一定的转速,转轴在支承轴承中的工作点的位置是一定的。由于振动,转轴中心围绕这个工作点作周期运动形成动态轨迹,可利用轴系同一截面两个涡流传感器的位移信号,给出轴心动态轨迹图。不同的振动故障会呈现不同的动态轨迹。因而,轴心轨迹可以用来进行故障诊断。

5.5.6 现场振动测试

对一台机组进行振动测试前,需要确定如下几个方面。

5.5.6.1 测试内容的确定

常规振动测试包含如下几个内容。

1)各主要轴承的瓦振

在条件容许的情况下,测试所有轴承的瓦振。

瓦振的测量以垂直方向为主,水平方向为次,轴向振动作为参考。

新机组第一次冲转,应该保证每个主要轴承至少在垂直方向上安装一个速度传感器。对于特定目的的测试,可以在相关的几个轴承上的两个或三个方向进行测量。如果某个轴承的水平方向或轴向振动特别大,则应该以这些方向的测量为主。

动平衡时参与加重计算的轴承振动值多取自垂直方向,有时也用水平方向。因此,速度传感器的垂直方向应该取在轴承的正上方,取在偏向一边的垂直方向是不合适的。

2)各主要轴承处的轴振(相对轴振或绝对轴振)

过去汽轮发电机组传统的测试是瓦振。随着技术的发展,轴振的测试近年来也逐渐成为一项重要内容,尤其是300MW以上机组,轴振测试已经是必须的内容。

轴振有相对轴振和绝对轴振两种。如果传感器固定在轴承上,测取的是转轴相对于轴承座的振动,这是相对振动;转轴相对于绝对坐标的振动是绝对振动,测取绝对振动必须使涡流传感器固连于绝对坐标系,或采用其他的方法,如复合式传感器。目前机组的现场测试绝大多数是测取相对轴振。

轴振测试还进行下面两项内容:

(1)盘车状态。

(2)低转速(400~500r/min)时的轴振。

5.5.6.2 测振传感器类型的选取原则

现在常用传感器是以速度和涡流传感器为主。小机组的测试无论做动平衡或振动处理,一般使用速度传感器已足够。大机组的性能考核测试需要根据合同要求决定是测瓦振还是测轴振。存在振动缺陷的机组进行测试时,有时需要加装轴振测点,为了确定支撑系统和缸体等静止部件的振动往往需要加装速度传感器。测振传感器和键相传感器的安装在机组冲转前应该全部完成。

5.5.6.3 测点的选择原则

测点的选择原则有以下几条。

(1)首次冲转的新机组,需要设置尽可能多的测点,应该保证每个轴承上至少有一速度传感器或涡流传感器。

(2)大修后开机的机组,应该首先保证过去振动大的轴承安置有传感器,对于本次大修转子动过的相关轴承,也应有传感器。如发电机转子拔过护环,转子换过叶片,接长轴重新进行过调整,则应该在发电机轴承或汽轮机相邻轴承上安放传感器。

(3)需要进行动平衡的机组,除了在要降低振动的轴瓦处设置测点,还应在相邻轴承处加装测点。

(4)存在特殊振动故障的机组,为判断故障原因、寻找解决途径,要进行专项的测试和试验。根据测试目的和试验要求,重点部位加装测点,充分利用测振仪已有的通道,测点数量多比少好,记录数据多比少好,因为事先很难估计整个处理的难易程度,较多的相关数据对问题的分析都可能会有帮助。

5.5.6.4 测试工况、内容与步骤

测试前还应该确定测试工况:升降速、3 000r/min定速、超速、低负荷、变负荷过程以及满负荷等;对运行的特殊要求:升速率、暖机时间、真空、排汽缸温度、氢压、油温等以及测试步骤、试验安排的次序等。

常规测试项目有以下几项内容。

1)升降速振动测试

升降速测试是机组在升降速过程中对振动状况进行的测试和数据记录。它可以确定

轴系各级临界转速,在某一特定转速区段随转速的变化情况,确定支承系统和结构振动特性等。对于可能存在动静碰摩的机组,升速试验也是必须的。在逐渐升速过程观察振幅情况,特别是在临界转速之前。

2)3 000r/min 定速时的测量

机组冲转到 3 000r/min 时的振动状况是机组振动的重要数据,常常以此作为平衡的基础数据。有一部分机组振动随温度变化显著,冷态启动刚到3 000r/min和数十分钟后的振动会不同。因此,需要注意3 000r/min测量值与定速时间的关系。

3 000r/min 定速时的测量一般记录较全的数据,包括各轴承三个方向的振动,现有的全部轴振测点数据。

3)升负荷过程和满负荷的振动测量

满负荷时机组振动和 3 000r/min 时的振动一样是重要的数据。机组绝大多数时间是在满负荷状态下运行的,相对来说,它比机组处于其他状态下的振动更重要,因此对这个状态下机组的振动测量是必须的。

在对汽轮发电机组进行故障诊断和分析时,有时需要安排一些特殊的试验项目,观察机组某些特定运行参数发生变化时,振动是如何变化的,从中找出联系,以便确定振动原因。

特殊试验还包括下面几项内容。

1)超速试验

现场例行的考核危急保安器的超速试验最高转速是额定转速的 110% ~ 112%,即 3 300 ~ 3 360r/min;有些机组最高转速已经降到额定转速的 108% ~ 110%,对应的转速是 3 240 ~ 3 300r/min。利用超速试验可以对机组进行和转速相关的振动测试和有关的诊断性试验,如判断机组是否存在结构共振或转动部件松动及有无临界转速等。

2)变真空试验

真空影响到轴承座的标高、缸体的变形、通流部分径向间隙。真空度的提高使得缸体在外界大气压的作用下下沉,进而影响到以刚体为基础的轴承座的垂直位置。改变真空的同时,测试缸体在垂直方向的绝对位移和轴颈在轴承中的静态位置,从而为机组的故障分析与判断提供依据。

3)变油温试验

变油温试验主要可以用来判断轴承油膜失稳。油温提高后油黏度降低,轴颈的偏心率增大,如果因此使得转子原本存在的失稳消失,可以判断这种失稳很可能是油膜失稳。现场运行中,运行人员还常常利用改变油温的方法来控制振动的大小。

4)变调门开启次序试验

对高压转子的失稳,在确定主要原因是来自轴承、汽封,还是由于进汽使转子上浮所致,进行改变调门开启次序的试验是一项有效的判别方法。

为判断发电机 - 励磁机振动,常常还需进行如下试验:变励磁电流试验;变氢压试验。

5.5.6.5 汽轮发电机组振动监测和故障诊断系统

汽轮发电机组振动监测和故障诊断系统是固定在现场的在线式系统,其系统的组成如图 5-63 所示,每个轴承上分别装有两个涡流传感器测量转子的振动。两个传感器互相

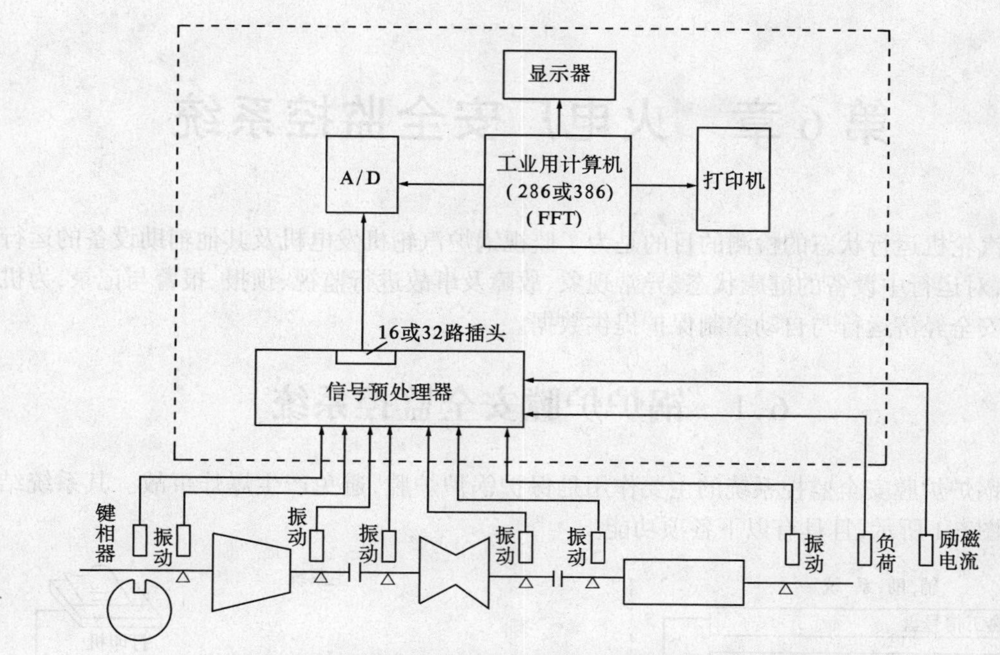

图 5-63　汽轮发电机组振动监测和故障诊断系统的组成

垂直,它们分别与水平方向呈 45°,共有 12 个振动测点。另外,在转轴的外露部位开了键槽,安装一涡流传感器测量转速兼作相位测量的基准位置。非振动信号的测点(如负荷、励磁电流、主蒸汽温度和压力、缸温等 20 个测点)所产生的信号也接入计算机中。

系统的主要功能:①实时在线采样;②实时在线信号分析;③机组启动、停机数据采集、分析、存储;④警报、危急识别和事故追忆;⑤日常数据采集、分析、存储;⑥查阅历史数据;⑦例行报告、报表输出;⑧振动特征分析,可绘波特图、振动频谱图、三维频谱图、轴心轨迹图及振动趋势图;⑨转子平衡重量计算;⑩振动故障诊断,可诊断不平衡、初始弯曲、热弯曲、对中度不好、轴瓦不稳定、油膜涡动、汽流激振、参数激振等。

习　题

5－1　对汽轮发电机组来说,产生振动的主要原因有哪些?

5－2　汽轮发电机组常规振动测试包括哪几项主要内容?

5－3　锅炉常用的测温仪表有哪些?

5－4　凝汽器低真空的保护装置有哪几种?各自的工作原理是什么?

5－5　汽轮机主轴的偏心度如何监测?

5－6　锅炉汽包的水位测量常用哪几种测量方法?

5－7　锅炉的送风量和引风量如何测定?

5－8　汽轮发电机组振动监测与故障诊断系统由哪几部分组成?其主要功能有哪些?

5－9　当汽轮机转子的轴向位移过大时,如何实现对机组的保护?

第6章　火电厂安全监控系统

汽轮机运行状态的检测的目的是为了监视锅炉汽轮机发电机及其他辅助设备的运行状态，对运行中设备的健康状态、异常现象、故障及事故进行监视、预报、报警与记录，为机组的安全经济运行与自动控制保护提供数据。

6.1　锅炉炉膛安全监控系统

锅炉炉膛安全监控系统的主要作用是保护锅炉炉膛，避免产生爆炸事故。其系统结构如图6-1所示，且具有以下各项功能。

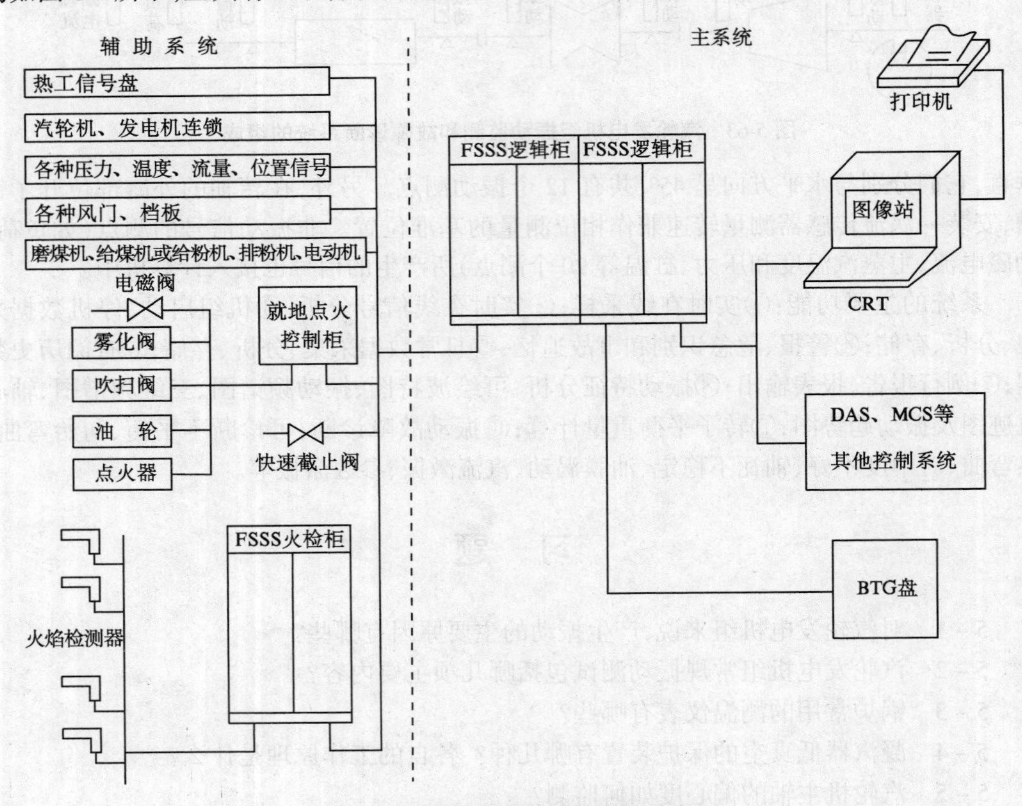

图6-1　锅炉炉膛监控系统结构示意图

(1)炉膛吹扫：锅炉熄火后和点火前，用加强通风方式将炉膛内的可燃混合物排尽。

(2)单个油燃烧器的控制：根据投入或切除油燃烧器的指令，按预定顺序控制点火器、风门挡板、油燃烧器和油阀等对象，投入或切除单个油燃烧器。

(3)油燃烧器的调度：根据锅炉负荷的需要自动增、减投入运行的油燃烧器的数量。

(4)单套制粉系统的控制:根据投入或切除制粉系统的指令,按预定顺序控制给煤机、磨煤机、一次风机和风门挡板等对象,投入或切除单套制粉系统。

(5)制粉系统的调度:根据锅炉负荷的需要自动增、减投入运行的制粉系统的数量。

(6)风机的控制:根据投入或切除锅炉通风系统的指令,按预定顺序启动吸风机、送风机、一次风机等。

(7)火焰监测:包括对每个油燃烧器和煤燃烧器的火焰进行单独检测,并提供单个油燃烧器、每层燃烧器、每角燃烧器和全炉膛的火焰信息。

(8)燃油泄油试验:根据燃油系统截断后油压变化,提供油系统泄漏的信息。

(9)锅炉循环泵的控制:根据指令启动或停止相应的锅炉水循环泵(对强制循环汽包锅炉)。

(10)总燃料跳闸:在跳闸系统的控制下,送出停炉信息给送风机、引风机、磨煤机等控制对象,使锅炉退出运行并同时启动炉膛清扫功能。

6.2 汽轮机数字式电液控制系统

汽轮机数字式电液控制系统,由微机控制系统和油系统两大部分组成,系统结构如图 6-2所示。其工作原理如图 6-3 所示。

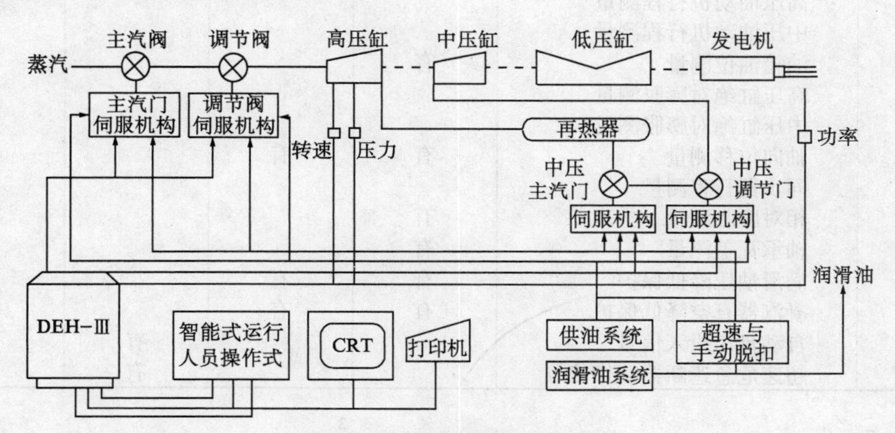

图 6-2　数字式电液控制系统

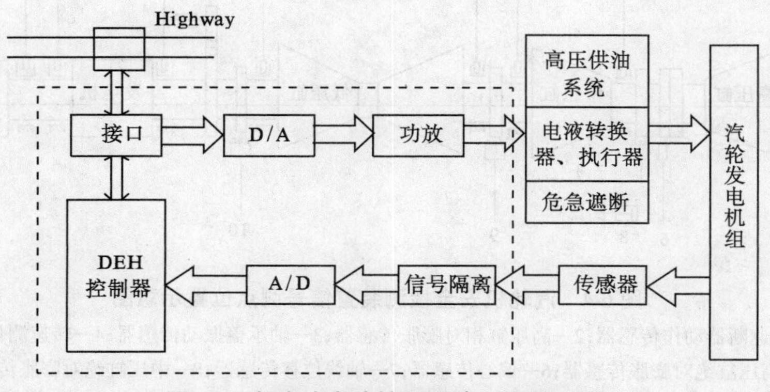

图 6-3　数字式电液控制系统工作原理图

传感器、隔离器(光电隔离、隔放大器)和模数(A/D)转换器构成了主控制器的数据采集通道,反映机组状态的参数(如油开关状态、金属温度、转子振动)和被控变量(转速发电机功率调节级压力)通过数据采集通道进入主控制器,控制系统则完成输入信号的处理和控制计算,并产生输出信号送至电液转换器及执行机构去完成相应的功能。

6.3 汽轮机安全监视装置

汽轮机安全监视装置的全套设备由各单元传感器、监视屏和指示仪表三大部分组成。在汽轮机启动运行和停机过程中,通过该装置可获得12种热工参数、8种报警信号和4种停机信号。监视屏外形尺寸为2 100mm × 600mm × 650mm,可实现的监视项目见表6-1,各测点的位置示意如图6-4所示。

表6-1　　汽轮机安全监视项目

序号	安全监视项目	报警	保护	显示	指示
1	转速测量	有	有	有	有
2	升速率测量				有
3	偏心率测量	有			有
4	高压油动机行程测量				有
5	中压油动机行程测量				有
6	油箱油位测量	有			有
7	高压缸绝对膨胀测量				有
8	中压缸绝对膨胀测量				有
9	轴向位移测量	有	有		有
10	同步器行程测量				有
11	相对膨胀测量	有			有
12	轴承瓦盖测量	有			有
13	润滑油压降低保护	有	有		
14	凝汽器真空降低保护	有	有		
15	自动盘车投入信号			有	
16	超速危急遮断器动作信号			有	

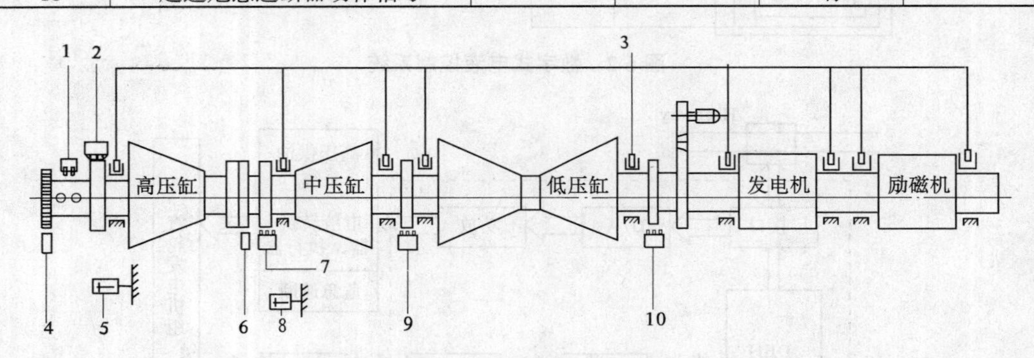

图6-4　汽轮机安全检测装置信号测点位置示意图

1—危急遮断器动作传感器;2—高压缸相对膨胀传感器;3—轴承盖振动传感器;4—转速测量传感器;5—高压缸绝对膨胀传感器;6—偏心传感器;7—轴线位移传感器;8—中压缸绝对膨胀传感器;9—中压缸相对膨胀传感器;10—低压缸相对膨胀传感器

6.4 轴承温度和润滑油温度的监测

6.4.1 推力瓦温度测量

汽轮机推力轴承上有工作瓦块和非工作瓦块各10块(有的12块)。一般只须监视工作推力瓦的温度,其布置如图6-5所示,因此在每块工作推力瓦上装一测温元件,分别用耐油、耐热的多股绝缘线引到插头上,再通过插座引到机壳外的端子排上,最后通过转换开关接到数字温度巡回检测仪上,便可指示出各瓦块的温度。

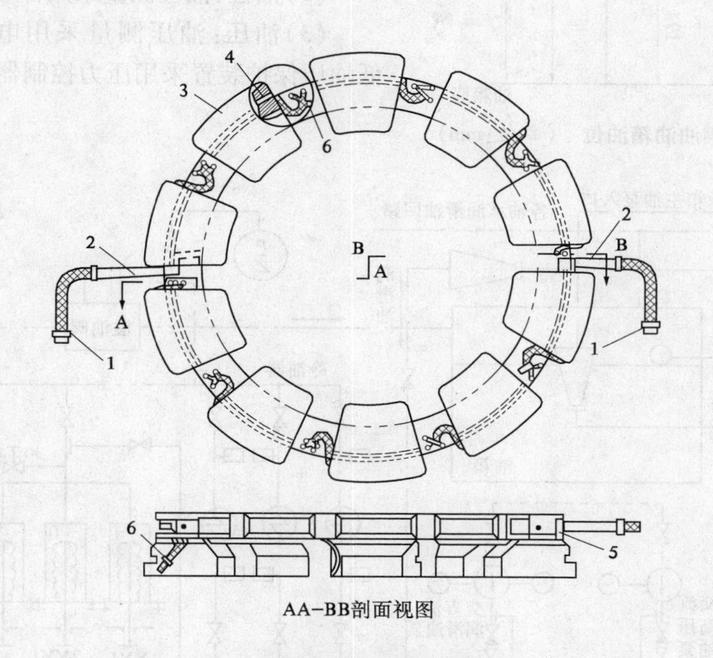

图6-5 推力瓦块温度计引出线

1—航空插头;2—引出线;3—推力瓦块;4—热电阻;5—线槽;6—引线固定卡子

测温元件可采用铜电阻、铂电阻或热电偶,目前大部分采用铜电阻。

6.4.2 汽轮机润滑油系统

6.4.2.1 抗燃油系统的监测

对抗燃油系统,在高压母管上装有压力控制器,能自动启动备用油泵和对油压偏离正常值进行报警。冷油器出口、油箱内装有指针式温度计和温度控制器,当油温过高时报警。油箱盖板上设有浮子式油位继电器报警装置和就地油位指示计。抗燃油油箱油位示意图见图6-6。

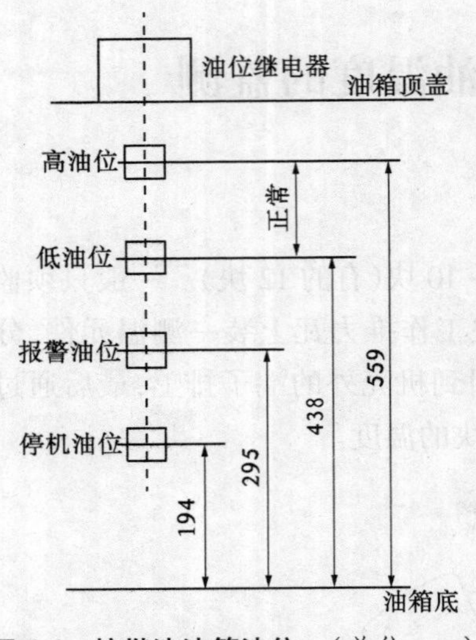

图 6-6 抗燃油油箱油位 （单位:mm）

6.4.2.2 **汽轮机润滑油系统的测量和低油压保护系统**

汽轮机润滑油系统的测量和低油压保护系统，如图 6-7 所示，主要监测的参数有以下几项。

(1)油温:主要是测量轴承、轴承的回油温度和冷油器的出口温度。测量轴承温度、润滑油油温一般采用的测温元件有玻璃温度计、带电接点的水银温度计以及铂电阻或铜电阻。

(2)油位:油位测量采用浮子式油位计。

(3)油压:油压测量采用电接点压力表。低油压保护装置采用压力控制器。

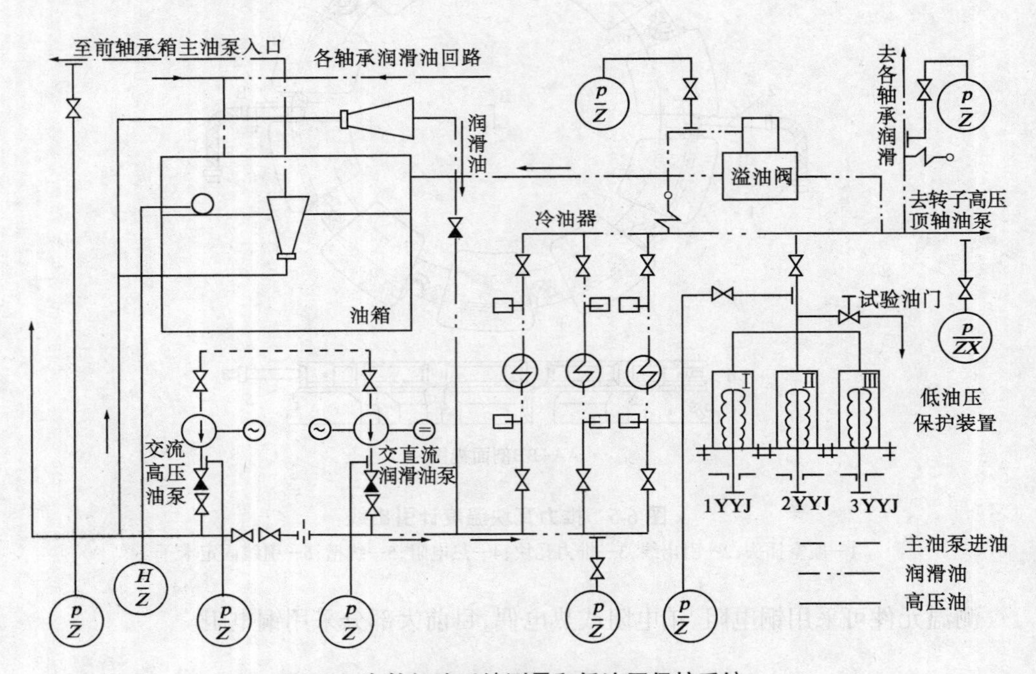

图 6-7 汽轮机油系统测量和低油压保护系统

6.5 凝汽器真空监测保护装置

汽轮机在运行中必须严格监视凝汽器的真空，当凝汽器真空下降到规定允许值时，真空低保护装置应动作，跳闸停机并发出声光信号。

监视凝汽器真空一般采用以下几种方法。

(1)汞柱式真空表。火电厂一般采用单管汞柱压力表，表中汞柱的高度可直接显示出凝汽器内真空的大小。

(2)触点式真空表。触点式真空表除了指示凝汽器真空的大小以外,同时具备报警功能。当真空下降到规定允许值时,其电触点闭合,驱动信号控制电路,发出报警信号。

(3)指示式真空表。指示式真空表用来监视凝汽器真空的大小。

(4)真空压力调节器。用来监视凝汽器真空,同时当真空降到一定值时,发出报警信号,然后发出停机信号。

习　题

6－1　锅炉炉膛安全监控系统的主要功能有哪些?

6－2　汽轮机数字电液调节系统主要由哪几部分组成?

6－3　汽轮机安全监测装置主要监测哪些参数?

6－4　汽轮机润滑油监测的主要参数有哪些?

第7章 水轮机效率试验

水轮机效率试验是获得水轮机能量特征的重要手段。水轮机效率试验可以在实验室的能量试验台上进行,称为模型机效率试验;也可以在水电站的生产机组上进行,称为原型机效率试验。本章所述的水轮机效率指的是在水电站的运行机组上进行水轮机的原型效率试验。

本章编写的主要依据是以IEC、ISO规程及各国有关试验规程或导则为出发点,同时吸收国内外的有益经验为补充,虽然反映了当前我国在水轮机效率试验上的水平,但在测试精度上、特别是现代科学技术的运用上还有待于进一步改进和提高。

7.1 原型水轮机效率试验的意义与目的

7.1.1 原型效率试验的意义

水轮机作为一种动力设备的原动力,它的任务是把蕴藏在水流中的能量转化为机械能,以便能使水轮发电机将这些机械能转化为电能。因此,水轮机作为一种能量转换装置,它的转换效率是头等重要的指标,是评价能量转换装置优劣的最重要指标。

水轮机是一种高效的动力机械,随着水轮机行业的科研、设计、制造水平不断地提高,目前水轮机效率可高达95%以上。当然水轮机效率也因机型的不同,设计制造水平的不同而不同。在已投入运行的机组中,有的由于设计选型不合理或在制造安装中存在着缺陷和遗留问题,使得水轮机效率不高。特别是有的机组由于长期处在低效率区或低水头下运行,严重影响着机组效率的发挥,同时还会造成严重的振动和空蚀破坏。因此,需要摸清现有运行机组在运行中的实际效率状况,探讨和解决运行工况对水轮机效率的影响。为了充分利用水力资源、提高水力发电厂的经济效益、实现水力机组乃至整个电网的经济运行,需要在水电厂现场进行水力机组效率试验,实测出水力机组乃至整个水电厂的动力特性,使得各个水电厂效率试验成果成为整个电网优化运行的可靠的基础技术资料并指导水电厂经济运行。

一般情况下水轮机制造厂向水电厂提供的运行特性曲线是由模型机试验结果换算得来的。由于各种原因不可避免地存在着原型机与模型机之间的性能差异,由于难以保证模型与原型完全力学相似,或者由于设计方法、制造加工等方面的问题,都会造成实际运行的水力发电机组的效率与模型机组效率的差异。因此,往往用模型机换算得到的特性来代替其真机,会出现很大的误差,不能真实反映真机的实际,因此需要在水电厂现场实测该机的效率特性。

随着科学技术的发展,模拟理论的完善,水轮机试验台、水轮机制造精度的提高,国际上有减少某些原型实测项目、用模型验收试验代替原型验收试验的趋势。但是,中间机组的现场效率实测、监测运行机组的效率变化以及老机组更新改造后效率特性的实测等工作在一段相当长的时间内仍必不可少。就我国目前水轮机行业的科研、设计、制造、运行、检修的实际状况而言,在水电厂现场实测运行机组效率特性工作仍是一项非常重要的工作,对充分利用水力资源、充分发挥水力发电厂的经济效益以及整个电网的节能工作都有着非常重大的意义。

7.1.2 原型效率试验的目的

进行水轮机的原型效率试验工作的目的,可以归纳为以下四个方面。

7.1.2.1 提供最重要的基础技术资料

单台水力机组乃至整个水电厂的动力特性是电网经济调度的最基础的技术资料之一,水轮机效率试验则是取得这个基础技术资料的主要手段。通过单台机的效率试验可以绘制出机组实际运转特性曲线进而进行整个水电厂的动力特性试验,以取得单机及全厂的动力特性实测值,而后整理成微增率特性曲线。

对电网而言,负荷分配取决于这台机组或这个电厂的动力特性。对水电厂而言,要解决机组投入电网的最佳次序、最优工作台数、各台机组间负荷分配等三个问题,这也是由其动力特性所决定的。因此,通过效率试验得到的单台机乃至整个水电厂动力特性实测数据,是经济运行的重要指导性技术资料。

7.1.2.2 进行水轮机的效率特性的鉴定

通过现场效率试验,取得该机组在试验水头下的水轮机实际效率特性曲线,即水轮机效率与出力的关系曲线以及流量与机组出力关系曲线、机组出力与耗水率关系曲线,等等。利用实测的效率特性曲线与根据模型试验换算来的效率特性曲线进行比较,就可以检验制造厂家所提供的效率保证是否达到,这是新投产机组现场验收试验的一个重要组成部分,也是校正转桨式水轮机协联关系的主要依据。

7.1.2.3 率定蜗壳流量计的流量系数

在效率试验中采用比较法率定蜗壳流量计的流量系数 K 值曲线。试验后的任何时候,欲测过机流量便可用蜗壳流量计进行测定,从而大大简化了水轮机测量流量的工作。还可以安装带积算器的远传累计式流量计,以便在运行中的任何时刻、任何时段简单而正确地测量通过水轮机的流量瞬时值和累计值(水量),实现运行机组流量与效率的监测并为统计水轮机耗水率提供数据。

7.1.2.4 鉴定水轮机的稳定性

水轮机的其他特性,如空化、机组振动、尾水管压力脉动等特性都与效率有关,在研究机组其他特性时往往需要参考其效率特性,有时还需要与同工况下的效率特性同时测定。

另外,鉴定水力机组技术改造的成败与价值等工作,也需要实测技术改造后的效率特性。

7.2 原型水轮机试验原理

7.2.1 水轮机效率的测取与计算

能量转换机械的效率是有用功(功率)与总功(总功率)之比,或者描述为输出功率与输入功率的比值。对水轮机而言,即为水轮机轴功率与水流功率的比值。由于要测准水轮机轴功率难度太大,因此在原型效率试验中一般采用测取水力机组效率的方法。即

$$\eta_u = \frac{N_g}{N_{TO}} \tag{7-1}$$

式中 η_u——机组效率;

N_g——发电机输出功率;

N_{TO}——水轮机输入功率。

测得水力机组效率 η_u 后,通过水轮发电机的效率特性曲线将换算得到水轮机效率 η_T。即

$$\eta_T = \eta_u / \eta_g \tag{7-2}$$

式中 η_g——发电机效率。

因此,我们进行水轮机的原型效率试验,实际上是测定水轮发电机组的效率,然后求得水轮机的效率。

(1)机组段效率 η_D:

$$\eta_D = N_g / \gamma Q H_D \tag{7-3}$$

式中 H_D——机组段水头;

Q——过机流量,m^3/h;

γ——水的重率。

(2)发电机效率 η_g:η_g 可从发电机效率曲线上查得。

(3)耗水率 ε:

$$\varepsilon = Q / N_g \quad (m^3/kWh) \tag{7-4}$$

7.2.2 原型水轮机测试内容

为了测取水轮发电机组的效率,需要测得发电机的输出功率 N_g(电功率)和水轮机的输入功率 N_{TO}。发电机的输出功率 N_g 的测量是用直接测量的方法,水轮机输入功率 N_{TO} 的测量是用间接测量的方法。根据水轮机输入功率计算公式:

$$N_{TO} = \gamma Q H \tag{7-5}$$

式中 H——水轮机工作水头。

确定水轮机的输入功率就要测定过机流量和水轮机工作水头(亦称净水头)。流量测量的方法很多。水头的测量亦用间接方法测量,根据伯努利方程用水轮机进出口两个断

面的总能头之差求得水轮机工作水头。因此,需要测出水轮机进出口两个断面的高程差、压力差和两个断面的水流流速值。

通过效率试验还可以测得引水管路水头损失的特性和机组的一些特征技术参数。因此,除了需要测定发电机有功功率和水轮机流量值外,还需要测定上游水位、下游水位、水轮机进口断面压力和流速、水轮机出口断面压力和流速、水轮机进出口断面测压仪表中心高程差以及导叶开度、接力器行程、发电机功率因数、周波、无功功率,等等。

7.3 试验方法的种类与选用

在效率试验中需要精确测量多种参数,但工作量最大的是流量测量,且各种测流方法差别很大。因此,除了热力学法直接测得效率外,流量的测量直接决定了试验的规模和性质。所以,效率试验方法的分类是以流量测量方法的类别为依据的。目前,适用于现场测试的方法主要有流速仪法、水锤法、示踪法、蜗壳差压法、超声波法以及堰测法、毕托管法、相对法等。

水力机组效率试验的方法虽多,但每种方法都有其不同的适应性,因此要根据水电站水系统状况、水头的高低、水轮机的型式以及其他实际条件,在试验前的准备工作中进行选择使用(见表 7-1)。

表 7-1　　试验方法选用表

试验方法	使用条件	主要优点	主要缺点	备注
流速仪法	1. 使用在直径 1.4m 以上的压力钢管并要求压力钢管的等径直线段长 $25d$(d 为管径),其中上游侧长 $20d$,下游侧长 $5d$; 2. 使用在明渠中,水深或水宽均要在流速仪桨叶 8 倍以上; 3. 测量断面平均流速应大于 0.4m/s	1. 使用的水头范围宽广,既适用于封闭式压力管道又适用于无压明渠中; 2. 不受电磁、温度及其他影响,性能稳定; 3. 方法及测试工艺成熟完善	1. 需要停机停水装拆流速仪及其支架,现场工作量大且整理计算成果的工作量亦大; 2. 流速仪对流场形成干扰	
压力—时间法(吉普逊法、水锤法)	1. 适用于等径或收缩形的封闭管道,要求管道等径直段满足 $Lv > 50$ m^2/s; 2. 适用中高水头水电站; 3. 几台机共用一段引水管时,要求在试验中邻机必须停机或调相	测流工作方便,不必停机停水安装试验专用装置,试验成果整理计算工作量也较小	实用中的一些理论问题较为复杂,不使用计算机而用示波器记录则精度受到振子的限制	

续表 7-1

试验方法		使用条件	主要优点	主要缺点	备注
示踪法	浓度法（等速注入法）	适用于压力管道或明渠，使用的水头范围宽广，可用于流道不规则、流速分布很不均匀的水电站，但流道任何一处不得存在逆流或环流的现象；试验前水质要预先化验	可用于流速仪法、水锤法、超声波法都不适用的水电站（流道不规则、流道几何参数无法确定、流速分布极不均匀的场合）	1. 专用设备复杂且精度要求高； 2. 示踪剂选择困难，检验稀释后示踪剂浓度的分析仪器要求精度非常高； 3. 试验费用高	不能采用对天然水源有污染的示踪剂
	积分法（突然注入法）	适用于渠道测流，使用水头范围宽广，不受水头限制，但流道任何一处不得存在逆流或环流现象	可用于流速仪法、水锤法、超声波法都不适用的水电站（流道不规则、流道几何参数无法确定、流速分布极不均匀的场合）	1. 专用设备复杂，精度要求高； 2. 示踪剂选择困难，分析仪器要求精度高； 3. 试验费用高； 4. 使用面较窄	
	传输时间法（溶液速度法、爱伦法）	1. 应具有一段较长的、流速分布均匀的引水管道； 2. 试验机组与邻机共用一条引水管道时，需在总管上进行试测且邻机必须停运	能适应大流量测量的要求	1. 试验专用设备多，要求高、花费大； 2. 试验工艺复杂，花时间长； 3. 需要停机停水安装两组电极及其支架，安装工作量大	
超声波法		1. 必须有外露的平直钢管段长 $2d$（d 为压力钢管直径）以上，不同声道有不同平直段要求； 2. 测量断面上的流速分布要较均匀	1. 测试工作量小，操作方便，易于检测，实现测量自动化； 2. 对流场无干扰	1. 测量仪器昂贵； 2. 仪器安装精度要求高，很费时间	
蜗壳差压法		1. 必须用高精度的测流方法对其流量系数率定； 2. 具有蜗壳的水轮机（轴流式、混流式、斜流式等）	测量方便，工作量小，测试仪器简单随时可测，不用停机停水也不甩负荷，应用范围广	率定其流量系数工作量较大且必须在原型效率试验中进行率定	
热力学法		适用于水头在 150m 以上的高水头水电站，水头越高，测流的精度也就越高；不适用于有气蚀现象和需要补焊的机组	1. 可直接测定效率，不需测量流量； 2. 不需要停机停水甩负荷； 3. 测量工作量小，数据计算工作量亦小	1. 使用范围窄； 2. 所需的仪器设备复杂且价格昂贵； 3. 只能测定水轮机效率，不能测流量	

续表 7-1

试验方法	使用条件	主要优点	主要缺点	备注
相对法	1. 具有一个产生差压的部件(处于引水流道中),且其差压与流量成固定关系; 2. 不需要测出效率的值,只需测得相对效率进行比较	1. 随时可测,不必停机停水甩负荷; 2. 应用范围很广	测量精度低,不能测到绝对流量和绝对效率值,一切都是相对值	
堰测法	必须具有足够长度规则断面的助流明渠和率定的量水堰板	常用于小流量测量,测量仪器仪表简单,测量方法亦简单	适用于小流量测量,现场测流比较少用;大流量测量精度低,装堰板对水轮机工作水头有影响	
毕托管法	适用于直径小于 2m 的封闭管道,测量断面上游侧等径直管段不小于 $10d$(d 为引水钢管直径)	小管径流速场点测法中易于实现的一种方法,试验的装置简单	不适用于大管径、明渠测流,测试时间长,机组工况稳定程度对测流精度影响很大,毕托管率定困难	

注:(1)在选择过程中还要考虑到专用试验装置制作、测量的费用、测量时间的长短,实施的难易程度、测量的精度等问题,在综合考虑、全面分析的基础上择优选取。

(2)应当特别指出的是,对于河床式水电站的水力机组测流问题是目前国内外从事水轮机现场原型测试人员共同关注的疑难问题。这类机组的引水流道是短而弯曲的混凝土流道,且截面的形状大小多变化,这类机组的使用水头低、过流量又大,因此尚未寻得适用的测流方法,有待今后探讨。

7.4 现场试验的技术要求

7.4.1 试验条件

水轮机效率试验应满足的条件如下:

(1)被试机组的电气、机械部分均应调整好,没有事故隐患,其附属机电设备工作正常。

(2)水轮机过流部件及引水道的表面应光滑,无任何凸出部分扰动水流。

(3)调速器工作正常,没有任何摇摆现象,传动机构上死行程调至最小。

(4)水轮机转轮叶片及其他过流部件的气蚀破坏部位应补焊、修磨完好。轻微气蚀破坏部位若来不及补焊修磨,应将该部位进行观测记录或拍照。

(5)试验时系统周波必须为额定值,其偏差不得超过额定值 ±0.2Hz 范围。

(6)试验时应保持功率因数为额定值,其偏差不得超过 ±0.01,有条件的话最好保持 $\cos\phi=1$。

(7)试验全过程中水头应尽量保持稳定,其偏差不得超过平均水头的 ±2%。

(8)测试工作应在机组各部轴承温度稳定后进行。

(9)试验过程中工况点的调整用导叶开度限制机构手动操作,同时要严格遵守导叶开度只能单方向变动的要求,不得来回调整。

(10)被测值的读数必须在机组的机、电、水三部分均稳定的条件下进行(一般要求水头波动在±0.5%以内、功率波动在±1.5%以内、转速波动在±0.4%以内)。一般要在导叶开度调整后10~15min、功率与功率因数均稳定的条件下进行。

(11)为了求取被测值在小波动下的平均值,至少进行5次读数,每次读数间隔不少于1min。

(12)试验测次的安排(即工况点的选择)应以厂家所提供的效率特性曲线(或运转特性曲线)作为参考。一般地说,在小开度低效率区可以每隔全开度的10%取一次,在中开度区应每隔全开度的5%取一次,在大开度高效率区每隔全开度的2.5%取一次。

(13)试验全过程中的最大开度测点要越过该机组的最高效率点。

(14)应尽量避免在冰雪融化期或山洪暴发期做试验。

(15)反击式水轮机尾水位在试验过程中不低于设计值。

试验条件是试验取得成功和达到应有测量精度的前提,若有的水电站某些试验条件不能满足,则试验的测量精度就可能降低。

7.4.2 试验的准备工作

效率试验的前期工作分两个阶段进行:第一阶段是进行试验前的技术准备;第二阶段是检查技术准备的工作质量,落实测试时间和具体事项。这两个阶段的工作时间一般要间隔一段时间,由试验项目的技术负责人和一名助手来进行。前期工作的内容按着手开展工作的时间先后次序分为技术资料的准备、察看试验现场、进行试验方法的选取和草拟试验大纲等,现分述如下。

7.4.2.1 技术资料的准备

承接试验任务后,首先要再次阅读试验的规程、规范、导则,根据其要求全盘考虑安排试验的全部工作。然后再收集或查阅与试验有关的图纸、技术资料,其主要有:

(1)电站及机组的主要技术参数。

(2)电站的运行规程。

(3)试验机组近期的检修记录。

(4)电站引水管路布置图。

(5)电站油气水系统图。

(6)水轮机制造图纸、产品说明和技术条件。

(7)发电机产品说明书、技术条件、效率特性曲线和仪用电流互感器、电压互感器精度、布置图等。

(8)水轮机模型综合特性曲线与运转特性曲线。

(9)机组水力测量系统图。

(10)调速器、主阀的产品说明书等。

7.4.2.2 察看试验现场,选取适合的试验方法

(1)了解现场的实际状况,确定现场是否具备开展效率试验的条件,存在哪些需要解决的问题。其中着重了解被试机组现状、引水系统状况和该厂的安全设施。

(2)选择测流方法从而确定试验方法。

(3)选择测流断面。

(4)初步考虑试验装置的设置位置、测点的布设、引线长短与走向、指挥台设置位置以及设备运输途径、试验装置安装条件、试验用的通讯联络工具与指挥讯号装置条件等。

(5)确定试验前、中、后的工作量,参加试验各方共同商定试验日期和确定需要停电停水时间、参加试验各方的分工等。

7.4.2.3 拟定试验大纲及技术准备工作

(1)试验大纲的内容包括试验目的、观测项目、测试方法、所需仪器仪表、试验测次、人员安排、试验时间、安全措施和初步确定试验日期。试验大纲经过讨论审批后定稿。

(2)提出试验专用的装置、管路、工具等现场设计,画出设计图纸,写明技术要求。设计图纸交付加工时,应提出加工工艺与加工质量的要求,确定完成日期。

(3)提出试验所需的通用工具、用具、原材料、仪器仪表、设备的计划清单。

(4)由几个单位合作的试验项目,应组织联合试验机构,明确分工,各负其责。由某单位承包的试验项目,要与水电厂签订试验合同。

(5)作出试验经费预算。

以上各项工作属于第一阶段的准备工作,需要在试验前一段时间进行,以便加工试验用的辅助装置和准备试验工具。

7.4.2.4 试验工作的落实及检查

以下是试验前期工作的第二阶段工作。

(1)安排试验工作的进度表,分头落实试验工作的准备情况。

(2)试验用的仪器仪表检查、校验,包括电流互感器、电压互感器和各种传感器的校验。

(3)检查试验专用装置加工质量和备料状况,至少要在试验前一周进行。

(4)水电厂向电网调度部门正式申请试验时间、试验机组台别,并上报试验期间负荷安排计划。梯级开发的水电厂除了考虑电量平衡外,还要考虑各梯级库的水量平衡、保证其余机组能够正常运行且试验机组的水头能保持稳定。

(5)印制好试验用的原始记录表格、计算过程用的表格和试验成果整理用的表格。

(6)组织全体试验人员(包括试验专用装置的安装人员)进行技术交底(必要时还要现场短期培训)与做好技术安全措施,以确保试验工作的质量与安全。

7.4.3 试验的现场工作

7.4.3.1 试验现场的组织工作

试验现场的组织工作是保证试验顺利进行和取得满意成果的关键之一。

1)成立试验领导机构

为了保证试验全过程工作的顺利进行,在试验筹备工作一开始,就要成立由主管部门的代表、水电厂技术负责人、测试单位项目负责人、制造厂家的代表以及有关方面的专业人员的试验领导小组,领导试验的各阶段工作。

试验领导小组的任务是:

(1)进行试验前期工作的决策,解决工作中的困难和问题。

(2)组织试验大纲的编写与会审。

(3)制定试验的安全措施,并在具体工作中组织实施。

(4)安排试验工作进度。

(5)确定试验现场的指挥机构和全体测试人员名单。

(6)组织人员进行测试数据整理计算和编写试验报告。

试验全过程的重大问题均由试验领导小组全体成员研究解决。试验领导小组成员根据各自的专业特长和工作性质,分别承担试验中部分工作的领导,全体成员采取分工负责、互相配合的形式。

2)试验指挥机构

根据试验的规模大小,试验指挥机构人员由3~5人组成不等。一般设立试验现场总指挥1人,副指挥1~2人,联络员1~2人。试验指挥机构实行总指挥负责制,副指挥协助总指挥工作,联络员是他的助手,负责联络、巡视、协调各个工作面。试验指挥机构人选的确定由试验领导小组决定。一般来说,试验现场总指挥由水电厂厂长或总工程师担任为宜,副指挥由测试技术负责人和调度部门负责人担任。试验指挥机构应以水轮机专业的富有试验经验的工程技术人员为主体。

试验指挥机构的主要职能是:

(1)落实试验安全措施。

(2)对全体测试人员进行技术指导、技术培训。

(3)组织人力进行试验前的全面检查,证实一切试验条件具备。

(4)下达开机试验的指令。

(5)调度全部测试人员和机组运行操作人员。

(6)对各测试数据进行技术把关。

(7)全权决定试验过程中的具体技术事宜、防事故及事故处理措施和其他现场问题。

试验领导小组和试验指挥机构可以合为一体,也可以分开,但试验现场的正副总指挥必须是试验领导小组成员。

3)测试人员

水轮机原型效率试验的测量项目较多,需要读取各种测量仪表的参数和进行测试设备的操作。因此,测试人员的配备应当从测试工作的实际需要出发,配备相应各种专业人员(见表7-2)。

全体测试人员都必须经过严格挑选,由能胜任所承担任务的人员组成。对测试人员的基本要求是:

(1)专业对口,能熟练操作自己使用的仪器仪表。

(2)在试验过程中能对仪表及读数的异常情况作出正确判断,并有排除该仪器仪表故障的能力。

(3)能够正确安装自己使用的仪器仪表。

(4)有高度的责任心和组织纪律性。

(5)参加测试前对试验目的要求及测试全过程有总的了解,对自己所承担的任务与完成任务的具体要求有深刻的了解。

表 7-2　　水力机组原型效率试验人员一览表(供参考)

序号	测量项目	测试人员			备注
		会熟练操作的仪器	人员专业知识要求	人数	
1	发电机有功功率	功率表、功率变送器	电工仪表	1~3	
2	发电机电量	电度表、电量变送器	电工仪表	1	
3	机组频率	频率计(周波表)	电工仪表	1	
4	发电机功率因数	$\cos\varphi$ 表	电工仪表	1	
5	盘面有功功率表	有功功率表、有功功率变送器	电工仪表或电气运行	0~1	可由当值运行人员兼测
6	盘面无功功率表	无功功率表、无功功率变送器	电工仪表或电气运行	0~1	
7	上游水位	上游水位计	水工仪表或机械运行	1~2	
8	下游水位	下游水位计	水工仪表或机械运行	1~2	
9	水轮机进口压力	压力表	机械试验或机械运行		
		压力传感器及其记录仪	机械试验	1	
10	差压	U形水银差压计	机械试验	2	
		差压传感器及其记录仪	机械试验	2	
11	尾水压力	压力表	机械试验或机械运行	1	
		压力传感器及其记录仪	机械试验	1	
12	尾水噪音	声级计	机械试验	1	
13	接力器行程	行程指示器或变送器	机械试验或机械运行	1	
14	导叶开度	导叶开度指示器	机械运行	1	兼任调速器手动操作
15	桨叶开度	桨叶开度指示器	机械运行	1	
16	测试时刻	钟、表	任何人员	1	
17	标准时间讯号	数字频率计等	机械试验	1	
18	热力学法测效率	专用装置	机械试验、专职人员	4~6	
19	流量	专用仪器	机械试验、专业人员	2~4	

注:表中测试人员不包括机组运行操作人员、试验指挥机构成员、大型试验装置安装人员。当使用微机取样测试时,只需专业测试人员 2~5 人。

应当指出,测试人员的素质直接影响到试验的成败与测试的精度,试验领导小组在考虑这个问题时要予以足够的重视。

7.4.3.2　测点的布置与专用装置的安装

1)测点

(1)流量测点:由于试验方法不同,流量测点的个数、形式也各不相同,根据具体测量方法而定。

(2)水轮机进口断面压力测点:位于蜗壳进口处,装置标准压力表或压力传感器。

(3)水轮机出口断面压力测点:位于尾水管出口处,装置测压水位计,标准压力表或压力传感器。

(4)导叶开度测点:在调速器柜上。

(5)接力器行程测点:由导水机构接力器上装置的位移传感器引出。

(6)上游水位测点:设在进水口附近或压力前池上,一般利用现有的水位计进行测试。

(7)下游水位测点:设在尾水出口附近,一般利用现有的水位计进行测试。

(8)蜗壳差压测点:从蜗壳内外侧引出的测压管,一般布置在中间层或水轮机层。此处需装置水银差压计或差压变送器。

(9)有功功率测点:一般设在机旁盘附近,测定发电机母线功率。由于测试方法不同,装置表计也不相同,一般应用功率变送器。

(10)功率因数测点:一般设置在机旁盘附近,装置精密功率因数表计或频率变送器。

(11)频率测点:设置在机旁盘附近,装置精密周波表。

2)指挥台

指挥机组的启动、负荷调整、停机、发送试验测试的统一的指挥信号,协调各个工作面的工作,是整个试验的集中控制、指挥地点。一般设置在厂房发电机层。

3)测点设置的一般原则

由于各个水电厂厂房结构的不同,机型的不同,效率试验方法的不同,所以测点的设置也不相同。测点设置的一般原则可归纳为:因地制宜、就近、集中、干燥、安全、抗干扰。

(1)因地制宜:根据厂房结构、机组机型和试验方法的特点,进行妥当的设置布局。

(2)就近:测试点的设置尽可能靠近被测的设备,以防止长距离接管拉线。

(3)集中:考虑到工作照明和指挥信号的设置不宜过多,考虑到各个工作面的互相照应,测点应适当集中。

(4)干燥:有的测试仪器仪表有防潮的要求,测试人员工作环境也应尽可能得到改善,测点应尽可能设置在干燥的地方。

(5)安全:测点设置场所应避开交通要道、楼梯口拐弯处、高压设备附近以及其他危险或不安全的地方。若不可避免,则应加强安全防护措施,以确保测试人员人身和测试仪器仪表的安全。管路沿程与引线走向都要考虑以不妨碍交通、安全为出发点。

(6)抗干扰:传感器、数据采集装置要考虑防干扰,尽量避开强电磁场。

4)工作照明、指挥信号与通讯联络装置

(1)工作照明包括试验专用装置现场安装的工作照明和试验各个测点的工作照明。工作照明除了充分利用厂房现有固定照明设施外,还需要增设临时的补强照明设施。管道及金属结构内照明电源一律用36V安全电压,水下工作照明最好用12V电源电压。

(2)指挥信号的类型较多,目前国内最常用的是音响信号和灯光信号。指挥信号设置原则有:一是所有测点都能准确无误地得到指挥信号;二是指挥信号的发出只有一个按钮(这个按钮设置在指挥台)。

(3)通讯联络装置的作用是直接进行指挥台与各测点、各测点之间的通讯联络,其中关键是指挥台与各测点之间的通讯联络。通讯联络装置有有线电话和无线对讲机等类型。

以上三种装置的引线布设要牢靠,以确保试验过程中讯号不间断。

5)试验专用装置的安装

试验专用装置的型式随着试验方法的不同而不同。特别是测流装置的差别更大,这里不一一论述。下面就安装中须注意的几个要点做简述。

(1)试验专用装置的安装工作必须在开机试验前一天完成,以留有检查检验的时间。

(2)不需要在全厂停水停电进行的工作,必须在停水停电前进行。

(3)安装前要落实安全措施,必须遵循有关的安全规程,保证设备和人员的安全。

(4)安装工作在试验人员提出要求后,由能胜任这项工作的安装(或检修)人员执行,最后由试验人员进行检查验收。

(5)特别强调水下测流装置的安装质量和安全措施。在工作中要有专人监视工作场所排水设备的正常工作,并检查其备用设备的可靠性。切实做好防滑措施,严禁违章操作使用大于36V的电源电压。

7.4.3.3 **测量时间和次数**

在测量之前,必须为提高测量准确度、减少测量随机误差着想,正确安排测量的时间和次数,本手册推荐IEC规程的规定,表7-3列出JEC规程的规定,供参考。

表7-3 **各测量仪表读数次数和时间表**

试验规程	流量	功率	水头	转速
JEC	连续测量2min以上	5次以上	5次以上	5次以上
IEC	连续测量5min以上	10次以上	10次以上	10次以上

7.4.3.4 **开机前的工作**

(1)全面检查各个测点的安装质量、安装记录。

(2)组织专人对安装工作面清理情况作深入过细的检查。

(3)检查全部过流部件,蜗壳、压力钢管、固定导叶、活动导叶(或喷嘴部分)、座环过流面、转轮、转轮室、尾水管等处应无凸出部位和气蚀磨损破坏。

(4)实测导水叶开度与接力器行程的关系,做好正式记录并根据导水叶开度校正调速器柜上的导叶开度指示表计。

(5)校核标高:对压力表的中心高程和上、下游水位的标高进行校核记录。在机组充水后的静水状态,利用水尺校核厂内各水位计的零位。

(6)所有测压管路用高压水或高压气进行冲洗,以保证管道畅通无阻、清洁无污、无渗漏现象。

(7)进行部分仪器仪表在静水状态下调零工作。

(8)检查全部照明线路、指挥信号与通讯联络工具是否可靠,并对全体测试人员进行指挥信号的预演。

(9)向全体测试人员、机组运行操作人员技术交底,并落实测试过程的安全措施。

(10)使用计算机数据采集系统时,要进行各应用程序的调试。

7.4.3.5 **现场测试程序**

(1)开机后,当机组运行稳定、各测点工作正常后才能开始进行测试。

(2)测试前将有关测试仪器调试好,零点校核好,一切条件具备后报告指挥台。

(3)按预先安排好的水头值,调整库水位或根据当时的库水位值、压力前池水位值进行测试。

(4)按预先安排好的工况点,手动调整导水叶开度值,逐个工况点进行测试。每次调整导水叶开度后10~15min方能开始读数记录,以保证工况的稳定。对于长引水管道的电站,工况的稳定时间还要适当加长。每个工况点记录读数5次以求取均值。每次读数间隔时间不少于1min。

(5)库水位可调水库应根据水位消落范围预先安排水头值,做4~8个水头的测试,每个水头值下的测试过程重复上述四个步骤。不可调节水位的电厂在预先安排的库水位到达时再安排测试。对于具有压力前池的引水式电站只做一个水头(即运行水头)的效率测试。

(6)在测试全过程中,一切听从现场总指挥的安排与调度,测试人员做到听准指挥信号、认真读数、按号记录、坚守岗位、遇事报告、测完签名。试验指挥机构的联络员要经常巡视各个量测工作面和机组及其测压管路是否正常,检查测试数据是否正确。

7.4.3.6 试验后的现场工作

(1)收全试验的原始记录(包括试验装置率定、安装调整与测试等原始记录)。

(2)拆除全部试验装置、测试仪表,恢复原来运行的仪表。

(3)机组因试验而变动的部位按原运行方式进行复归,机组投入电网正常运行。

(4)清扫、整理试验现场。

(5)水下测试仪表(如流速仪等)拆除后应在现场及时清洗、上油,以防止轴承部位或其他零部件生锈,及时采取为保护仪表的其他措施。

7.4.4 试验资料整理与试验报告编写

试验资料整理与试验报告编写这两项工作是试验工作的重要组成部分,应予以充分的重视和进行认真细致的工作。整理与编写工作的前提条件是试验的原始记录齐全,工作的时间应在试验测试工作结束后抓紧时间进行。否则,测试中发生的情况及疑问就难以分辨,影响到整理、编写、分析工作,影响到试验成果的准确性。

7.4.4.1 试验资料的整理工作

1)原始资料三大类型

(1)仪器、仪表的率定值与校核报告单。

(2)试验装置现场安装的原始文字记录。

(3)试验测试过程中的原始文字记录。

(4)试验测试过程中保存的计算机数据文件。

2)试验资料整理工作的步骤

(1)对所有原始资料进行清点、检查、分类、装订成册,严防谬误、遗失。

(2)对计算机所采集的数据文件进行整理、作标签或放入专用文档,并作出备份。

(3)进行原始资料汇总的分析工作。

(4)预先印制好计算表格、编制好计算机计算程序。

(5)进行数据处理与曲线描绘工作。

(6)对以上各项工作中发现原始记录存在的问题要及时向参加测试人员和数据记录本人进行调查了解核实,以便作出正确的分析判断和决定数据的取舍。

(7)把数据计算表格、计算机打印稿、曲线底图等整理过程的原始资料手稿和调研记录进行分类并装订成册,连同试验的原始记录存入试验技术档案。

3)资料整理工作的原则

(1)所有的原始数据记录资料在整理全过程中,即使发现有错也不得进行任何涂改,只能用与原记录不同颜色的笔将调查核实情况与数据取舍的原因写在原始记录表的备注栏中并附上签名与日期。

(2)计算表格中的数据在核对过程中发现错误,不得涂改,校核者应将数据划去在其上方写上正确的数值,以便提供给复核者。

(3)所有原始记录与计算表格的填写均要用钢笔,不得用铅笔或圆珠笔,以便长期保存。

(4)计算表格的计算者、校核者、复核者均要签名。

7.4.4.2 试验成果

效率试验的测试结果整理可以获得机组的13个特征参数和多种特性曲线。

1)机组的特征参数

机组的特征参数包括空载开度、空载流量、满载开度、满载流量、水轮机最高效率、机组最高效率、机组段最高效率、水轮机最高效率时的相对应导水叶开度、满载时机组效率、水轮机效率厂家保证值与实测值比较、最低耗水率、满载桨叶开度(转桨式水轮机)和蜗壳流量系数。

2)以电站经济运行为目的的试验要整理得到的机组特性曲线

(1)水轮机效率特性曲线 $\eta_T \sim N_q$;

(2)水力机组效率特性曲线 $\eta \sim N_g$;

(3)机组段效率特性曲线 $\eta_D \sim N_g$;

(4)机组段水头损失特性曲线 $\Delta H \sim N_g$;

(5)水轮机流量特性曲线 $Q \sim N_g$;

(6)水轮机耗水率特性曲线 $\varepsilon \sim N_g$;

(7)蜗壳流量计特性曲线 $Q \sim \sqrt{h}$;

(8)流道水流速度分布曲线 $V \sim r$;

(9)转桨式水轮机最优协联关系 $\varphi \sim S$;

(10)引水流道水头损失与过流量的关系曲线 $\Delta H \sim Q^2$。

3)以验收机组为目的的试验要整理得到的特性曲线

除了以上曲线外,还有:

(1)水轮机出力与导叶接力器行程的关系曲线 $N_T \sim S$,对于转桨式水轮机还要作出在不同的桨叶开度 φ 角下作定桨运行和作协联运行的 $N_T \sim S$ 关系曲线。

(2)水轮机过流量与导叶接力器行程的关系曲线 $Q \sim S$,对于转桨式水轮机还要作出在不同的桨叶开度 φ 角下作定桨运行和作协联运行的 $Q \sim S$ 关系曲线。

(3)水轮机效率与水轮机出力的关系曲线为 $\eta_T \sim N_T$,对于转桨式水轮机还要作出在不同的桨叶开度 φ 角下作定桨运行和作协联运行的 $\eta_T \sim N_T$ 关系曲线。

7.4.4.3 试验报告的编写工作

1)试验报告的内容

(1)试验的主持单位、参加单位、试验人员及试验日期。

(2)试验的指挥机构全体人员。

(3)试验报告的编写、审核人和审批人。

(4)试验的目的和参加试验各方共同商定的与试验有关的条款。

(5)电站及机组概况:电站全貌的概况,电站主设备(发电机、水轮机、调速器)的型号、主要技术参数、投产年份、造机厂家,机组的发电引水管道系统,电站水力量测系统等。

(6)选用测量方法及其说明。

(7)测流断面的选择及其说明。

(8)试验前的技术准备:测流断面尺寸测量及其记录、测量仪表校验及其校正值、测量装置及其安装、水准高程及其校核值和修正值、蜗壳流量计的技术处理等。

(9)试验前水轮机的运行状态概述。

(10)本次试验的条件。

(11)测量参数及计算方法。

(12)试验成果。

(13)测量误差分析及试验成果的技术分析、技术评价。

(14)与合同规定保证值及模型试验结果的比较。

(15)对提高机组经济性的措施和存在问题的改进性建议。

(16)附表:测试仪器仪表的名称、型号、规格、精度等级、布置地点的一览表、试验成果表等。

(17)附图:包括机组段结构纵剖面示意图。

试验专用装置布置图、蜗壳流量计布置示意图以及实测得到的机组各种特性曲线图。

2)试验成果的分析与评价的主要内容

试验成果的分析与评价是试验报告的一个重要组成部分。在分析与评价中,首先要对试验是否成功、成果是否可信入手,在成果精确可信的基础上进一步对被试水轮机效率与出力能否达到保证值作出正确的评价。为此,分析与评价的内容主要应包括以下四个方面。

i. 测量误差的分析

水力机组效率试验是通过测定流量 Q、水头 H、功率 N 而计算出效率,因此效率的误差 f_η 是由各个单项测量误差而产生的。首先计算出各个单项的综合误差 f_Q、f_H、f_N 以后,再按下式计算水轮机效率的综合误差 f_η:

$$f_\eta = \pm\sqrt{f_Q^2 + f_H^2 + f_N^2}$$

水轮机原型效率试验各项测量误差,在国际电工协会的"水轮机蓄能泵和水泵－水轮机现场验收国际规程"(IEC TC_4 文件 198 号修订版)中都列有具体数值(参见表 7-4)可供参考。亦可参照 ISO、JEC 等规程提供的误差估计值作参考。在正常的试验条件下,只要认真按规程的规定,仔细地进行测量,这些估计值是可以达到的。

ii. 流量与蜗壳差压平方根的线性关系

水力机组原型效率试验的重要成果之一是率定蜗壳流量计的流量系数 K 值。通过水轮机流量与蜗壳差压平方根成线性关系,得出流量系数 K 值,为以后利用蜗壳差压法进行测量流量提供依据。试验报告应通过流量与蜗壳差压平方根的线性关系好坏及其相关关系情况进行客观的评价。

表 7-4　　水轮机原型效率试验测量误差估计表(IEC TC_4 文件 198 号修订版)

测量参数	测量方法及测量条件	置信度 95%时测量误差估计值
流量 Q	流速仪法　在封闭管道中	1% ~ 1.5%
	流速仪法　在进水口处	1.5% ~ 2%
	流速仪法　在开敞式引水室中	1% ~ 2%
	溢流堰	1.7% ~ 3%
	容积法	1% ~ 2%
	差压装置	1% ~ 2%
	封闭管道中毕托管	1.5% ~ 2%
	示踪法	1% ~ 1.5%
	压力 - 时间法	1.5% ~ 2%
自由水位 h	使用测针、钩针、浮子计和压缩空气	± 1/h%
	固定标尺、平板水尺	± 5/h%
压力 p	重力压力计(Pa)	± 0.1%
	水银柱压力计(Pa)	± 0.1/h%
	经现场率定的弹簧压力计	± 0.5%
输出功率 N	测量力矩和转速	± 1.0%
	在直流发电机和电动机终端测量的功率	± 1.0%
	在交流发电机和电动机终端测量的功率	± 0.8%
转速 n	校准转速表	± 0.25%
	电子计数器和其他精密转速测量仪	± 0.1%

iii. 各条特性曲线的质量与变化规律

根据测试数据计算、绘制出的各条特性曲线都应通过"T - 检验",其变化趋势是不符合一般规律,所有测点离散度是否符合要求(流速分布与流量的关系、效率变化与耗水率的关系等),以说明试验成果是否可信。

iv. 水轮机效率保证值的评价

将实测数据整理绘制的效率特性曲线两侧画上误差带,再将制造厂在该水头下所保证的效率值点绘其上,进行评价。

如图 7-1 所示,若由造机厂家提供效率保证值点绘出来的曲线落在误差带的内部(如 b—c 段和 d—e 段),则说明提供的保证合格;若落在误差带上方(如 c—d 段),则说明提供的保证不合格,实际效率达不到保证值;若落在误差带下方(如 a—b 段),则说明不但提供的保证合格而且实际效率超过保证值。

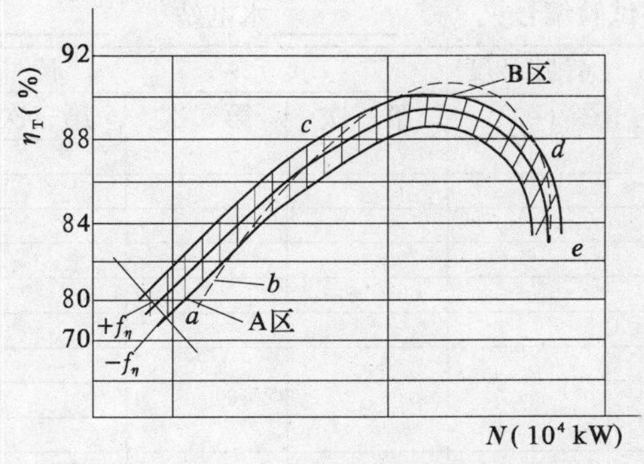

图 7-1　效率保证值评价图

A 区—奖励区;B 区—处罚区;a—b 段优良;b—c、d—e 段合格;c—d 段不合格;虚线为保证值;粗实线为实测值

目前国内水轮机技术条件中只给出设计水头下的最高效率值。一个点的效率保证值,不能保证水轮机在拟定的运行区域中获得最大的经济效益,因为这样单点的效率保证值既没有对某个既定水头下高效率区宽广的情况提供保证,又没有对其他水头下的效率提供保证。国外贸易合同中往往规定在典型运行水头下(设计水头、最大水头、最小水头)的最高效率、额定负荷下的效率、几个部分负荷下的效率提供保证,有的还提供一组效率保证曲线(包括几个典型水头下),这样效率保证的评价工作必须按合同规定进行。

v. 水轮机出力保证值的评价

国内产品技术条件和国外技术合同中都规定在水轮机设计水头、最小水头和最大水头下提供出力保证。

在进行出力保证值的评价时,要解决三个问题:

(1)实测、计算得到水轮机输出功率(出力)后应当计入测量误差算得其误差带,根据保证值与误差带的相互关系(如同效率误差带与效率保证值相互关系)进行评价。

(2)导叶开度问题。某水头下的保证出力指的是在额定转速下,导叶额定开度(设计开度)下的最大出力。水轮机一般具有三种特征的导叶开度:最优开度、最大开度、最大可能开度。导叶额定开度就是导叶最大开度,必须在导叶最大开度下实测水轮机出力并进行评价。

(3)对于转桨式水轮机评价出力保证与该机的导叶桨叶协联关系有关。应根据合同规定以造机厂家提供的协联关系或以现场测试得出的并经厂家认可的协联关系作为测试的基础。

在额定出力达不到保证值的情况下,通常是通过检验额定流量是否达到设计值来查明出力不足的原因。根据实测流量与导叶接力器行程关系,查出相应导水叶额定开度下的过机流量与流量的设计值或保证值进行比较评价。

3)主要表格的推荐格式

主要表格的推荐格式见表7-5、表7-6、表7-7、表7-8。

表7-5　　原始记录表

试验编号:　　　　______水电站　______号机组　试验日期______

序号	导叶开度(%)	读数						备注
		第一次	第二次	第三次	第四次	第五次	平均值	
1								
2								
3								
4								
5								
6								
7								
8								
9								
10								
11								
12								
13								
14								
15								
16								
17								
18								
19								
20								
21								
22								

测量项目______________计量单位__________　测量者______(签名)

表 7-6　　　　　　　　　　**压差测量原始记录表**

试验编号：　　　　　　＿＿＿＿水电站　＿＿＿＿号机组　　试验日期＿＿＿＿

序号	导叶开度(%)	差压计(一)读数值(Pa)						差压计(二)读数值(Pa)						压差值 Δh (Pa)
		第一次	第二次	第三次	第四次	第五次	平均值	第一次	第二次	第三次	第四次	第五次	平均值	
1														
2														
3														
4														
5														
6														
7														
8														
9														
10														
11														
12														
13														
14														
15														
16														
17														
18														
19														
20														
21														
22														

测量者(一)：(签名)　　　　　测量者(二)：(签名)　　　　　记录：(签名)

计算：

表 7-7　　　　　　　　**最优协联关系测量原始记录表**

试验编号：　　　　　　＿＿＿＿水电站＿＿＿＿号机组　　试验日期＿＿＿＿＿＿

序号	试验开度(%)	导叶开度调整值 a (%)	接力器行程 S (mm)	桨叶开度调整值 φ (°)	发电机有功功率 N (kW)	水轮机工作水头 H (m)	指数流量 Q^* (m^3/s)	机组指数效率 η (%)	最优协联关系

测量者(签名)

表 7-8

效率试验成果表

试验编号：______水电站______号机组　试验日期______

序号	导叶开度(%)	接力器行程(mm)	桨叶开度(°)	上游水位(m)	下游水位(m)	毛水头(m)	引水损失(m)	频率(Hz)	功率因数(cosφ)	发电机有功功率实测值(kW)	流量实测值(m^3/s)	蜗壳差压(Pa)	水轮机进口断面		尾水管出口断面		净水头(m)	发电机效率(%)	水轮机功率(kW)	水轮机效率(%)	机组效率(%)	机组段效率(%)	换算至指定水头___m时				备注
													流速(m/s)	压力(Pa)	流速(m/s)	压力(Pa)							流量(m^3/s)	水轮机功率(kW)	发电机有功功率(kW)	耗水率(m^3/s)	
1																											
2																											
3																											
4																											
5																											
6																											
7																											
8																											
9																											
10																											
11																											
12																											
13																											
14																											
15																											
16																											
17																											
18																											

1. 蜗壳进口压力表中心高程______m
2. 蜗壳进口测压断面面积______m^2
3. 测流断面面积______m^2
4. 尾水管出口测压断面面积______m^2
5. 上游水位计零点高程______m
6. 下游水位计零点高程______m
7. 蜗壳流量计率定常数值：
8. 加权平均效率：
9. 效率出力关系拟合曲线：

制表：（签名）
校核：（签名）
试验负责人：（签名）

7.4.4.4 试验报告的审核

试验报告初稿编写好后,一般应有校核、审核、审批 3 个程序。

对于新投产的机组以验收试验为主要目的效率试验,应由造机厂家、设计部门、施工安装部门、水力发电厂协调一致,委托某一个单位或委托一个联合试验小组进行测试,试验报告由以上几个单位会审,主管部门审批。对于已运行多年的机组进行效率试验,应由该水电厂或其主管局委托电力试验研究所或委托一个联合试验小组进行,试验报告的审核由主持测试单位技术职能部门审核,该单位技术领导审批。

7.4.4.5 试验成果产生争议时的处理程序

若试验不成功,成果不可信,则必须重做试验,不可产生争议。

若试验是成功的或基本上是成功的,可能会产生某些方面的争议。主要争议往往发生在测量精度、本次试验效率综合误差以及其他细节上。

在发生争议的时候,按以下两个程序进行处理:

(1)首先由试验领导小组对产生争议的问题进行磋商,组织技术讨论会,以平等的方式讨论解决。

(2)若试验领导小组召集的技术讨论会上仍不能解决,则有关各方将争议问题写成书面文件,提交给与有关各方没有隶属关系的测试权威部门进行仲裁。

习　题

7-1　原型水轮机效率试验有什么意义?

7-2　现场水轮机效率试验主要测量哪些参数?

7-3　现场流量测量有哪些方法? 各适用于什么情况?

7-4　现场试验中,各主要参数测量有什么具体要求?

7-5　现场效率试验应具备哪些机组的技术资料?

7-6　如何评价试验结果的可靠性?

第8章 汽轮机组的热力试验

8.1 汽轮机组热力试验的目的与任务

汽轮机的热力试验是求取机组热经济指标的重要手段之一。虽然每台汽轮机的热耗率在设计时有一个计算值，但是在新机组安装投运后，或机组长期运行及多次维修以后，或者机组的结构热力系统等做过技术改动，其经济性能都有所变化，应通过热力特性试验来测定其实际的热耗率。

8.1.1 热力试验的目的

汽轮机的热力试验目的有以下几个方面：

(1)测取机组在完好状态和规定的运行条件下的热力特性，为电网经济调度、电厂运行负荷分配和制定生产指标提供依据。

(2)对于新投产的机组，可通过热力试验检验机组是否达到了制造厂设计的经济指标，作为用户验收设备的依据。

(3)通过热力试验取得汽轮机主、辅设备的各种特性，可分析判断主、辅机和热力系统等的运行状态，找出存在缺陷的部位，用于制定大修计划，以便确定继续运行或停机检修。

(4)可通过热力试验，对经过大修或改造的设备或热力系统的效果进行评价。

(5)为制造厂改进设计计算方法、改进加工工艺等提供有效的技术资料。

(6)试验测定排汽压力变化时，凝汽式汽轮发电机组的微增出力，为确保循环水的经济运行方式提供可靠的依据。

由此可见，热力试验具有非常重要的意义。为了保证热力试验的准确性，真正达到上述目的，在试验中必须遵循一些基本的原则。

8.1.2 热力试验的基本要求

8.1.2.1 对试验机组热力系统做有效的隔绝

火力发电厂特别是大型火力发电厂，汽轮机设备的实际热力系统不但错综复杂而且各台机组之间经常有汽和水的联系。为了在试验时精确测定计算与汽耗率和热耗率有关的汽水流量，必须对试验机组热力系统做有效的隔绝，必要时可采取一定措施进行热力系统的切换和隔离。凡在试验中能够暂时中止的一切进入和流出的汽水均应加以隔绝，例如在试验时段要暂停锅炉的连续排污。

8.1.2.2 应装设准确的流量计测定汽水流量

试验时除了应准确测定主给水和凝结水流量外，对于试验时不能隔绝的汽水流量，应装设流量计测定其流量，如汽封疏水、过热器和再热器的减温水等。对于试验中补给水需要连续补充的机组,也应装设流量计。

8.1.2.3 要测定各主水容器水位在试验时段的变化

对于具有一定水位的主水容器,如除氧器水箱、锅炉汽包等,要测定其水位在试验时段的变化,并在计算流量平衡时予与考虑。

8.1.2.4 应选取较多的试验负荷点

为了使试验结果所绘制的特性曲线尽可能真实地反应机组的特性,试验时应选取较多的试验负荷点。但是,试验点数的增加,意味着试验持续时间延长和试验结果分析整理和计算的工作量增加,因此在确定试验负荷点时要兼顾这两个方面。在一般情况下,对于喷嘴调节的汽轮机,应选择在几个调速汽门的全阀点(指下一个汽门即将开启的负荷点)及两点之间的中点作为试验时的负荷点。如果试验的目的是将所得指标与制造厂比较,则可只选用制造厂提供的负荷点进行试验;如果试验是为了比较大修前后机组的状况,则大修前后的试验点应相同。

试验中,为了保证机组在预定的试验负荷点稳定地运行,可以采用限制调节阀开度的办法。例如在调节阀的开启方向加装限制器,使机组的功率不再增加,但不能妨碍出现故障甩负荷时调节阀向关闭方向动作。对于有功率限制器的机组,可将功率限制器整定在预定的试验负荷点上。

8.1.2.5 准确整理分析试验结果

热力特性试验结束以后,应按一定的计算方法整理分析试验结果,绘制热力特性曲线和表格。

8.2 汽轮机组热力试验的准备工作

为了保证热力特性试验的顺利进行和测定数据的准确可靠,应该认真仔细地进行试验前的准备工作。其主要包括:制定试验大纲;对机组和热力系统进行全面检查、消除缺陷、堵漏;热力系统按试验要求制成单一系统,检查测点的安装、配置及仪表的精度是否符合要求;对测试表计进行校验;建立试验组织;培训试验人员等。

8.2.1 试验大纲的拟定

详细而周密地拟定试验大纲,在很大程度上决定了热力试验的质量。试验大纲对下述各项工作作出了明确的规定:

(1)试验的目的。

(2)试验时的热力系统和运行方式。

(3)测点布置、各测点采用的测量方法和所用的测试设备。

(4)试验负荷点的选定和保持负荷稳定所采取的措施。

(5)实验室要求设备具有的条件。如设备处于完好状态,运行参数稳定,系统与外界隔绝严密,以及未达到这些要求需要采取的相应措施。

(6)确定计算方法。根据试验要求,确定计算方法。

(7)试验人员的组织与分工。

8.2.2 试验用的热力系统

火电厂中,汽轮发电机组实际的运行热力系统是十分复杂的。热力试验的主要任务是求取汽轮机组及其必备热力系统的本质特性。因此,试验时所需要利用的只是机组热力循环中汽水流程上的主要设备和管道,这可以根据试验目的和现有的运行系统选择确定。所以,绘制简明的原则性热力系统图是必要的。由热力系统图可以确定:试验所需的测点及其配置部位;试验时应予隔绝的管道设备或须关闭的阀门;试验结果的计算步骤或表格等。图 8-1 所示为一台国产 N300MW 一次中间再热凝汽式机组试验时,所采用的原则性热力系统及测点布置方案。所有对于获取机组性能无关的汽水管道和附属设备等,照例不在图中画出,且应在试验时予以隔离。

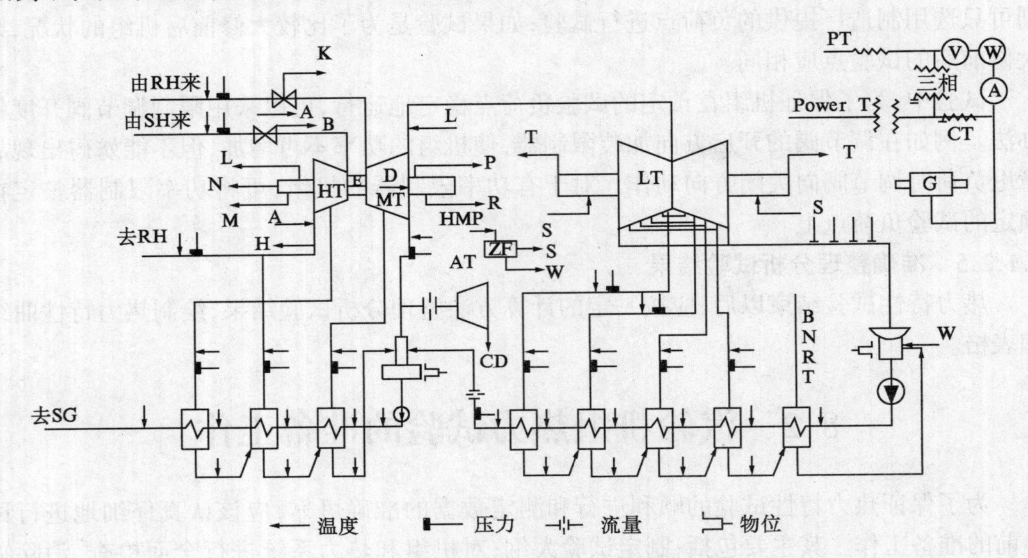

图 8-1 原则性热力系统及测点布置图

RH—再热器;SH—过热器;SG—锅炉;HT—高压缸;MT—中压缸;LT—低压缸;CD—凝汽器;
AT—辅助汽轮机;AP—空气预热气;Power T—主变压器;PT—电压互感器;
CT—电流互感器;V—电压表;W—功率表;A—电流表;G—发电机

8.2.3 测点布置的基本原则

热力试验的测点选择应按热力试验的目的及相应的试验任务、试验方法和试验热力系统来选择测点的数量和位置,从而根据这些所选定测点进行试验观测记录后,能够通过规定的计算步骤求得所需的试验结果。

热力试验中,对下述各物理量需设置测点加以测量:发电机的电压、电流、电功率,功率因数,流进、流出汽轮机的汽水流量、压力和温度,储水容器(如凝汽器热井、除氧器给水箱、汽包等)的水位、调节机构的开度、汽轮机的转速、大气压、室温、试验开始时间和结束时间。

从测试技术角度来讲,为保证测试数据的准确性和可靠性须遵循以下基本原则:

(1)在一些重要部位上可以选择装设两个或多个重复测点,如主蒸汽,冷、热再热蒸汽,锅炉给水等的温度测点,最好能够成对地配置,以便能够互相进行校核。

(2)若工质是沿着两根以上并列布置的管道流动时,则必须测量每根管道中工质的状态参数和流量。

(3)测量发电机端子输出功率的仪表尽可能靠近表用互感器的次级输出端放置,以减少测量导线的损耗及周围电磁场的干扰,必要时应采用两套仪表和接线进行测量。

(4)测量主要流量(主凝结水流量、主给水流量或主蒸汽流量)的测点应配置在能够满足流量测量标准节流装置所要求的长直管段上。流经流量测量装置的蒸汽或水,不得有重复流动的现象,否则应加以隔离或测量。试验时,除了测定主流量外,对于试验时不能隔离的汽水流量,如减温水、汽封疏水、水和蒸汽取样等都需测量。

(5)主蒸汽压力、温度和热再热蒸汽压力、温度,应分别在汽轮机自动主汽阀前及中压缸再热进汽阀前进行测量。温度测点的位置,就介质流动方向而言,应于压力测点下游附近。

(6)高压缸排汽和各级回热抽汽的压力、温度测点应尽可能靠近汽轮机的各段抽汽口和高压缸的排汽口。

(7)回热加热器、除氧器的进汽、疏水、进水、出水的压力、温度的测点应分别尽可能靠近各该加热器的相应进口处或出口处,但须注意要避开汽流受到扰动的区域。

(8)当有两股不同能量等级的汽流或水流,经由三通汇入一条管道流进时,应当在三通交汇口下游足够远处布置温度测点 。

(9)汽轮机低压缸排汽压力测点,应布置在低压缸排气口处或凝汽器喉部区域,在排汽缸与凝汽器的衔接面上下各距 150mm 的范围内。为求得具有代表性的平均排汽压力值,测点的个数最好不少于 4 个,但不得超过 8 个,计算时取其算术平均值。

(10)试验用的热力系统的储水容器,应分别设置水位监测仪表。

8.2.4 试验仪表及测量方法

试验结果的准确性和可靠性除了与合理地确定和布置试验所需的测点(见图 8-1)有关以外,还取决于正确的测量方法和合理选用精度等级高的测试仪表。试验测量仪表应在试验前在合格的标准校验装置上校验,确认合格者方可使用,并绘制校正曲线,以备修正之用。

下面就试验用仪表及主要测量方法进行具体说明。

(1)电功率测量:采用经校验合格的功能标准表,三相两表测量方式,精度等级为 0.05 级。

(2)压力测量:重要测点均采用 0.075 级型智能压力变送器进行测量,其他一般性测点采用压力变送器进行测量,其精度分别为 0.25 级和 0.1 级。

(3)温度测量:采用校验合格的精密级 E 型、J 型热电偶测量,补偿导线使用精密级补偿导线,冷端在数采系统中自动补偿。对于部分重要测点,采用双重测点,以增加测量的可信度。

(4)流量差压测量:主凝结水流量及辅助流量差压均采用校验合格的 0.075 级型智能

差压变送器测量。

(5)主凝结水流量:采用高精度的喉部取压长颈式流量测量装置,安装于4号加热器出口至除氧器入口之间的水平凝结水管段上。

(6)低压缸排汽压力的测定:采用6个专用网笼式探头,安装在凝汽器喉部(在排汽口有效面积均匀分布),用经校验合格的0.075级型绝对压力变送器测量。

(7)储水箱水位变化测量:除氧器、热井等水位变化,用就地玻璃管水位计对液位变送器现场校验后,从DCS中直接读出,标尺最小刻度为mm。

(8)明漏量测量:无法隔离的出入热力系统的明漏量,由试验人员采用容积法测量。

(9)数据采集:采用IMP分散式数据采集装置,由计算机控制采集并自动记录压力、温度、差压、电功率等信号,精度等级0.02级。

8.3 试验过程

8.3.1 试验用热力系统的隔离

按试验用原则性热力系统图首先进行隔离操作,把被试机组与厂内其他机组之间的汽、水联络管路完全隔离,然后才能进行试验。

8.3.1.1 锅炉的排污

试验进行期间,要停止锅炉的定期排污。开始测量记录前的数分钟,关闭连续排污阀,直至测量记录结束后再进行打开。

8.3.1.2 系统的漏泄

从试验测量开始到结束,若热力系统有漏泄,则其总漏泄量可由系统内部所有贮水容器中的存水量的变化来确定,其中一部分可以通过测量或估算确定,另一部分是“原因不明”的漏泄。如果“原因不明”的漏泄量超过试验规程规定的允许值,则要查找原因,想法消除原因。表8-1是与试验结果精度指标相对应的“原因不明漏泄流量”的定额。

表8-1　“原因不明”漏泄流量的合理定额

试验规程	试验结果精度指标	不明漏泄流量额定负荷时的主蒸汽流量
IEC_5(Central Office)23—1984 ANSI/ASME PTC6—1984	±0.3%	≤0.1%
IEC_5(Central Office)24—1984	±0.9%~1.2%	≤0.4%
GB8117—87	±1.0%	0.3%~0.5%
JISB8102—1977	—	由试验者协商确定

8.3.2 试验工况

试验负荷工况必须具有代表性,同时还考虑到实际可能性,通常是根据试验目的和机组配汽机构的型式这两个因素来选择。

对于喷嘴调节的机组可根据调节阀全开和半开时的负荷点来进行试验负荷点的选择,可参见表 8-2。

表 8-2　　试验工况

项目	试验符合(%额定负荷)
预备性试验	100%;85%;70%;50%
回热工况试验	100%;90%;80%;70%;60%;50%
保证工况试验	(100±5)%
级段效率试验	按调节汽门全开作 4~6 个负荷

8.3.3 试验时对运行参数的要求

所有影响试验结果的运行参数,在试验开始之前应尽可能调整到规定值,并且在每次试验的全过程中能保持稳定。各国的汽轮机热力性能试验规程对此都提出了明确的规定。表 8-3 所示为主要运行参数的允许偏差和波动值。

表 8-3　　主要运行参数的允许偏差和波动值

参数名称	试验测量值与设计规定值之间的最大允许偏差(%)				单个观测值与平均观测值之间的最大允许偏差(%)			
规程	IEC_5(Central Office) 23	IEC_5(Central Office) 24	GB8117	JISB8102	IEC_5(Central Office) 23	IEC_5(Central Office) 24	GB8117	JISB8102
主蒸汽压力	±3	±5	±3	±5	±0.5	±2.5	±2	±2
主蒸汽温度、再热蒸汽温度	±15℃	±15℃	±15℃	±8℃	±4℃	±7.5℃	±4℃	±4℃
排汽压力　凝汽式	+25 -10	±5	+25 -10	+25 -10	±5	±12.5	±5	±5
排汽压力　背压式	—	±5	±5	±5	—	—	—	—
给水温度	±8℃	±10℃	±8℃	±10℃	—	—	—	—
电功率或主蒸汽流量	±5	±5	±5	±5	±0.25	±5	±3	±3
电压	±5	—	±5	±5	—	—	—	±2
功率因数	≥规定值 -0.05		≥规定值 -0.05	≥规定值 -0.05	—	—	—	—

8.4 试验结果的计算与分析

8.4.1 试验条件下的热耗率的计算

试验条件下的热力计算就是根据试验所测得的数据对机组各个工况进行热力性能的计算。为了获得精确的试验结果,一般以试验中测得的各真实平均值来计算出试验条件下的热耗率,然后再对试验时的热力系统和蒸汽的初终参数、再热蒸汽参数、再热器压损率、转速、功率因素等偏离规定值进行修正,最后求出额定条件下的汽耗率和热耗率。

以图 8-1 所示试验用的热力系统为例,简述试验工况下的热耗率计算。

8.4.1.1 绘制热力过程线

位于过热区的热力过程线,可由试验中测得的主蒸汽、再热蒸汽以及通流部分各级段汽室内(或抽汽口)压力、温度值在 $h \sim s$ 图上绘制。而凝器式汽轮机排汽为湿蒸汽,对于湿蒸汽来说,压力和温度不是相互独立的状态参数,故排汽状态点不能以所测的排汽压力和温度直接确定,还需知另一独立参数,如湿蒸汽的干度,但目前尚无测量湿度的方法,故而,在试验结果计算中是通过对汽轮机进行热平衡计算求出排汽焓 h_{ex},从而确定它的排汽状态。再绘制出完整的热力过程线,如图 8-2 所示。

1)排汽状态的确定

先根据汽轮机的热平衡计算排汽带出的热量 Q_{ex}:

$$Q_{ex} = Q_{ms} + Q_{rh} - Q_{v} - Q_{hp} - Q_{h} - Q_{i} - Q_{l} \tag{8-1}$$

式中 $Q_{ms}(=D_{ms}h_{ms})$——主蒸汽带入汽轮机的热量,kJ/h;

$Q_{rh}(=D_{rh}h_{rh})$——再热蒸汽带入汽轮机的热量,kJ/h;

$Q_{v}(=D_{v}h_{ms})$——门杆漏气带出汽轮机的热量,kJ/h;

$Q_{hp}(=D_{hp}h_{hp})$——高压缸排汽带出汽轮机的热量,kJ/h;

$Q_{h}(=\sum D_{hk}h_{hk})$——汽轮机各段抽汽带出的热量,kJ/h;

$Q_{i}(=3\,600P_{i})$——汽轮机内功率的热当量,kJ/h,其中 P_{i} 汽轮机的内功率,kW;

$Q_{l}(=\sum D_{lk}h_{lk})$——各轴封漏汽带出汽轮机的热量,kJ/h,$D$ 和 h 分别为对应的流量(kJ/h)和焓值(kJ/kg)。

由式(8-1)求得排汽比焓:

$$h_{exA} = Q_{ex}/D_{ex} \tag{8-2}$$

式中 D_{ex}——低压缸的排汽量,kJ/h。

2)抽汽为湿蒸汽时抽汽点的确定

抽汽为过热蒸汽时,其状态点可由抽汽的压力和温度查取。但汽轮机最后一级抽汽多为湿蒸汽,由于湿蒸汽的压力和温度已不是独立的状态参数,而目前又无准确测定湿度的方法,因此仅由压力不能决定其状态点。此时,可先绘制位于过热蒸汽区的膨胀过程线,再将这段膨胀过程线按外插法向湿蒸汽区延伸,直至与抽汽压力线相交。在计算机计算时,可近似将汽轮机这一级段的相对内效率取为与上一级段的相对内效率减去此级段的湿蒸汽损失系数,由此来确定其状态点。

3)热力过程线终点焓值的确定

汽轮机膨胀线终点一般在已确定排汽点的基础上用以下迭代的方法求得。由于汽轮机的热力过程线终点 B 的焓值与排汽点 A 的焓值有如下关系(见图 8-2):

$$h_{ex} = h_{exA} - \Delta h_{ex} \tag{8-3}$$

首先将已做出的热力过程线,从最后一个回热抽汽点沿膨胀方向延长,直到与所测得排汽压力相交于 B 点(见图 8-2),将此点的焓值 h_{ex} 作为真实终点焓值的试算值 h'_{ex}。根据此试算值由焓熵表查出这一点得体积 V_B,再由下式求 B 点的排汽体积流量:

$$G_V = D_{ex} V_B \tag{8-4}$$

式中 D_{ex}——排汽的质量流量,kg/h。

由排汽体积流量 G_V 查汽轮机制造厂提供的 $\Delta h_{ex} \sim G_V$ 曲线(见图 8-3),确定排汽损失 Δh_{ex},并将 Δh_{ex} 带入下式,即可求得 h_{ex}:

$$h_{ex} = h_{exA} - \Delta h_{ex} \tag{8-5}$$

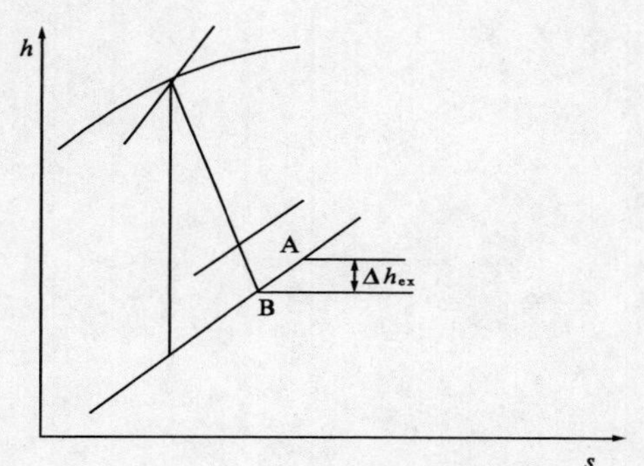

图 8-2 汽轮机膨胀线终点的确定

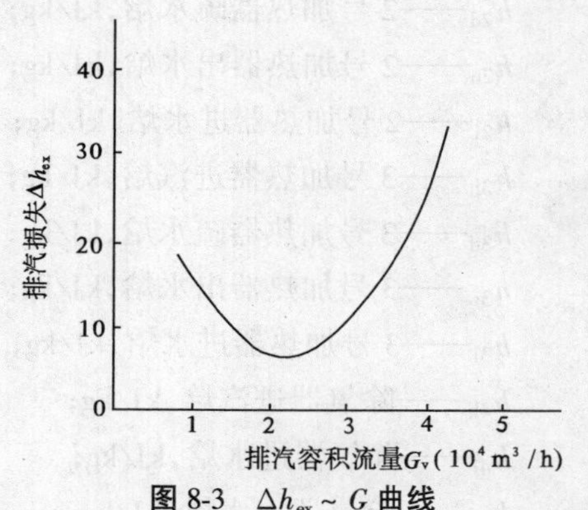

图 8-3 $\Delta h_{ex} \sim G$ 曲线

若求的 h_{ex}不等于 h'_{ex}(不满足给定的精度要求)则需要重新绘制热力过程线,使其通过 h_{ex}值对应的过程线终点,并重复上述计算,直至 h_{ex}与 h'_{ex}的差值满足精度要求为止。

8.4.1.2 各段回热抽汽量的计算

对于具有回热抽汽的汽轮机,回热加热器用汽量的计算是根据加热器的热平衡方程式求得的。其主要流量测量值是除氧器进口处的主凝结水流量,各回热加热器的编号按回热抽汽段号由高至低编排;计算是从加热器开始,然后顺序逐个对加热器进行计算,求出其抽汽量。

对于求取高压加热器用汽量和给水流量,可通过下列加热器热平衡方程式和除氧器的物质、热量方程式,联立计算求解,即

$$\begin{cases} D_{fw}(h_{1o} - h_{1i}) = D_{1h}(h_{1h} - h_{1d}) \\ D_{fw}(h_{2o} - h_{2i}) = D_{2h}(h_{2h} - h_{2d}) + D_{1h}(h_{1d} - h_{2d}) \\ D_{fw}(h_{3o} - h_{3i}) = D_{3h}(h_{3h} - h_{3d}) + (D_{1h} + D_{2h})(h_{2d} - h_{3d}) \\ D_{fw} = D_c + D_{1h} + D_{2h} + D_{3h} + D_{4h} - D_s - D_{fp} + D_D \\ D_{fw} h_{4o} = D_c h_{4i} + (D_{1h} + D_{2h} + D_{3h}) h_{3d} + D_{4h} h_{4h} - D_s h_s - D_{fp} h_{4o} + D_D h_{4o} \end{cases} \tag{8-6}$$

式中 D_{fw}——流进1号、2号、3号加热器的主给水流量,kg/h;

D_{1h}——1号加热器的用汽量,kg/h;

D_{2h}——2号加热器的用汽量,kg/h;

D_{3h}——3号加热器的用汽量,kg/h;

D_{4h}——除氧器用汽量,kg/h;

D_D——除氧器给水箱储水量变化当量流量,水位上升为正,下降为负,kg/h;

D_c——主凝结水流量,kg/h;

h_{1h}——1号加热器进汽焓,kJ/kg;

h_{1d}——1号加热器疏水焓,kJ/kg;

h_{1o}——1号加热器出水焓,kJ/kg;

h_{1i}——1号加热器进水焓,kJ/kg;

h_{2h}——2号加热器进汽焓,kJ/kg;

h_{2d}——2号加热器疏水焓,kJ/kg;

h_{2o}——2号加热器出水焓,kJ/kg;

h_{2i}——2号加热器进水焓,kJ/kg;

h_{3h}——3号加热器进汽焓,kJ/kg;

h_{3d}——3号加热器疏水焓,kJ/kg;

h_{3o}——3号加热器出水焓,kJ/kg;

h_{3i}——3号加热器进水焓,kJ/kg;

h_{4h}——除氧器进汽焓,kJ/kg;

h_{4i}——除氧器进水焓,kJ/kg;

h_{4o}——除氧器出水焓,kJ/kg;

h_s——除氧器内蒸汽压力下对应的饱和蒸汽焓,kJ/kg。

各加热器的热平衡方程式中,回热抽汽的焓值应由加热器进口的抽汽温度和压力的实测值查焓熵图表求得(或由计算机调用蒸汽性质程序计算)。若加热器进口没有安装压力测点时,则只能视抽汽管道的布置情况,先估计管道的压力损失,一般取抽汽压力的5%~8%获取设计值,再由汽轮机抽汽口压力减去压力损失后作为加热器进口的压力值。若加热器进口没有安装温度测点时,要视抽汽管道的布置情况,估计管道的散热损失,将汽轮机抽汽口的焓值乘上一个抽汽焓利用系数 ξ_h 作为加热汽进口的焓值。事实上,抽汽焓利用系数还包括对加热器散热的考虑,一般 ξ_h 取0.98~0.985。

8.4.1.3 主蒸汽流量的确定

对于单元机组,在试验运行中,锅炉停排污、再热器不投减温水的情况下,主蒸汽流量 D_{ms}应该等于主给水流量。即

$$D_{ms} = D_{fw}$$

若再热器投减温水,得

$$D_{ms} = D_{fw} - D_{fr} \tag{8-7}$$

式中　D_{fr}——再热器减温水流量，kg/h。

8.4.1.4　汽轮机进汽量(D_{hI})

$$D_{hI} = D_{ms} - D_{hv} \tag{8-8}$$

式中　D_{hv}——高压缸门杆漏气量，kg/h。

8.4.1.5　冷再热蒸汽(高压缸排汽)流量(D_{ch})

$$D_{ch} = D_{hI} - D_{1h} - D_{2h} - D_{hL} \tag{8-9}$$

式中　D_{hL}——高压缸前轴封漏汽量，kg/h；

D_{1h}——第1段回热抽汽量，kg/h；

D_{2h}——第2段回热抽汽量，kg/h。

8.4.1.6　热再热蒸汽(中压部分进汽)流量(D_{rh})

$$D_{rh} = D_{ch} + D_{fr} \tag{8-10}$$

8.4.1.7　低压缸排汽量(D_{ex})

$$D_{ex} = D_{rh} - \sum_{i=5}^{8} D_{ih} - D_{lv} \tag{8-11}$$

式中　$\sum_{i=5}^{8} D_{ih}$——第5段至第8段回热抽汽量之和，kg/h；

D_{lv}——中压联合汽门门杆漏汽量，kg/h。

8.4.1.8　热耗率

汽轮机的热耗率 HR^S 为：

$$HR^S = \frac{D_{ms}h_{ms} - D_{fw}h_{fw} + D_{rh}h_{rh} - D_{ch}h_{ch} \pm \Delta\phi}{P_{el}} \tag{8-12}$$

式中　h_{ms}——主蒸汽焓，kJ/kg；

h_{fw}——去省煤器的给水焓，kJ/kg；

h_{rh}——热再热蒸汽焓，kJ/kg；

h_{ch}——冷再热蒸汽焓，kJ/kg；

$\Delta\phi$——试验时，由各种次要流量带入或带出试验用热力系统的热量，如辅助用汽，化学补充水热量等。

8.4.1.9　计算汽轮机的内功率

汽轮机的内功率 P_i 为：

$$P_i = P_{el} + \Delta P_g + \Delta P_h + \Delta P_m \tag{8-13}$$

式中　P_i——发电机发出的电功率(实测值)；

ΔP_g——发电机的电气损失。发电机的电气损失与发电机的电流平方(或与有功功率)成正比，同时也和电压有关，它的数值由试验确定。在计算时，一般可取设计数据或在有关的曲线图中查得；

ΔP_h——发电机冷却介质的参数与确定电气损失时所取用的数值不同引起的附加损失。例如对于氢冷发电机，电气损失是在设计氢压下确定的，试验测取的氢压偏离设计值，即须对此项损失进行修正，此项数值，一般可从制造厂提供的资料中查得；

ΔP_m——汽轮发电机组的机械损失，它包括轴承损失、油泵功耗等。计算时若须得到较精确的值，可通过发电机带励磁空载试验求得。一般也可采用设计值或查有关的曲线。

8.4.1.10 **相对内效率**

汽轮机各缸的相对内效率 γ_{ri}由下式计算：

$$\gamma_{ri} = \Delta H_i / \Delta H_t \tag{8-14}$$

式中 ΔH_i——汽轮机各缸的有效焓降，kJ/kg；

ΔH_t——汽轮机各缸的理想焓降，kJ/kg。

8.4.2 额定条件下热耗率的计算

汽轮机制造厂提出的热耗率保证值，一般是汽轮机在设计工况下运行时，应达到的数值；也就是热力试验时机组运行的所有条件（如蒸汽参数，热力系统等）稳定在设计值及符合设计条件，但实际上很难做到，试验值与额定值总是有偏差。为了便于和同类型机组以及同一机组进行性能比较，一般以试验时的数据及计算结果为依据，然后将其修正到额定条件的性能指标。通常把需要修正的运行条件分为两类：①热力系统及设备条件的修正；②运行参数的修正。

8.4.2.1 **第一类修正**

第一类修正主要是针对热力系统的修正。当试验的目的是为了验证汽轮机设计制造的效果，而试验时运行的热力系统和设备条件与额定条件不一致时，应将这些条件修正到额定条件。修正的主要内容有：

(1)最后一级高压加热器出口的给水流量等于试验时主蒸汽的流量(锅炉不排污)。

(2)各段抽汽管路的压力损失取额定值。

(3)各加热器的端差(即加热器抽汽来的压力对应的饱和温度与加热器出口给水温度的差值)取额定值。

(4)各加热器的下端差(疏水温度与加热器的进口水温的差值)。当加热器未设置疏水冷却器区段时，加热器的疏水温度取加热器蒸汽压力对应的饱和温度。如加热器内装设疏水冷却器区段，则下端差取额定值。

(5)凝汽器热井出口的主凝结水的温度等于凝汽器工作压力的饱和温度减去规定的过冷度。

(6)给水经过给水泵的焓增取规定值。

(7)系统中任何储水容器的存水量不变。

(8)过热器和再热器的减温水均等于零。

(9)其他辅助用汽(如轴封和门杆漏汽量，射汽抽汽器用汽量等)均按设计规定值取。

在进行上述修正后，保持试验时汽轮机调速汽门开度，汽轮机相对内效率不变(即保证汽轮机的流量不变和膨胀过程线不变)，在此条件下再进行新的热平衡计算，求出各级的抽汽量。

当抽汽量变化较大时，汽轮机抽汽口后相应的级段内流量也会发生较大的变化，从而使抽汽压力变化，并导致加热器压力、疏水温度等一系列变化，这些变化反过来引起抽汽量的变化。所以要进行反复的迭代计算，具体步骤如下：

(1)按上述原则修正热力系统。

(2)进行各加热器的热平衡计算，求出各级的抽汽量。

(3)计算新的抽汽压力。对于凝汽式汽轮机的大部分级来说(除了末几级)，级前压力与流过该级的流量成正比，因此抽汽量的变化值可按抽汽压力与抽汽口后级的流量成正比来进行修正。

需要指出的是：对于中间再热式汽轮机的修正计算，为了避免对高压缸因排汽压力变动而进行高压缸效率的修正，而规定高压缸的排汽压力保持试验值不变，因抽汽量改变而引起的再热后进汽压力的变动，可作为再热器压降的改变在第二类修正中予以考虑。由于再热后进入中压缸的进汽流量的改变，而引起中压缸进汽压力变动的数值，也可按压力与流量成正比进行修正，即

$$p'_r = p_r G'_r / G_r \tag{8-15}$$

式中 p'_r、p_r——修正后和试验测得的中压缸进汽压力；

G'_r、G_r——修正后和试验测得的中压缸进汽量。

求得修正后的再热蒸汽压力后，再由再热蒸汽温度查得相应的进汽焓值，作为计算再热后蒸汽带入热量的依据。

(4)修正抽汽状态点。根据修正后新的抽汽压力，按汽轮机相对内效率不变和排汽压力不变，确定各级新的抽汽焓值。即在焓熵图上画出这些新抽汽压力的等压线，并逐级段作原试验过程线的平行线，它与等压线的交点，即为修正后的抽汽状态点。

(5)迭代计算。重复由步骤(2)开始的计算，直到抽汽压力值与上一次计算值的相对误差在1%以内。

(6)发电机功率的修正。经热力系统修正后，机组的电功率可由汽轮机的能量平衡求得，其方法和前述计算排入凝汽器的蒸汽焓值所用的方法相似。不过在计算发电机损失时，其功率因数、电压、转速和冷却气体压力等均为额定值。校正后的发电机功率为

$$P_{el} = [(Q_i - Q_o)]/3\,600 - (\Delta P_g + \Delta P_h + \Delta P_m) \tag{8-16}$$

式中 Q_i——流进汽轮机的总热量，kJ/kg；

Q_o——流出汽轮机的总热量，kJ/kg。

最后由此计算出热耗率。

8.4.2.2 第二类修正

第二类修正主要是运行参数的修正，即主蒸汽压力、温度、再热蒸汽温度、再热汽压降和排汽压力偏离设计值时，对热耗率和发电机功率的影响进行修正。这类修正一般是将试验得到的或通过第一类修正后得到的热耗率和发电机功率除以一个修正系数，就可得到额定参数下的热耗率和发电机功率。

$$HR^R = HR^S / C,\ C = C_1 C_2 C_3 C_4 C_5 C_6 C_7 C_8 \tag{8-17}$$

$$P_{el}^R = P_{el}^S / D,\ D = D_1 D_2 D_3 D_4 D_5 D_6 D_7 D_8 \tag{8-18}$$

式中 C——参数对热耗率的总修正系数；

C_1、C_2、C_3、C_4、C_5、C_6、C_7、C_8——主蒸汽温度压力、再热蒸汽温度、再热汽压降率、排汽压力、功率因数、氢压、转数等偏离设计值时，对热耗率的修正系数；

D——参数对电功率的总修正系数；

D_1、D_2、D_3、D_4、D_5、D_6、D_7、D_8——主蒸汽温度压力、再热蒸汽温度、再热汽压降率、排汽压力、功率因数、氢压、转数等偏离设计值时，对电功率的修正系数。

各变量对电功率和热耗率的修正系数，可通过计算或试验得到，一般由制造厂提供的各修正曲线确定。

习　题

8－1　现场汽轮机热效率试验主要测量哪些参数？

8－2　现场汽轮机热效率测试时，对各主要参数的测量有何要求？

8－3　现场测试汽轮机热效率时，其热力系统如何选取？对汽轮机的运行参数有何要求？

8－4　在计算汽轮机的热效率时，为什么对试验结果进行修正？

8－5　在绘制汽轮机的热力过程线时，对于湿蒸汽区来说，其排汽状态点如何确定？

参考文献

[1] 刘晓亭,李维藩.水力机组现场测试技术手册.北京:水利电力出版社,1993
[2] 陈造奎.水电站测试技术.北京:中国水利水电出版社,1998
[3] 蔡武昌,孙淮清,纪纲.流量测量方法和仪表的选用.北京:化工工业出版社,2001
[4] 李春茂,等.传感技术.北京:科学技术文献出版社,2001
[5] 贾伯年,俞朴.传感器技术.南京:东南大学出版社,1992
[6] 王家桢,王俊杰.传感器与变送器.北京:清华大学出版社,1996
[7] 李春茂,等.电工技术.科学技术文献出版社,2001
[8] 李春茂,等.电工技术原理及应用.北京:中国建材工业出版社,1999
[9] 戴莲瑾.力学计量技术.北京:中国计量出版社,1992
[10] 吴永生,方可人.热工测量及仪表.北京:水利电力出版社,1981
[11] 叶江祺.热工测量和控制仪表的安装.北京:中国电力出版社,2003
[12] 谢柏曾.汽轮机热工监测与保护.北京:水利电力出版社,1991
[13] 古俊杰,丁常富.汽轮机控制监测与保护.北京:中国电力出版社,2002
[14] 陆颂元.汽轮发电机组振动.北京:中国电力出版社,2000
[15] 吴季兰.汽轮机试验技术.北京:水利电力出版社,1994
[16] 能源部西安热工研究所主编.热工技术手册.汽轮机组.北京:水利电力出版社,1991
[17] 程大亨.热工过程检测仪表.北京:中国电力出版社,1997
[18] 陈汝庆.汽轮机原理及运行.北京:中国电力出版社,2000